CB064312

Romance de Dom Pantero
no Palco dos Pecadores

ARIANO SUASSUNA

Romance de
DOM PANTERO
no Palco dos Pecadores

LIVRO II

♄

EDITORA
NOVA
FRONTEIRA

Copyright © 2017 Ilumiara Ariano Suassuna

Direitos de edição da obra em língua portuguesa no Brasil adquiridos pela EDITORA NOVA FRONTEIRA PARTICIPAÇÕES S.A. Todos os direitos reservados. Nenhuma parte desta obra pode ser apropriada e estocada em sistema de banco de dados ou processo similar, em qualquer forma ou meio, seja eletrônico, de fotocópia, gravação etc., sem a permissão do detentor do copirraite.

EDITORA NOVA FRONTEIRA PARTICIPAÇÕES S.A.
Rua Candelária, 60 — 7º andar — Centro — 20091-020
Rio de Janeiro — RJ — Brasil
Tel.: (21) 3882-8200 — Fax: (21) 3882-8212/8313

Ilustrações de capa e miolo: Ariano Suassuna

CIP-BRASIL. CATALOGAÇÃO NA PUBLICAÇÃO
SINDICATO NACIONAL DOS EDITORES DE LIVROS, RJ

S933r

    Suassuna, Ariano, 1927-2014
        Romance de Dom Pantero no Palco dos Pecadores : O Palhaço Tetrafônico, livro 2 / Ariano Suassuna. - 1. ed. - Rio de Janeiro : Nova Fronteira, 2017.
        536 p. : il. ; 23 cm.

    ISBN: 9788520932988

    1. Romance brasileiro. I. Título.

17-44774   CDD: 869.3
                                                                               CDU: 821.134.3(81)-3

A Maria,
Mãe de Deus,
por tudo o que significou
e significa para nós.

Sumário

Prefácio
Dom Pantero e sua Ilumiara
Carlos Newton Júnior 11

Abertura Plagiada, Deturposa, Falsificada e Reversa 29

Livro 1 - O Jumento Sedutor

Prelúdio - O Protagonista Insano 43

Repente - O Antagonista Possesso 121

Chamada - O Chabino Desamado 211

Galope - A Trupe Errante da Estrada 341

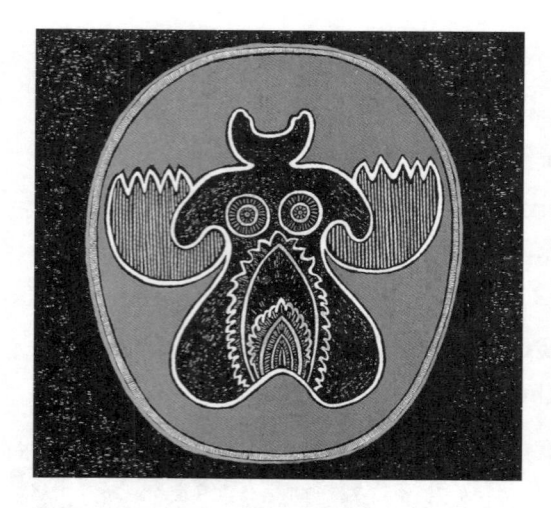

Livro II - O Palhaço Tetrafônico

Prelúdio - O Rapsodo Agonizante — 491

Repente - O Bufão Apocalíptico — 659

Tocata - O Caprípede Castanho — 793

Fuga - A Persona do Poieta — 859

Posfácio
Ricardo Barberena — 981

Cronologia de Ariano Suassuna — 987

Livro 11
O Palhaço Tetrafônico

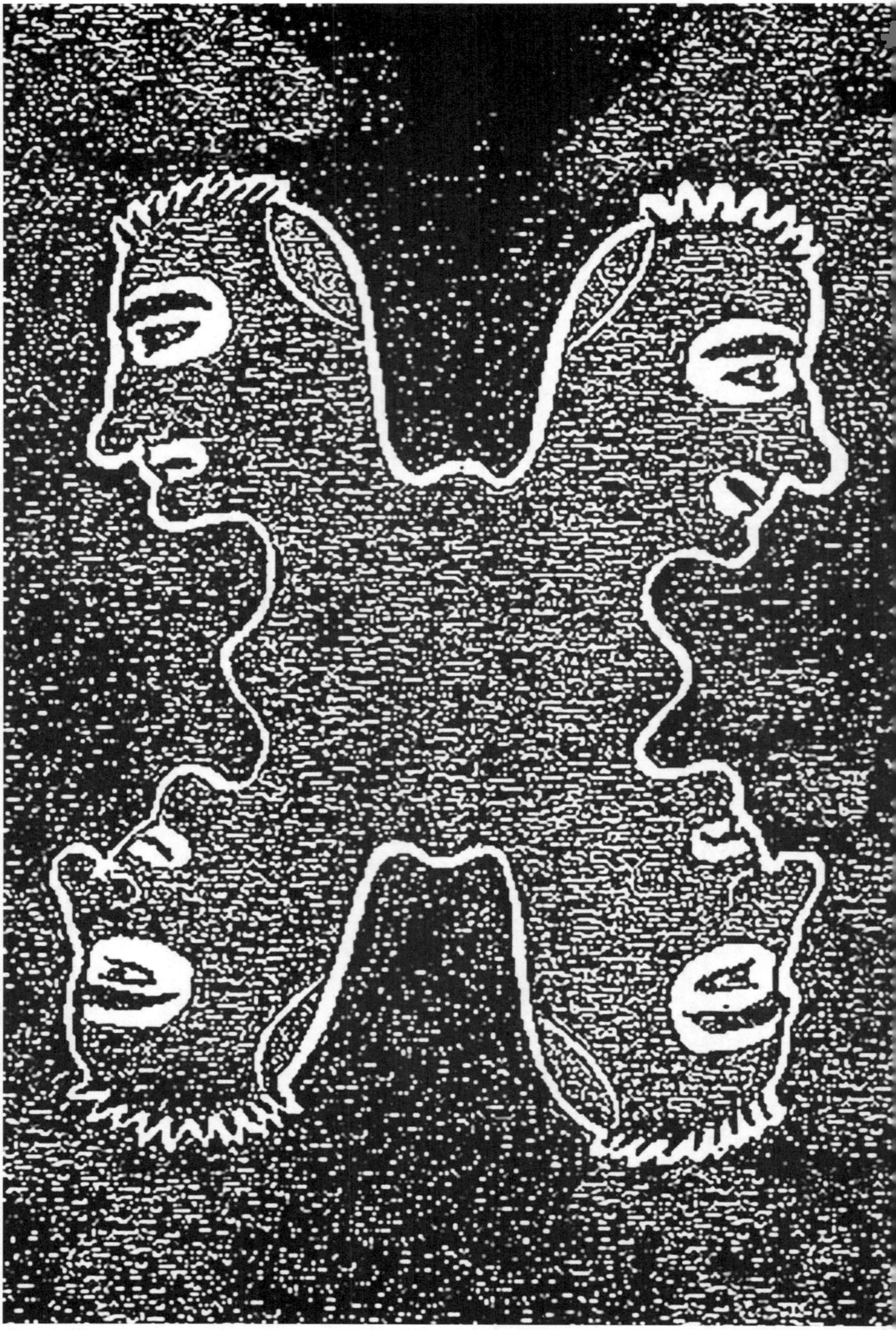

O Palhaço Tetrafônico

Airesiana Brasileira em Lá-Maior

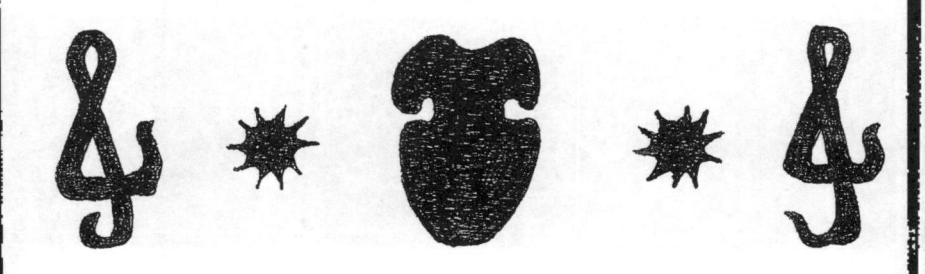

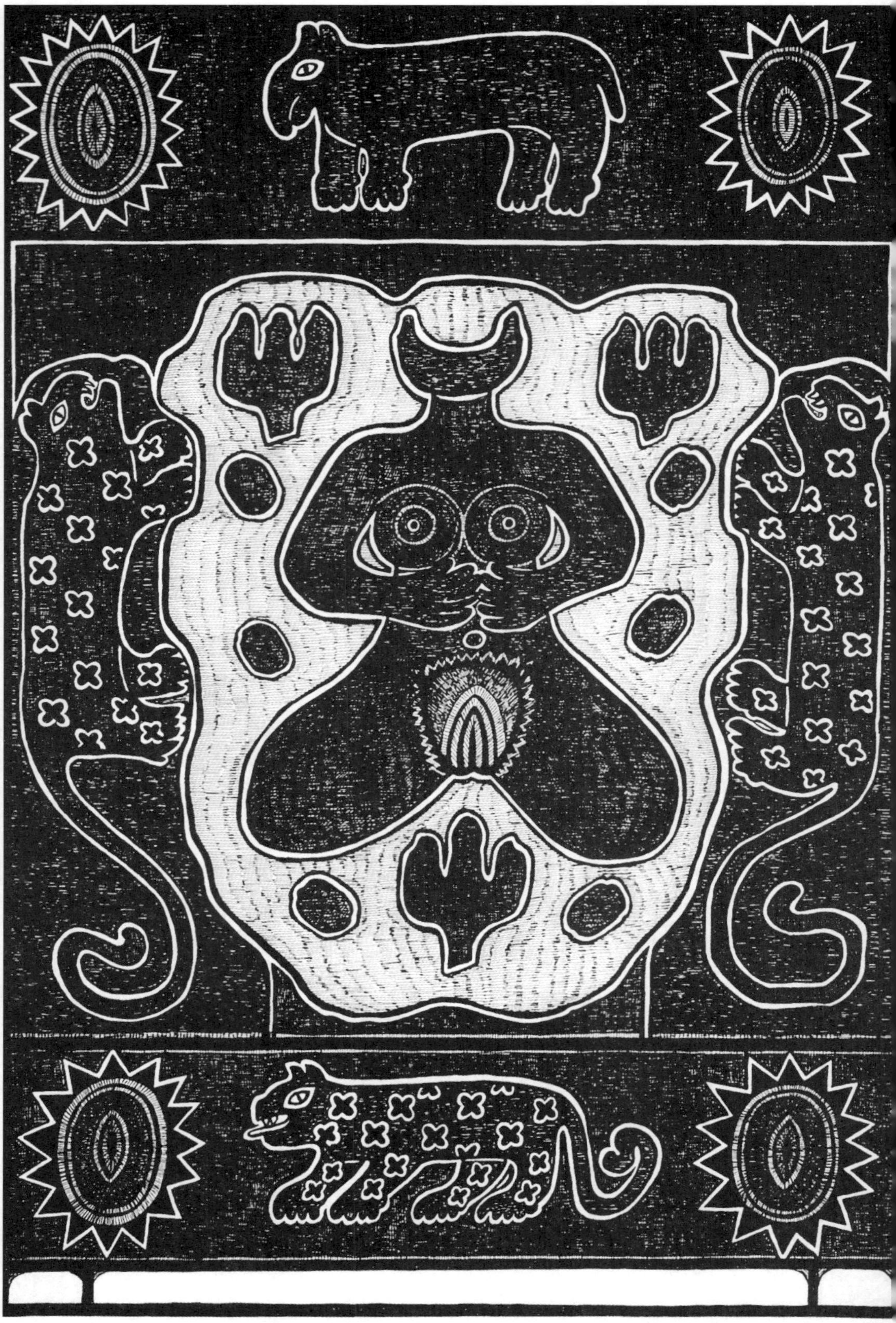

Prelúdio

O Rapsodo Agonizante

O Rapsodo Agonizante
Epístola de Santo Antero Schabino, Apóstolo

Escrita por seu afilhado, sobrinho e discípulo Antero Savedra, em homenagem aos Brasileiros descendentes de Judeus, nas pessoas de Antônio José da Silva, Rachel e Ana Canen, Jacob Schachnik, Noel Nutels, Moacyr Scliar e Betty Gofman.

Dirigida aos nobres Cavaleiros e belas Damas da Pedra do Reino. E enviada, por seu intermédio, aos diversos povos do Mundo; especialmente aos da Rainha do Meio-Dia, aqui representada por Moçambique.

EPÍGRAFE

"Um Poeta deve morrer, mas não sua Musa. Esteja eu vivo ou morto, meu Canto continuará atingindo os outros. E nada pode desaparecer deste Mundo no dia da minha Despedida final."

SÉRGIO PARADJANOV

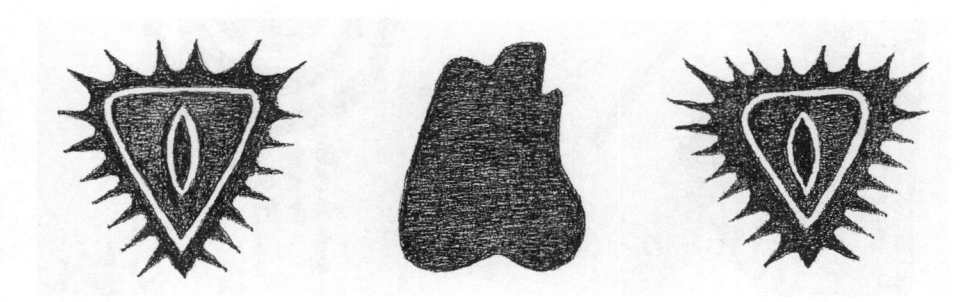

Dedicatória

Este Prelúdio é dedicado a Isabel de Andrade Lima Suassuna, Diogo Ardaillon Simões, Ester e Anaís Suassuna Simões; e foi composto em memória de Maria das Neves Dantas Villar e Joaquim Duarte Dantas.

O Rapsodo Agonizante no Camarim dos Presságios

Adágio Evocativo

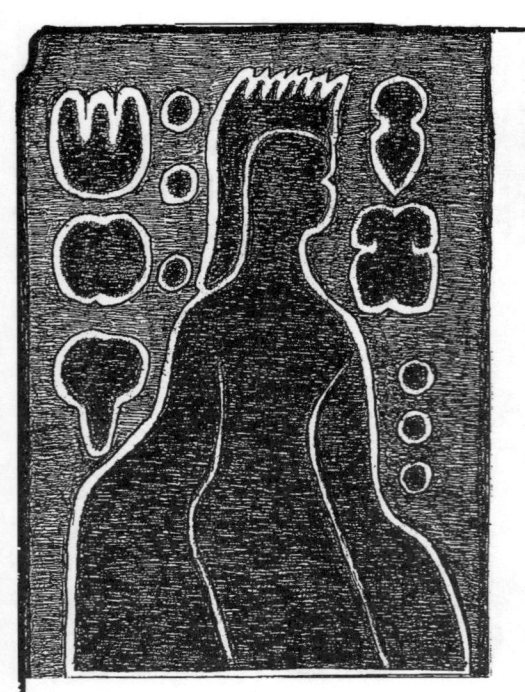

SIBILA
Moda, Turismo & Lazer
Igarassu, 20 de Março de 2014
23 de Abril de 2016

Aos nobres Cavaleiros e belas Damas da Pedra do Reino.

Amigos:

Escrevo a Vocês como se celebrasse um ritual religioso no Palco do Circo-Teatro Savedra. Para isso, vesti a roupa negra-e-vermelha que herdei do meu Tio, Padrinho e Mestre, Antero Schabino. Pendurei ao pescoço o Colar-com-Medalhão e sentei-me na Cadeira que outrora pertenceu, no Colégio de Olinda, a Antônio Vieyra: com uma tábua colocada de través sobre seus braços, pode ela servir de trono ao Rei, de palco ao Poeta, de picadeiro ao Palhaço e de púlpito ao Profeta, garantindo-me assim que Dom Pantero do Espírito Santo, Encenador e Encorado-polifônico d'A Ilumiara, passa a integrar aquela Áurea-Catena da qual seu primeiro ocupante sem dúvida participava.

Para ser exato, porém, devo dizer que neste momento eu me encontro num Gabinete, oculto entre as moradas da Casa do Engenho Coral, situada na Ilumiara Cantapedra, em São Lourenço da Mata. Nela, Guilherme Jaúna filialmente me acolhe de vez em quando, depois que, forçado a sair de Taperoá, me mudei de novo para o Recife, trazendo comigo a Sibila, que passei a publicar no Jornal A Voz de Igarassu.

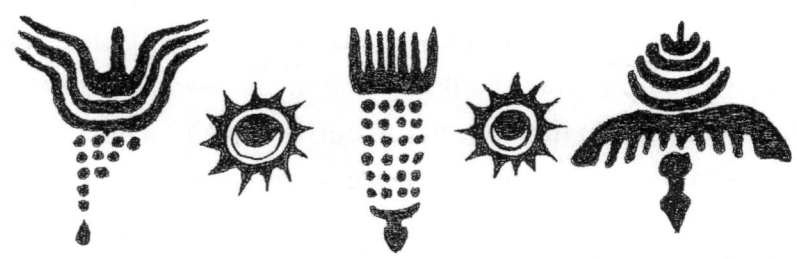

Aqui, de vez em quando, punge-me a saudade das Casas em que me criei — a da Fazenda Saco da Onça, e a urbana, de Taperoá. De acordo com as acusações dos nossos adversários, foram as duas que iniciaram dentro de mim "*o nefasto processo de transformação de Antero Beato num arcaico, ressentido e frustrado Arquiteto-de-escombros*" (processo concluído "*pela restauração da Ilumiara A Coroada*").

Insisto, porém: mesmo sentado à mesa do Gabinete, é como se estivesse no palco do Teatro; ou no terraço da nossa Casa recifense, onde Tio Antero pronunciava suas famosas Conferências Quase-Literárias; ou, como já referido, na do Saco da Onça; ou, finalmente, na de Taperoá — aquela em que, quando Menino, morei com minha Mãe e meus irmãos Mauro, Afra, Altino, Adriel, Auro e Gabriel, depois que o Cavaleiro foi assassinado.

Ora, durante toda a minha vida, eu me considerei, antes de tudo, como um filho de João Canuto. E, provavelmente por causa das circunstâncias em que ele morreu, sempre dormi muito mal, num sono profundamente perturbado por sonhos e pesadelos. E, ainda hoje, mesmo durante o dia, passo grande parte do tempo numa espécie de devaneio, na companhia dos meus mortos, o que me leva a conviver com eles de noite e de dia, dormindo ou acordado, num Sonho quase contínuo.

De noite, às vezes, estou sonhando e de repente ergo-me da Cama, apavorado, ainda sacudido por soluços que me sufocam: no sonho, poucos momentos antes, encontrava-me na velha Casa da Fazenda Saco da Onça; era 9 de Outubro de 1930, e mais uma vez eu ouvia o galope de um Cavalo e o ruído de passos que desciam precipitadamente uma Escada, com um grito que trazia no seu rouco som empoeirado um sangue que nunca mais se apagou da minha vida.

Como Vocês bem podem entender por aí, foi assim que as Casas pertencentes a nossa Família terminaram se fundindo numa só — a recifense, na qual procuro efetivar agora o balanço final dos meus dias. E é por isso que redijo estas Cartas cercado por imagens e lembranças dos mortos familiares, que, de sua névoa, me falam carinhosamente, ajudando-me, pelo "*Riso a cavalo*" e pelo "*galope do Sonho*", a transmutar em vidrilhos e lantejoulas, semelhantes aos dos nossos Espetáculos, o sangue e as lágrimas que escorrem por estas páginas.

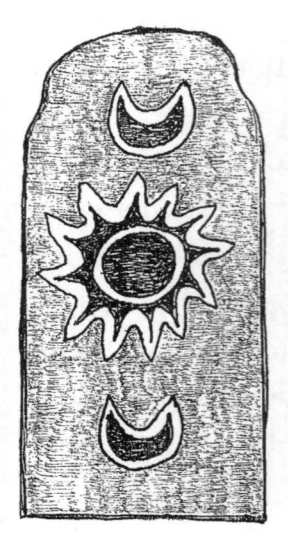

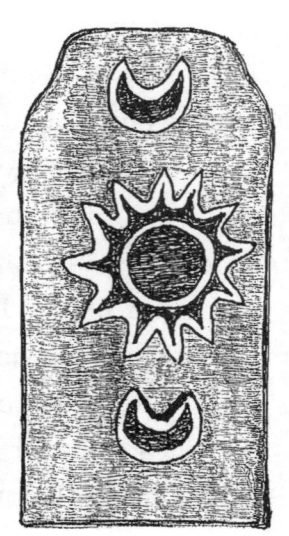

Variação sobre o Tema do Candelabro Rupestre

É noite, agora, e, dentro de casa, a temperatura da Ilumiara Cantapedra — situada na confluência dos Rios Tapacurá e Capibaribe — torna-se aos poucos cada vez mais agradável. Na Ilha, perto da pequena Corredeira que, cantando na pedra, dá nome à Fazenda, de vez em quando relincha um Cavalo. No Curral, são os urros graves dos Bois ou os mais agudos dos Bezerros; o berro das Cabras e o balido das Ovelhas, Cabritos e Borregos. No Quintal, ouve-se a algazarra dos Guinés, entremeada aqui e ali pela sinistra e bela trombeta dos Pavões que meu irmão Gabriel me mandou de presente, da Fazenda Carnaúba.

Assim, não causa espanto que minha escrita, numa festa provavelmente inaceitável para os outros, apareça carregada de choro sombrio e riso desatinado: escrevo como se o Espelho me revelasse, em claro-escuro mas dançando; às vésperas da morte mas a caminho de vencer a Morte; ameaçado pelo Enigma mas tateando incansavelmente em minha cegueira para ver se consigo decifrá-lo; tentando elevar-me e levar meu Povo comigo em meu impulso para o Alto.

da Beleza – Com citação de Pedro Américo

De modo que, para colocar meu espírito à altura da encantação criadora da escrita, a Música era indispensável; e, antes de começar esta Carta, cuidei de povoar o ambiente com o som de peças como a Romaria, de Antonio Madureira, e Sýrinx, de Claude Débussy. A primeira foi composta para A Compadecida. Quanto à segunda, lembro que sýrinx é o nome grego da *"flauta de Pã"*, e a peça de Débussy é ainda mais cheia de sortilégios porque nela a Flauta soa desacompanhada de qualquer outro instrumento.

Ao som de tais músicas, A Ilumiara torna-se, aos poucos, *"um novo e obscuro Hieróglifo, uma Ponte sobre o Abismo"*, como dizia João Ribeiro, um dos maiores entre os Imortais da Academia Brasileira de Letras.

Mas, de certa maneira, é também uma Tapeçaria. Depois que, forçados por acontecimentos políticos, nos mudamos do Recife para Taperoá, as filhas de Adriel e Eliza — Maria, Isabel, Mariana e Ana Rita — começaram a transpor as Litogravuras feitas pela Mãe para grossos panos de algodão bordados por elas. Ora, as Litogravuras de Eliza tinham sido feitas, a pedido de meu Tio, Padrinho e Mestre, como ilustrações para o Livro que seria A Divina Viagem. E, emendadas umas às outras, era como se fossem completando uma espécie de Ilumiara-em-Pano; o que me recordava um outro Tecido, o de Penélope, bordado durante o dia e desfeito à noite, para que assim pudesse ela afastar os Pretendentes importunos e se manter fiel a seu marido, Ulisses, o Rei (que, enquanto isso, penava em sua Viagem, de volta da guerra de Troia).

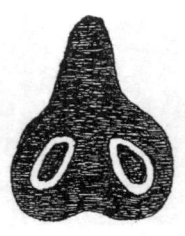

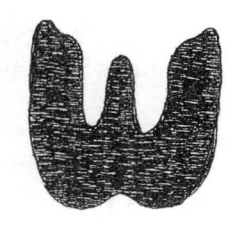

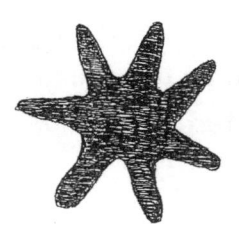

E a comparação é ainda mais pertinente se nos lembrarmos de que a obra de Adriel, com sua Telemaquia, era, de certo modo, uma Odisseia; e a de Auro, uma Orestíada.

Dona Clarabela

A meu ver, essa interpretação sobre o bordado de Penélope é machista, primária e mal-urdida. A ela eu objeto em primeiro lugar que a Rainha, largada por Ulisses e deixada só em Ítaca por anos infindáveis, tinha todo o direito de procurar um novo marido (assim como fez Ana Emília Ribeiro ao ser abandonada por Euclydes da Cunha).

Em segundo lugar, somente se atribui significado tão superficial ao bordado de Penélope porque ela era Mulher. Na verdade, o que se empreendia com ele era uma Viagem-decifratória, tão importante e tão carregada de significado quanto a de Dante em seu Poema ou a de Cervantes em sua Novela. Era a tentativa de encontrar o Castelo e nele penetrar, vencendo todas as dificuldades para, afinal, em sua 7ª Morada, começar-se a decifração do Enigma anunciado pela Vulva feminina.

Era isso, então, o que Penélope procurava, ao bordar durante o dia. E quando, à noite, desmanchava parte do trabalho, era porque descobrira, no que tecera, algum erro de interpretação.

Somente assim, também, é que se pode entender o sentido da grande Tapeçaria criada, aos poucos, por Eliza e suas filhas: era ela a recriação, em pano, d'A Divina Viagem, a expressão plástica da grande tentativa de decifração do segredo do Mundo, literariamente sonhada por meu Mestre, iniciador e primeiro amante, Antero Schabino.

Dom Pantero

A Ilumiara é, portanto, uma Confissão-heroica, uma Odisseia embuçada nas teias de uma grande Tapeçaria, na qual se representam, inclusive, cenas de luta e sangrentas emboscadas.

Dom Paribo Sallemas

É, também, um Conto de Fadas. Mas de Fadas obscenas, amantes de Fados cruéis e implacáveis: Destinos que elas, a serviço do Encourado e da Moça Caetana, iam tecendo e enredando nos fios de sua Malha inextrincável.

Dom Pancrácio Cavalcanti

E, observando critérios parecidos com os do extinto Jornal-católico A Tribuna, aqui se avisa mais uma vez: estas Cartas-Espetaculosas só podem ser lidas, folheadas ou vistas *"por adultos de sólida formação religiosa, moral, poética e filosófica"*.

Dom Porfírio de Albuquerque

Mas o assunto é tão delicado que, mesmo feita esta ressalva, também aqui se transcrevem, numa espécie de imitação falsificada do Português arcaico, alguns versos, contos e racontos, assim como certas citações que, como as do Cântico dos Cânticos, têm uma conotação erótica mais evidente; ou que, como as do Profeta Ezequiel e as de Cassandra Rios, são escritas numa linguagem capaz de transformar Dom Pantero em Pedra-de-escândalo, sendo ele então jogado ao rio, com outra Pedra (e esta real!) amarrada ao pescoço.

Dom Pantero

Além disso, no processo por assim dizer "*complicatório*" aqui adotado existe outra vantagem: com ele, a sagrada Rabeviola que é a Língua Portuguesa vai aparecer nas Cartas como um instrumento a mais de beleza na festa do Espetáculo. Principalmente para quem sabe que Cervantes considerava o Português como a língua mais sonora e musical do Mundo: apta, portanto, a transformar A Ilumiara num Palco, onde as Personas-Dramáticas e Máscaras-Coregais poderão jogar, brincar, chorar e improvisar à vontade em sua condição de Velhos, Pastoras, Capitães, Pícaros, Cantadores, Quengos, Quengas e Palhaços que, diante do Público, sabem tanger, com total liberdade, a genial Viorrabeca da nossa Língua.

Dom Pancrácio Cavalcanti

A terceira vantagem do processo "*pantérico*" de escrever é gráfica: em alguns trechos destas Cartas, além da referida e falsificada Ortografia Arcaica, adota-se a Tipografia Armorial; e ambas, propositadamente, dificultam a leitura aos olhos inocentes dos não iniciados, colocando a Narração mais de acordo com as Personas-Dramáticas e as Máscaras-Coregais que comparecem ao Palco.

Dom Paribo Sallemas

Dito o quê, sem mais delongas, passemos à parte realmente mais importante desta Narrativa espaventosa e meio-desparafusada.

Dom Pajutero

Para que Vocês bem entendam o que se passou no Circo-Teatro Savedra no dia 9 de Outubro de 2000, devo avançar alguns traços biográficos de José Fausto Martins, o jovem Delegado de Taperoá.

Fausto era de Campina Grande, mas durante algum tempo morara em nossa Cidade, com o objetivo de obter graduação na Universidade Popular Taperoaense (onde foi meu aluno, no Curso de Letras). Desde muito moço, começara a se interessar pelo problema da culpa e do crime nas ações humanas, recortando e guardando as notícias que sobre isso eram publicadas nos Jornais. Entrara na Polícia Civil; e, nesta condição, ainda em Campina Grande, publicara um artigo intitulado Crime e Romance Policial.

Advertido por um colega de que um título universitário poderia ajudá-lo a progredir em sua carreira, matriculara-se na Unipopt, onde escolhera o Curso que lhe parecera mais afim com seu gosto pela Literatura.

Um dia, já meu aluno, veio procurar-me depois de uma aula que eu dera sobre O Trágico e a Tragédia de Édipo Rei. Queria explicações mais detalhadas sobre a teoria aristotélica do reconhecimento, assunto da minha aula: interessara-se por aquele processo pelo qual o grande Dramaturgo grego, em sua Narrativa, ocultara do público uma parte dos acontecimentos (parte essa que só pouco a pouco ia sendo revelada); era o que acontecia com Édipo, que somente no fim da história descobre que matou o Pai e está casado com a própria Mãe. Fausto achava curioso que Sófocles, tendo vivido antes de Cristo, tivesse usado, já, em sua Tragédia, o processo do Romance policial moderno.

Foi a partir dessa aula e da conversa que a ela se seguiu que ele publicou — desta vez na Gazeta do Cariry — um segundo artigo, O Romance Policial e a Tragédia de Édipo, que levou à Unipopt, pedindo-me que eu o lesse e comentasse.

Na aula seguinte, disse-lhe eu que havia uma diferença muito grande entre a peça de Sófocles e um Romance policial qualquer: neste, o reconhecimento — com a revelação final da identidade do criminoso — é o único interesse real da narrativa;

naquela, é apenas um meio do qual o Poeta se vale para dar suporte e firmeza ao resto (muito mais importante do que o simples desvelar da parte oculta dos acontecimentos).

Falei-lhe, então, de Dostoiévski. Disse-lhe que o grande Escritor russo tratava do problema do crime e da culpa com a intensidade de um Romance policial; ao mesmo tempo, fazia isso numa altura e numa qualidade literária que nada ficavam a dever a Sófocles. Mostrei que, em Crime e Castigo, a gente sabe quem é o autor do crime assim que este é cometido — e nem por isso o nosso interesse pela narração diminui.

Fausto confessou que nunca lera Dostoiévski; e para bem cumprir minha tarefa de Professor, eu lhe emprestei Crime e Castigo, O Idiota, Os Demônios e Os Irmãos Karamázov.

Segundo ele comentou depois, "*a leitura desses livros dividira sua vida em duas*". Inclusive, ele passara a ampliar sua coleção de recortes porque, impressionado com o assassinato político de Chatov em Os Demônios, tomara interesse pelos crimes praticados pelos terroristas no Mundo inteiro.

Lembro-me de ter tido o cuidado de, naquela ocasião, mostrar-lhe que talvez pior do que o terrorismo individual era o "*terrorismo de Estado*", nos termos praticados principalmente (se bem que não exclusivamente) por países como os Estados Unidos e a União Soviética (que na época ainda existia). E, voltando a Dostoiévski, mostrei-lhe como este, mais generoso do que Tolstói, sabia apreciar a grandeza de Cervantes e de Shakespeare.

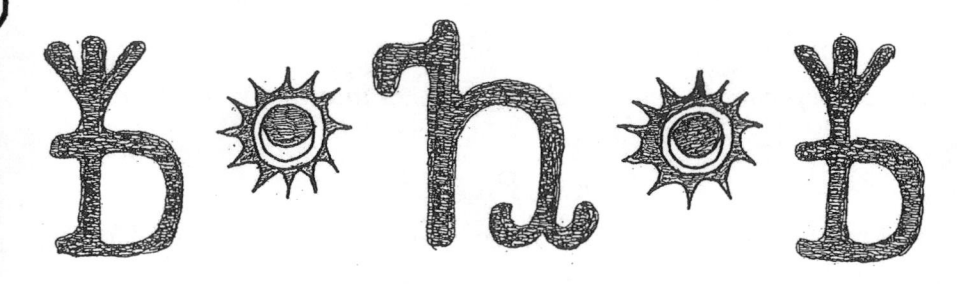

Homenageara o primeiro n'O Idiota, na Correspondência e no Diário de um Escritor; e o segundo em Crime e Castigo, na cena em que um sonho de Svidrigailov é descrito deliberadamente como paráfrase do suicídio de Ofélia, a ele impelida pelos malignos insultos e pela afronta imperdoável que Hamlet lhe fizera:

Teodoro Schabinno Dostoiévski

"No sonho, ele subia a escada de frente da Casa e entrava num grande salão de teto alto. Junto das Janelas, em torno da porta aberta, por todos os lugares havia Flores; e, no meio do aposento, em cima de uma mesa coberta por uma toalha branca, havia um Caixão, também forrado de branco.

"Toda cercada de flores, no Caixão jazia uma mocinha vestida de branco, com as mãos cruzadas ao peito — mãos que pareciam esculpidas em mármore. Seus cabelos, de um louro claro, estavam molhados e uma coroa-de-rosas cingia-lhe a fronte. O sorriso de seus pálidos lábios deixava transluzir uma dor grande e vaga.

"Svidrigailov sabia quem era aquela; não havia imagens sagradas nem velas, não se ouviam preces em torno do Caixão; ela se suicidara, afogando-se. Parecia não ter mais de 14 anos; mas tinha, já, os sentimentos desenvolvidos e havia perdido a si mesma, ofendida por uma afronta que enchera de espanto e assombro sua terna consciência, enchendo de imerecida vergonha sua alma pura e fazendo-a arrancar um supremo grito de desolação que ninguém *ouvira, mas que havia ressoado na noite escura, nas trevas e no frio, no Riacho formado pelo úmido desgelo, enquanto o vento gemia."*

Dom Pantero

Mostrei ainda a Fausto que, além de trágico como Sófocles, Dostoiévski às vezes era também cômico e humorístico como Cervantes, o que se podia ver n'Os Demônios, principalmente por meio daquele *"dom quixote"* comovente e grotesco que é Estêvão Trofimovitch Verkovenski. Disse-lhe que na cena em que Estêvão foge de Casa — fuga na qual conduz ao peito aquela *"novela de cavalaria"* que, para ele, era o Evangelho —, Dostoiévski profeticamente antevira e narrara a fuga e a morte de Tolstói, que (também conduzindo o Evangelho numa mochila de Peregrino e morrendo abandonado numa estação de trem) tentara, com essa morte quixotesca, vencer a dilaceração que sempre o humilhara, entre o ascetismo e a pobreza que pregava e a vida de grão-senhor que o cercava em Iasnaia-Poliana.

Fausto agradeceu o empréstimo dos livros e os esclarecimentos que acabara de dar-lhe; e, alguns dias depois, publicou na Gazeta um terceiro artigo que tinha como título Terror, Romance Policial e Romance Dostoiévskiano; dedicara-o a mim para retribuir o interesse que, segundo me disse, eu demonstrara por seus pendores literários e pela Pintura, arte que também praticava.

Pois bem; apresentada a Vocês a figura desse meu ex-aluno e amigo, chegou o momento de informá-los de outra circunstância importante: o Simpósio Quaterna, realizado em Taperoá, esteve a ponto de ser cancelado por causa de um acontecimento que abalou aquela pequena cidade do Sertão paraibano. A notícia sobre ele foi publicada na Gazeta do Cariry de 6 de Outubro de 2000; aqui vai transcrita nas palavras do Jornalista que a redigiu; e o fato me impressionou mais ainda porque, no dia da publicação, estavam-se completando 30 anos da morte do meu irmão Mauro:

Crime Brutal em Nossa Cidade
Variação sobre o Tema de Beldade e o Monstro

Marcelo Rebelo

"A Matriz de Nossa Senhora da Conceição, padroeira de Taperoá, local sagrado que só devia ser ambiente de paz e harmonia, serviu ontem de cenário a um crime brutal e bárbaro: Patrícia Alves dos Santos, menina de apenas 12 anos e que encantava a todos por sua beleza e mansidão, foi covardemente estuprada e morta na Sacristia daquela Igreja.

"A monstruosidade aconteceu por volta das 18 horas; e o Vigário, Padre Manuel, foi acusado pelos familiares de Patrícia de, no primeiro momento, tentar encobrir o crime 'para evitar escândalo'.

"A Avó da menina, Amara Santos, contou que a neta saíra de casa mais ou menos às 15 horas; 3 horas depois, como não tinha voltado, ela começara a ficar inquieta, e fora procurá-la.

"Ao sair pela rua, notou logo um agitado grupo de pessoas que se tinha reunido perto da Igreja:

— "Estava tranquila, nunca imaginei que alguma coisa ruim pudesse acontecer dentro da Igreja — declarou Amara. — Achava que ali era o lugar mais seguro que existia. Mas, ao me aproximar, meu coração disparou: o Padre Manuel veio em minha direção e disse que tinha havido um acidente com Patrícia.

"Desesperada, a avó da Menina foi impedida de entrar na Igreja pelo velho Sacristão — o antigo Cantador, Folhetista e Mestre-de-Obras aposentado, Marcos de Oliveira Barros, 81, que para assinar seus Folhetos usa o nome de Marcos Tebano. E logo aconteceu um novo choque a Amara: ajudado pelo Sacristão, o Padre Manuel saiu da Igreja, com Patrícia nos braços. Os dois entraram num Carro com a Menina e saíram em disparada, em direção à Maternidade, situada na Rua de São José e onde também funciona um Posto de Saúde.

"Acompanhada por seu filho Bruno Alves dos Santos — tio mais moço e irmão-de-criação de Patrícia —, assim como por um amigo dele, Natércio Santana (ambos Atores e Bailarinos do grupo

Os Filhos do Sol), Amara caminhou, aos prantos, para o Posto, onde já se encontrava sua filha, a mãe de Patrícia, Socorro Alves dos Santos, irmã mais velha de Bruno. Tremendo e chorando muito, ela contou que, depois de violentada, Patrícia fora estrangulada pelo estuprador; o Padre chegara ao Posto carregando o corpo já sem vida da Menina:

— "Minha neta estava morta e com a roupa toda rasgada! — disse Amara, chorando.

"Patrícia foi criada pela Avó porque Socorro, sua Mãe, ainda solteira, engravidara aos 14 anos. Sentindo-se envergonhada, e sem condições de criar a Filha, abandonara a recém-nascida numa lata de lixo. Segundo nos contou o Padre Manuel, uma pessoa escutara o choro da criança e entregara Patrícia à Avó. Disse ainda Amara que Patrícia tinha até vergonha da orelhinha esquerda, à qual faltava um pedaço, roído por um Rato enquanto ela ficara no lixo. Mas a Mãe, Socorro, nega o abandono:

— "Tudo que disseram de mim é mentira; eu nunca abandonaria minha Filha! — afirma ela, que, no entanto, não nega que Amara, avó da Menina, era quem cuidava de Patrícia.

"De acordo com José Fausto Martins (que, apesar de ter feito, aqui na *Unipopt*, o Curso de Letras, só há poucos dias veio de Campina Grande para assumir o cargo de Delegado de Taperoá), o Padre Manuel não deve ser acusado pelo ato de retirar o corpo do local do crime:

— "Pelo contrário! — disse ele. — Teria sido culpado por omissão de socorro, caso não tivesse levado Patrícia para o Posto de Saúde. Nem ele tentou acobertar o crime: quando levou a Menina, ainda não se sabia se ela estava morta ou não.

"O Padre, segundo nos disse, estava fora no momento do crime. Afirma que, ao chegar à Igreja, já encontrou a agitação causada pelo achamento do corpo; e acrescentou que a notícia lhe foi dada pelo Sacristão.

"Este, o velho Marcos Tebano, conta que, na hora da morte de Patrícia, estava na Universidade Popular Taperoaense, cujas obras de restauração foram feitas por ele quando, nos anos 70, veio do Recife para Taperoá, a convite de Pedro Dinis Quaderna, proprietário da Universidade. Ali, na *Unipopt* — onde, após a reforma, ficou trabalhando como Porteiro —, foi ele chamado pelo Eletricista conhecido apenas por Valter, 52. Foi Valter quem primeiro notou que uma das portas laterais da Igreja estava entreaberta, o que não é comum àquela hora. Desconfiado, resolveu entrar na Matriz; e, ao chegar à Sacristia, viu Patrícia no chão, com a cabeça coberta por um saco.

— "Fiquei assustado! — disse-nos Valter, ainda muito perturbado pelo que acontecera. — Coloquei o corpo em cima da mesa da Sacristia e tentei reanimar a pobrezinha: prefiro pecar tentando salvar uma vida a negar meu socorro. Mas quando vi que o caso era grave, saí e fui chamar o Sacristão."

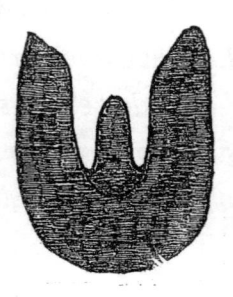

Albano Cervonegro

Ladra o Cão, a Serpente, o Cego feio, a Fera cega, esse terrível Cão. Ele instila o Veneno, e seu ladrido de sangue, medo, pus e danação, tenta manchar as pedras do meu Reino, com seu rosnar de fogo e maldição.

Dom Pantero

Tal foi o crime que abalou nossa pacata e pequena Cidade, no dia em que se completavam 103 anos da destruição do Arraial de Canudos; na semana que assinalava os 30 anos da morte de meu irmão Mauro e os 70 da de meu Tio, João Sotero, e de meu Pai, João Canuto; e às vésperas da abertura do Simpósio que eu planejara com tanto cuidado. E quem, dele, primeiro me deu notícia foi um Escultor, Severino de Oliveira Barros, que usava o nome-artístico de Biu Santeiro. Era filho do velho Sacristão, Marcos Tebano, e, como nós, fazia parte do Movimento Armorial. Infelizmente, ele já começara a ser dominado pela bebida, que depois viria quase a incapacitá-lo para o exercício de sua Arte.

Eu era tocado pela beleza das pequenas Esculturas que ele fazia em Pedra-calcária e entre as quais comecei a escolher algumas que ele reproduzia em ponto maior e em Granito — o que só era possível nos momentos em que a embriaguez não lhe tornava as mãos trêmulas demais.

No dia da morte de Patrícia, depois do jantar, eu estava no Terraço da nossa Casa, sentado numa Espreguiçadeira, quando Biu Santeiro entrou pelo Portão da rua, inteiramente transtornado.

Além de Escultor, ele era Poeta, se bem que não fosse repentista e Cantador, como o Pai. Para assinar seus Versos, usava o Pseudônimo de Tupan Sete. Vinha com uns papéis na mão; e, no primeiro momento, já habituado a suas estranhas falas — porque a bebida o estava deixando meio demente —, não atinei para a gravidade do fato que acontecera e que ele, em vão, tentava formular em termos inteligíveis, falando já dentro do Jardim:

Biu Santeiro

"O senhor já soube do que aconteceu? Aquilo foi a Besta Fouva, a Besta Ladradora, manchando e matando a inocência! Não fui eu: porque eu bebo, mas não sou nem ladrão, nem tarado, nem assassino, nem maconheiro!"

Dom Pantero

Ao dizer isso, jogou-se ao chão e, esticado, sustendo-se apenas nas mãos e nas pontas dos pés, por 3 vezes tocou com a testa o pó da terra — *"uma vez pelo Pai, uma pelo Filho e outra pelo Espírito Santo"*, como me explicou.

Depois, ergueu-se com dificuldade, cruzou o Jardim e veio para o Terraço, postando-se junto a mim, de chapéu na mão, como era seu hábito; e, quando falou de novo, foi tão perto que, por seu hálito, deu para sentir que ele bebera, muito e há pouco tempo:

Biu Santeiro

"Eu me joguei no chão porque, para mim, é São Francisco no Céu e o senhor na Terra! A sombra do Ser: quem descobre o Segredo que há na Imensidade? Eu não me esqueço de Deus um só momento, porque a Vida eterna mora em mim.

"O Povo, por aí, vive querendo me levar na graça porque eu bebo. Mas eu tiro essas coisas de letra; e até escrevi sobre isso um Poema lindo, que dediquei ao senhor e que é assim: — *Por desprezo, tornei-me Mascate de Anedotas. Vergasta, sumária régia; ordinária, presumida desdita do Arlequim. Imbecil! Por que tão sutil? Pobre coração-de-pedra, sem risos, esférico, qual um Guizo.*"

Dom Pantero

Eu estava espantado porque, apesar de conhecer o modo de falar do Escultor, naquele dia ele estava ainda mais confuso e complicado do que habitualmente. O Poema fora composto contra "*o coração-de-pedra*" de um intelectual da rua, um homem metido a engraçado e que vivia zombando de Biu Santeiro, sem desconfiar de que era por desprezo e por convicção de sua qualidade de Artista que o Escultor consentia em ser visto apenas como "*um Mascate de Anedotas*".

Mas naquela noite, o tom de voz de Biu Santeiro revelava uma espécie de desespero que não tinha nos dias comuns. Além disso, mais do que sempre, ele misturava com as falas que me dirigia fragmentos mal decorados dos Poemas que compunha. Foi o que fez, acrescentando:

Biu Santeiro

"*As folhas secas da sedução. Desceu a Cortina e não vi mais nada — lá, onde o Viço nasce, onde cresce a solidão e sonha a Garça: o resto, o Som reúne. Sigo a linha das Conchas. O Sol, as estrelas, a Lua, a escuridão. Reais, Espelhos! Fundem-se as Pedras, rotas: beco sem saída é o endereço das Musas.*"

Dom Pantero

O verso "*onde cresce a solidão e sonha a Garça*" eu já conhecia: reaparecera ali, mas pertencia a outro poema de "*Tupan Sete*"; fora usando tal verso como Mote que meu irmão Adriel compusera o Soneto que o tornara suspeito aos Órgãos de Segurança do Regime Militar; ao contrário do que julgáramos, tinham desconfiado de que, no Soneto, "*lá*" era o Sertão, colocado mais a salvo, e "*aqui*" era o Recife, inçado de Espiões e à mercê de torturas e assassinatos.

Mas, na noite daquele 5 de Outubro de 2000, Biu Santeiro continuou:

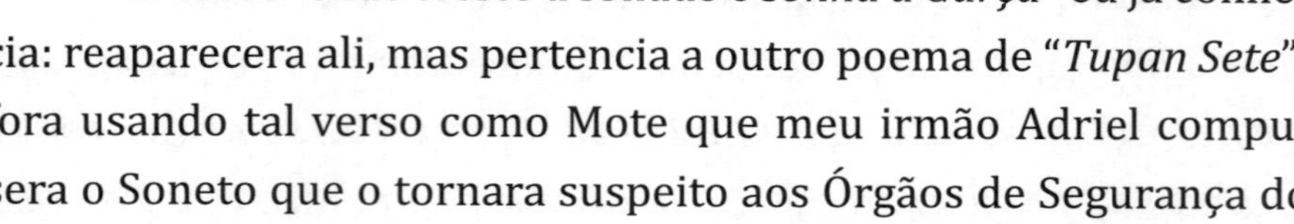

Biu Santeiro

"É como lhe digo, foi a Besta. O Anjo não é perigo, mas a Besta acaba com qualquer um: acaba com o senhor, quanto mais com Biu Santeiro! Está ouvindo esses latidos? É ela, na sacristia da Igreja! Estou ficando mouco e doido! O Povo diz por aí que é por causa da bebida. Mas não é não, são esses latidos; e eu só vou me livrar deles no dia em que fizer, na Pedra, a escultura da Besta."

Dom Pantero

Ao ouvir estas palavras, confesso que estremeci, mesmo sem saber ainda por que Biu Santeiro estava tão aterrorizado. Estremeci porque, quando estudávamos no Colégio, nosso Tio, Antero Schabino, nos levara a tomar conhecimento da Besta Fouva, da Besta Ladradora que aparece n'A Demanda do Santo Graal.

Entretanto, naquela noite, sem fazer qualquer transição entre o que dissera e o que ia acrescentar, Biu Santeiro, assim que falou na esperança de exorcizar a Besta por meio da Escultura, ergueu em minha direção uma velha Revista-de-Modas, perdida no meio dos papéis que trazia: estava aberta numa página onde havia algumas Moças que se tinham deixado fotografar quase nuas, para fazer propaganda de roupas de dormir.

Biu Santeiro, que fora abandonado pela Mulher, tinha se deixado possuir por um certo sentimento de hostilidade contra todas as Mulheres. Apesar disso, tinha uma espécie de obsessão por revistas daquele tipo, não fazendo distinção entre as de modas e as abertamente pornográficas. Comprava-as aos montes, de segunda mão, nas bancas da feira de Campina Grande, gastando nelas e em bebida a maior parte do pouco dinheiro que, driblando a burocracia, podíamos pagar-lhe, na Secretaria de Cultura, por seu trabalho de Escultor: não havendo tal cargo na estrutura oficial, eu mandara contratá-lo como Marceneiro — e era assim que ele recebia seu pequeno salário.

Naquela noite, mostrando-me, na página aberta, as fotos das Mulheres, ele falou, com uma voz que de vez em quando soava embargada por um meio soluço de desespero e embriaguez:

Biu Santeiro

"O senhor está vendo? As que estão sérias olham pra gente desse jeito porque querem dar! E as que estão rindo, estão mangando do sangue de Cristo na cruz!

"Outro dia, ouvi o Padre Manuel dizer que no Evangelho está escrito: 'Toda carne verá a salvação de Deus.' Depois da Missa, fui falar com ele. Perguntei se até a carne dos Pecadores — como eu e as Mulheres das revistas — ia também, um dia, ver 'a salvação de Deus'. Padre Manuel disse que a misericórdia de Deus é tão grande que, se eu e elas nos arrependêssemos, iríamos ver 'a salvação de Deus'.

"Por mim, não entendo: e os que se arrependem e pecam de novo, como eu? A única esperança que tenho é porque sei: por maiores que sejam meus pecados, nunca hei de ver a cólera do

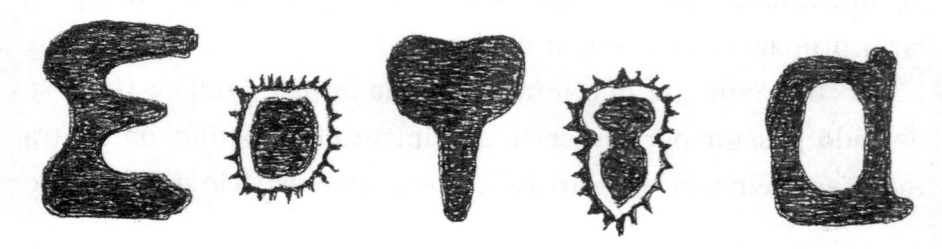

Grão-Duque despertada contra mim! Ouça: esta notícia me foi dada por meu Pai, que tirou ela de um Jornal, no tempo em que a gente ainda morava no Recife. Foi escrita por um doido."

Dom Pantero

Então, tirou do bolso um velho recorte de jornal, amassado, amarelecido pelo Tempo; e leu para mim o texto que aí vai:

O Grão-Duque
Reflexão religiosa, insana e metafísica em Dó-Menor

Biu Santeiro

"Declaro, na mais mística de todas as misérias, que as referências feitas ao Todo-Poderoso em meu nome se incluem entre as inúmeras calúnias verdes que os antigos apelidavam Navios.

"As rubras distorções sinceras, que um dia me habitaram, agora se tornam cada vez mais persistentes e me desdizem de todo e qualquer ideário de felicidade.

"A força dos Padres reside na tortura da consciência, por desterros voluntários, em que se notam formigas de todas as Nações, em conspiradoras Viagens.

"Entretanto, não me é possível despertar a cólera do Grão--Duque imerso em sua Cinza branca — tão alto e tão tímido, que ninguém (e nenhum Cavalo) será capaz de destroná-lo."

Dom Pantero

Biu Santeiro ia, talvez, continuar. Mas foi nesse momento que Bruno Alves dos Santos e Natércio Santana chegaram à minha Casa para comunicar-me a morte de Patrícia. Chorando muito, os dois me contaram o fato estarrecedor que acabara de acontecer, esclarecendo que não se sabia ainda quem era o assassino. Algumas pessoas suspeitavam de Valter, por sua perturbação e por ter sido o primeiro a encontrar o corpo de Patrícia. Mas eles defendiam o Eletricista, afirmando que não se devia incriminar ninguém com base em suposições tão inconsistentes como aquelas.

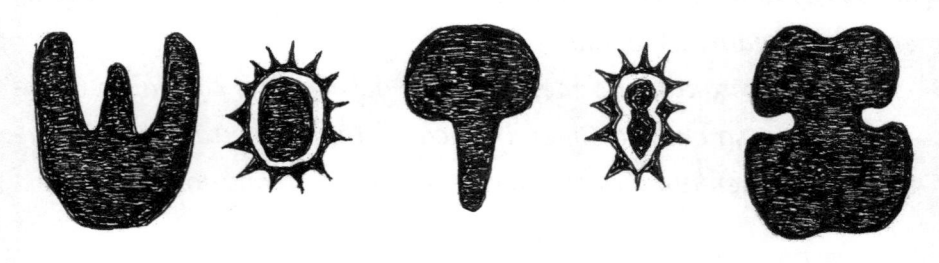

Ao tomar conhecimento de tudo, lembrei-me imediatamente do terrível choque que sentira ao ver, no Recife, um pobre adolescente atropelado. Teria uns 16 anos e, segundo se falava no local, pouco antes estava felicíssimo por ter recebido, de um Tio menos pobre do que o Pai, uma bicicleta que lhe permitiria, afinal, assumir um modesto emprego de Entregador. Aquela era a primeira ocasião em que ia à rua nela: saíra e, a dois quarteirões de sua casa, fora atropelado por um Carro em disparada. Eu tivera a pouca sorte de passar logo depois no local do acidente e meu coração se confrangeu ante a juventude do morto e a pobreza de suas roupas. Sentia-me dominado por uma pesada sensação de culpa por ter tido o direito de viver tanto, em comparação com ele; mas sobretudo pelas diferenças de classe que dele nos separavam — ele, de um lado, e, do outro, eu e o dono do Carro que o matara (um *"filho de rico"* imbecil, que se sentia no direito de andar às carreiras pelas ruas para afirmar sua superioridade e exibir sua força). Como se podia situar na ordem do Mundo e no plano de Deus um fato estúpido e brutal como aquele? Vinham-me à lembrança as angustiosas dúvidas de meus irmãos Auro e Adriel do ponto de vista religioso e político:

Auro Schabino

Existia dentro de mim uma pergunta que me atormentava em todos os momentos de minha vida: será que o sonho de Profetas como São João Batista e Trótski estaria sempre condenado a, primeiro, brutalizar-se, e depois anemizar-se, aviltar-se e por fim desaparecer? Seria sempre tragado pelos que acham natural a existência desse mundo de baixeza e fraude em que Damas e Senhores bem alimentados e pretensamente elegantes olham com naturalidade, quando não com desprezo, para aqueles "Animais" que eram "os Miseráveis", como os chamava Victor Hugo? Estes, por seu lado, em ocasionais explosões de revolta contra a feiura-e-vulgaridade capitalista, às vezes estraçalhavam os ricos e seus cúmplices; e até se despedaçavam entre si, brutalizados pela cólera, pela demência e pela embriaguez a que se entregavam para fugir ao sofrimento, à injustiça e ao desespero.

Adriel Soares

E mais: do ponto de vista social e político, para lutar contra a injustiça, teríamos que, forçosamente, nos aliar a guilhotinadores, como Robespierre, ou fuziladores, como Lênine, Trótski ou Stáline? Estes e seus companheiros de Partido tinham sido os únicos a fazer realmente eficazes suas Revoluções, que, tornadas apocalípticas por aqueles cruéis e brutais inimigos da Injustiça, depois da morte deles tinham de novo se dissolvido na vergonha e na corrupção capitalista, dando a impressão de que a tempestade revolucionária fora um pesadelo sangrento e inútil: na França do século XVIII, como na Rússia do XX, para liquidar velhos Regimes injustos e decadentes, tinham-se praticado todas as crueldades do Terror; e — depois de interregnos em que a Justiça, mesmo precariamente, predominara — tudo fora aportar no mesmo velho Regime, fundamentado na injustiça e no lucro ignóbil; naquele estado de coisas em que era considerado normal que um Rapaz nascesse sem a Bicicleta que só lhe garantia uma dura subsistência, enquanto outro nascia com o Carro que, até simbolicamente, era o instrumento do assassinato do primeiro.

Dom Pantero

O corpo e a Bicicleta estavam contorcidos e machucados pelo impacto do Carro em disparada. E o que mais me chocava eram os pés do morto, descalços, sujos, pálidos, tortos, iluminados pelo Sol poente e pousados sobre o chão de cimento, num imenso e irreparável abandono.

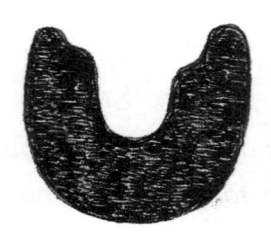

Mas, ali, pelo menos era de um "*acidente*" que se tratava, e os superficiais podiam inventar, para ele, alguma explicação "*razoável*" que lhes acalmasse a consciência. Já na morte de Patrícia, para agravar nossa angústia diante da falta de sentido de tudo, havia a brutalidade do crime, acontecido não por acaso, mas sim pela decisão do Assassino, que não se detivera nem ante o estupro, ao qual ajuntara a crueldade insensata do estrangulamento (provavelmente praticado para que a Menina não gritasse nem o denunciasse).

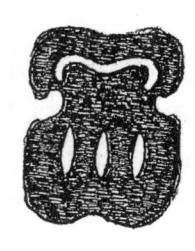

E havia, ainda, o horror das condições em que, desde menina, também se vira a mãe de Patrícia, aquela Adolescente, integrante "*do povo pobre do Brasil real*", como dizia Auro; aquela Mãe que, aos 14 anos, fora seduzida, engravidara e praticara o gesto posterior de vergonha e desespero que agora lhe era duramente cobrado; inclusive com o detalhe sinistro da orelhinha da Filha, roída por um Rato na lata de lixo. Só se lembravam do seu crime: no de seu cúmplice, provavelmente tão jovem e irresponsável quanto ela, ninguém falava. "*O salário do Pecado é a Morte*", escrevera São Paulo. Mas, no caso, além do Pecado original da Raça inteira, que crime cometera Patrícia para ser punida desde seu nascimento, ocorrido em condições que tinham levado a Mãe, pecadora de 14 anos, ao terrível abandono da recém-nascida numa lata de lixo? Que falta tão funesta praticara a Menina, para merecer aquela morte brutal, por estupro e estrangulamento?

E, mesmo no caso dos outros membros do "*Quarto Estado*" que tinham fim menos dramático, que justificativa existiria para o sofrimento e as dificuldades de seu dia a dia? Por que tanta desigualdade e injustiça, por que tantas e tão grandes diferenças entre uns e outros, no Mundo? Que explicação haveria para a dor, o mal e a Morte? Lembrava-me das perguntas que, um dia, o grande Poeta-popular Leandro Gomes de Barros formulara ao refletir sobre tais questões:

Leandro Schabino Gomes de Barros

"Se eu conversasse com Deus, iria lhe perguntar por que viemos pro Mundo pra sofrer tanto por cá. Que dívida é essa que a gente tem de morrer pra pagar?

"Perguntaria, também, como é que Ele é feito, que não dorme, que não come, e, assim, vive satisfeito. Por que foi que Ele não fez a gente do mesmo jeito?

"Por que existem uns felizes, e outros que sofrem tanto, nascidos do mesmo jeito, criados no mesmo canto? Quem foi temperar o Choro e acabou salgando o Pranto?"

Dom Pantero

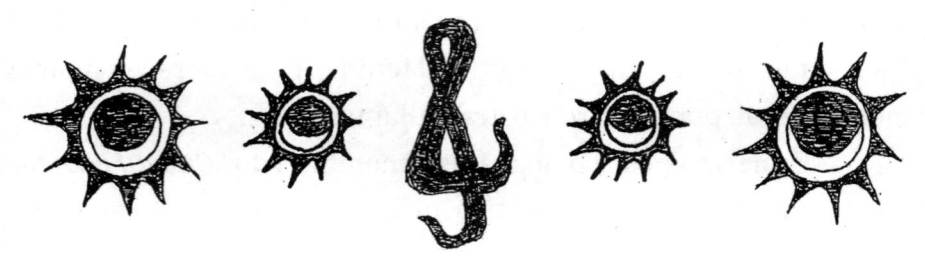

Camus tinha escrito que *"o único problema filosófico realmente sério era o do Suicídio"*. Mas estava enganado: o Suicídio era apenas uma das faces do problema maior — o do Mal, da morte e do sofrimento humano, que Leandro Gomes de Barros tão magistralmente formulara com suas perguntas. Aquela era a questão central de todas as Religiões, de todas as Filosofias. Era a pergunta que estava por trás da obscura poesia de Altino; do teatro de Adriel; do romance de Auro; e até dos Espetáculos que eu tentara encenar a partir de 1945, sendo o primeiro deles A História do Amor de Romeu e Julieta, adaptado do Folheto escrito por João Martins de Athayde. Como acontecera com meus irmãos, eu também fracassara em todos; não encontrara resposta alguma; e agora colocava minhas esperanças naquele Simpósio Quaterna que, como a Catedral de Canudos em relação a Antônio Conselheiro, seria para mim, pensava, *"o Monumento que me cerraria a carreira"*.

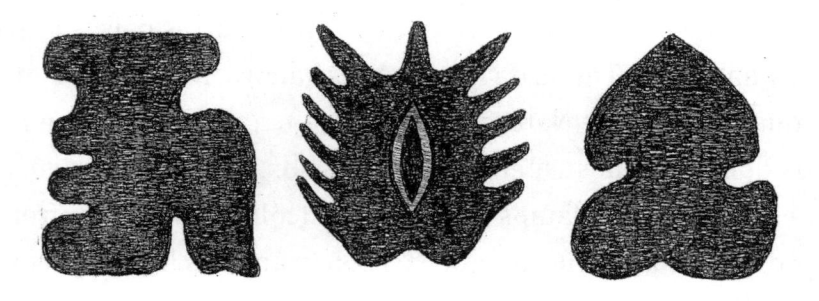

Mas agora, com aquele Crime cometido poucos dias antes de seu início, teria condições de empreendê-lo? Eu fora profundamente atingido pela morte brutal de Patrícia. Ao contrário do que acredito acontecer com os ateus, eram fatos como aquele que, no recesso mais profundo da minha alma, me sussurravam o nome de Deus, em meus instantes de treva e sofrimento. Para mim, ou Deus existia — luz, resposta, êxtase, explicação — ou o Mundo era uma teia cega e desesperada, insuportável, sem sentido.

No entanto, também nunca me resignara a deixar de parte, como se não os visse, o absurdo e a injustiça do Mundo e a crueldade de acontecimentos como a morte de Patrícia. Impressionava-me que o assassinato tivesse acontecido no dia de outro crime, este coletivo e político — a destruição do Arraial de Canudos; e mais: na véspera do aniversário da morte de nosso Tio, João Sotero, degolado na Casa de Detenção do Recife; e a 3 dias da abertura daquele

Simpósio, tão importante para mim — entre outras coisas porque iria assinalar os 70 anos da morte do Cavaleiro, meu Pai. De modo que, quando Bruno e Natércio me puseram a par do crime, eu disse aos dois que iria suspender o Simpósio. Achava, inclusive, que nem eles nem eu teríamos condições psicológicas para enfrentar o Palco, principalmente no que se referia aos trechos cômicos do Espetáculo.

    Os dois, porém, discordaram; e Biu Santeiro, mesmo embriagado como estava, tomou partido ao lado deles. Disseram que, no dia da Abertura, já estaríamos menos abalados. No Simpósio eles iriam desempenhar os papéis de Tareco e Paspalho, mais na condição de Bailarinos do que de Atores, o que exigiria mais do seu corpo do que da fala. Por isso, não se achavam no direito de, por motivo de sofrimento pessoal, impedir a realização do Simpósio; principalmente porque sabiam que eu dera uma Aula poucos dias depois da morte de meu irmão Mauro; e, mirando-se no meu exemplo, achavam que teriam forças para agir de modo semelhante. Bruno garantiu que nenhuma pessoa de sua Família consideraria a manutenção do Simpósio como um desrespeito à memória da Menina. Natércio aconselhou-me a decretar luto oficial na Unipopt e na Secretaria de Cultura, o que, na sua opinião, seria suficiente, como homenagem a Patrícia e protesto contra sua morte; isto sem se falar na conveniência das pessoas que tomariam parte no Simpósio e já começavam a chegar a Taperoá.

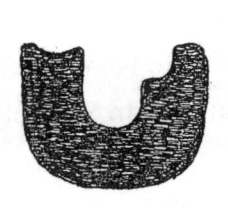

Terminei por concordar com eles. Pensando no crime e no papel que ele poderia desempenhar na revelação do verdadeiro significado do Simpósio, lembrava-me das palavras de Victor Hugo:

Victor Hugo Schabijuo de Savedra

"Enquanto, por efeito da Lei e dos costumes, houver proscrição social, forçando, em plena civilização, a existência de verdadeiros infernos, e desvirtuando, por humana fatalidade, um destino que por natureza é divino; enquanto não forem resolvidos esses três problemas — a degradação do Homem pelo proletariado, a prostituição da Mulher pela fome e a atrofia da Criança pelo abandono; enquanto houver lugares onde seja possível a asfixia social; enquanto sobre a Terra houver ignorância e miséria, Livros como este não serão inúteis."

Dom Pantero

Era mais ainda, a meu ver: o problema não era só político e social. Enquanto houvesse aquelas outras perguntas, ainda mais terríveis, sobre o significado da Vida, sobre o mistério da Morte, do mal e do sofrimento humano, Livros em que elas fossem pelo menos recolocadas a uma nova luz teriam um papel a representar no Espetáculo doloroso e grotesco, cômico e trágico, da existência humana; e, com o choro dilacerado a envolver tudo isso, de uma parte; com o *"galope do Sonho"* e o *"Riso a cavalo"* abrindo, de outra parte, um raio de esperança em meio ao infortúnio geral do nosso pobre Rebanho — enquanto houvesse tudo isso, denúncias, reflexões, relatos, versos e entremezes como os do Simpósio não seriam inúteis.

E então, depois de assim refletir um momento, sentei-me à mesa da Sala para redigir uma Portaria na qual determinava a Universidade em luto durante os dias 6, 7 e 8. Quanto à Secretaria, achei melhor que a própria Prefeitura se pronunciasse, por nota do Prefeito Henrique Accioly.

Os três saíram, levando o texto que pedi fosse confiado aos organizadores do Simpósio para ser afixado em nosso quadro de avisos. E, possuído pela sensação de náusea que, crispando meu estômago, sempre me acomete em tais ocasiões, fui para o Jardim, como que em busca de socorro: é que ali, encravados na parede maior da Casa pegada à minha, existiam 7 Mosaicos feitos por Guilherme Jaúna, participante do Movimento Armorial, meu Sobrinho e hoje meu Filho-adotivo, por ser filho de Eliza e Adriel. Era diante de tais Mosaicos que eu costumava rezar, toda noite, antes de dormir, pois representavam o Cristo, Nossa Senhora, Santa Madalena, Santa Teresa de Ávila, Santa Rita de Cássia, Santo Inácio de Loyola e o Cavaleiro João Canuto — este último montado em seu Cavalo negro, Passarinho, e cercado por uma chuva de gotas de sangue.

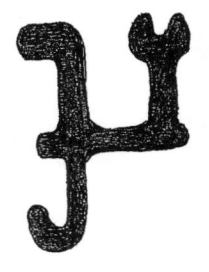

Embaixo dos Mosaicos existia um Painel-cerâmico retangular de Manuel Savedra Jaúna, irmão de Guilherme. Representava um Jaguar coroado, imagem que encimava o Poema composto por Altino, Auro e Adriel para, em 9 de Outubro de 1970, marcar os 40 anos da morte de nosso Pai. Poema que daí a 3 dias, no Teatro Savedra, iria ser projetado na Tela por Alexandre Jaúna — o outro irmão de Guilherme e Manuel, que me ajudaria nas projeções indispensáveis ao Simpósio.

O Poema era o seguinte:

DÍSTICO
Variação sobre o Tema d'O Cavaleiro e a Morte

ALBANO CERVONEGRO

Sob o sol deste Pasto-Incendiado, montado para sempre num Cavalo que a Morte lhe arreou, vê-se, aqui, quem, na vida, bravo, ardente e indeciso sonhou.

Pelas cordas-de-prata da Viola, os cantares-de-sangue e o doido riso de seu Povo cantou. Foi dono da palavra de seu Tempo, Cavaleiro da gesta-sertaneja, Vaqueiro e caçador.

Se morreu moço e em sangue, teve tempo de governar seus pastos e rebanhos, e a feiosa Velhice jamais o degradou.

Glória, portanto, à Morte e a suas garras, pois, ao sagrá-lo assim, da vida ao meio, do Desprezo o salvou: poupou-lhe a Cinza triste, a decadência, gravou sua grandeza em Pedra, a fogo, e assim a conservou.

DOM PANTERO

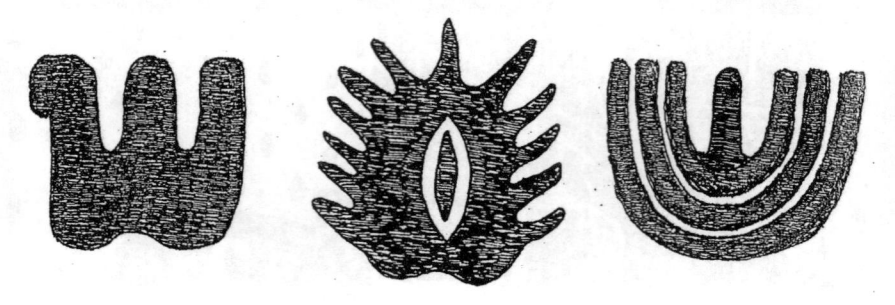

Naquela noite, diante dos Murais, rezei ao Cristo, a Nossa Senhora, a Santo Inácio e às 3 Santas de minha especial devoção. Pedi que intercedessem junto a Deus pelos famintos, injustiçados e sofredores do Mundo inteiro — especialmente pelos da Iarandara e do Brasil. Pedi pela paz no Mundo, dando atenção maior ao Oriente Médio, oprimido, explorado e de vez em quando atacado pela Besta do Quarto Império. Pedi pela união da América Latina, pelo Brasil e pelo Povo brasileiro. Pela Amazônia, colocada na mira da cobiça da Besta. Rezei pelas Nações pobres do Mundo. Pedi por liberdade, justiça e fraternidade: não as da Revolução Francesa, que apenas tinham instaurado brutalmente uma outra impostura — a da forma capitalista de exploração e opressão; mas sim aquelas que radicalmente, como as queria o Cristo, reparassem a injustiça, de modo a trazer-se ao Mundo, do jeito como aqui era possível, aquele Reino do qual Ele falara: *"Venha a nós o vosso Reino"*. Não desanimava ao ver que agora, como nos dias da primeira Roma, a Santa Face, gravada em sangue no pano da Verônica, continuava a ser escarnecida e vilipendiada: para mim, por ser *"O Filho de Deus"*, Ele era o Rei — a mais bela, mais pura e mais elevada encarnação do Homem (assim como sua Mãe, a Rainha, era a da Mulher). Recordava-me das reflexões que, durante a Revolução Francesa, fazia um personagem de Alexandre Dumas diante da imagem d'Ele — imagem abandonada e semidestruída:

Alexandre Savedra Dumas

"Os pregos que seguravam, na Cruz, o braço direito e os pés do Cristo tinham-se partido, comidos pela Ferrugem. A imagem pendia, retida unicamente pelo braço esquerdo, e a ninguém ocorrera a ideia piedosa de recolocar aquele símbolo da Liberdade, da Igualdade e

da Fraternidade no lugar em que o tinham posto os homens do seu tempo. A primeira Árvore da justiça e da liberdade fora plantada no Calvário, e aquele Cristo, assim esquecido, causou-lhe um aperto no coração. Procurou, numa Sebe, um Caniço delgado e rijo, trepou pela Cruz, atou o braço do Divino Mestre à trave, beijou-lhe os pés e desceu."

Dom Pajtero

Na noite da morte de Patrícia, depois de repetir com a imagem do Mosaico o beijo piedoso do personagem de Dumas, pedi ao Pai uma fé que se sobrepusesse a qualquer dúvida; ao Filho, uma esperança para além de qualquer desespero; e ao Espírito Santo, um amor que, de coração limpo, me colocasse acima de qualquer ira, cólera ou ideia de vingança. Pedi a Santa Madalena que obtivesse do Cristo o perdão dos meus pecados, das minhas faltas, das minhas omissões e contradições. A Santa Teresa e Santo Inácio, Escritores, que interviessem junto a Deus para que o Simpósio tivesse êxito; e, acabado ele, que A Iluminara fosse escrita a partir de seus Anais, numa forma à altura daquilo que meu Povo merecia, que meu Pai sonhara e que meu Tio Antero exigira de mim em seu leito de morte. A Santa Rita de Cássia pedi que intercedesse por mim, por Eliza, por seus filhos, genros, noras e netos — isto é, por aqueles que, depois da morte de Adriel, eu adotara como minha Família. Rezei por nossos vivos e nossos mortos — bisavós, avós, pais, tios, irmãos, primos e sobrinhos; por nossos afilhados, amigos e todos os que trabalhavam ou tinham trabalhado para nós.

Finalmente, pedi a Deus que me ajudasse a perdoar os crimes que nos tinham atingido em 1930. Rezei por Patrícia, por sua Família e por seu Assassino, cujo nome ignorávamos. Para o crime que ele praticara não podia haver qualquer justificação. E, já que era assim, eu reafirmava a promessa de procurar para aquele a única salvação possível em tais casos — a da Arte; a mesma que Altino, Auro e Adriel tinham passado a vida tentando em relação ao assassinato do Pai; a de uma Literatura que, pelo caminho musical, dançarino e teatral, tentasse realizar uma espécie de Redenção até mesmo do crime, do sangue e do choro, através da "*Polifonia escordata e inversa*" que Constâncio Porta sonhara no século XVI. Não era que, por cantar, rezar e atuar no Palco, eu me sentisse menos obrigado a lutar contra a crueldade e a injustiça: é que a Arte era o único meio de que verdadeiramente dispúnhamos para essa luta. Se, passados os 3 dias de luto, eu conseguisse dizer, no Palco, o que sonhava, o Espetáculo pelo menos indicaria o caminho. E não no âmbito individual, seguindo a linha hamletiana da vingança contra o assassino do Pai: primeiro, porque minha Mãe e ele próprio nos tinham pedido que não o vingássemos; depois, porque Altino, Auro, Adriel e eu vivíamos atentos à advertência feita por Dostoiévski: a luta, frustrada mas esperançosa, de Dom Quixote contra a injustiça era mais bela e mais generosa do que a pessoal e vingativa de Hamlet. E, mesmo que, na feia realidade, os traidores e poderosos tudo fizessem para manchar e destruir a imagem do Brasil, nosso Povo poderia enxergá-la, senão pura, pelo menos viva e brilhante para sempre, n'A Iluminara: no Castelo que, fundamentado no sonho de meu Pai, nós ergueríamos a partir do Simpósio, vencendo todas as minhas limitações, elevando-me acima de mim mesmo e, assim, levando meu Povo comigo em meu impulso para o Alto.

Albano Cervonegro

Votaste o sangue à Terra, com seus Frutos, e ele, teu Coração ferido e só, se ressente do Lume dissipado, cujo canto te chama à Cal e ao Pó. Ao som mortal, rebrilha o Lampadário, na passagem do Sono para o Sol.

Dom Pajtero

Em nenhum momento da minha vida deixava eu de ter aguda consciência da loucura do Mundo, tão incerto; da falta de sentido e firmeza de seus alicerces; e do pesadelo da Vida escura — torvelinho enigmático e torto, dentro do qual, sem nos consultarem, cada um de nós era um dia arremessado:

Elmano Savedra du Bocage

"Do Cárcere materno, em hora escura, em momento infeliz, triste, agourado, me desaferrolhou terrível Fado, meus dias cometendo à Desventura."

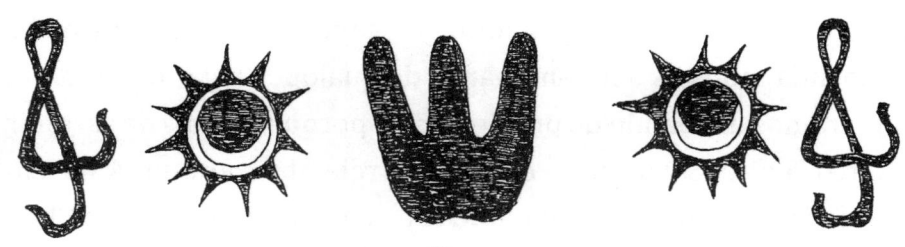

Dom Pantero

Mas, de outra parte, garantidos pela Coroada, nós — impelidos pelas águas do Córrego, pelas imagens em claro-escuro da Lanterna, pela Cadência musical, dançarina e teatral do Espetáculo, pelos reflexos do Espelho e pela rabeca da Sabedoria — empreenderíamos nossa tentativa de conferir significado e brilho ao torvo espetáculo do Mundo; e o Simpósio era o caminho indicado para nos retirar da condição de Espectros errantes e cegos, a debater-nos por entre os pelos da Fera insana do Universo, para, transformado o Palco também em trincheira, nos dar ocasião de entrar na luta em favor dos injustiçados com as únicas armas de que dispúnhamos: assegurado pela proteção da Misericordiosa, eu tinha esperança de retificar *"os desconcertos do Mundo"*, nem que fosse apenas naquele Castelo-de-Sombras que era o Circo-de-Cine do Teatro Savedra.

Isto me dava a confiança de permanecer animoso, pelo menos enquanto durasse o Espetáculo. Onde, no Mundo, no Brasil, em nosso Povo e nos outros, houvesse algo de luminoso e belo, eu o acentuaria. O que existisse de feio, monstruoso ou sombrio, seria transfigurado pela luz do Espelho, de modo a ser salvo pela *"luz que dançasse sobre a harmonia dos contrários"*. E até onde nada existisse, eu me sentia no direito de inventar uma realidade que repovoasse a aridez monótona e sem brilho do Mundo — o que faria de modo a que também ela fosse mergulhada no esplendoroso claro-escuro do Palco. No final das contas, comparados ao comum dos nossos companheiros de caminhada (entre os quais eu incluía todos os Seres-humanos de qualquer lugar do Mundo), nós éramos um bando de privilegiados: porque, depois de assumir o Circo-Teatro Savedra — cujo Palco, relembro, era um Altar em que se fundiam o Cine Jaúna, o Teatro Antônio Conselheiro, o Circo da Onça Malhada e a Gruta das Vulvas —, eu passara a contar com os Arquitetos, Escultores, Cenógrafos, Figurinistas, Mágicos, Atores, Malabaristas, Tapeceiros, Pintores, Músicos, Câmeras, Iluminadores e Dançarinos que me ajudavam no Espetáculo; e também, é claro, com os apetrechos por meio dos quais tomava posição diante da Vida: a coroa-de-flandre de Rei-de-Teatro; a máscara-pintada de Mestre, Palhaço e Velho-de-Pastoril; a canhestra Viola e a rude Rabeca de Poeta-de-Feira; a turva samarra de Profeta-de-Sacristia; e a Lanterna Mago-Iconoscópica com a qual, na Tela, se projetavam as imagens do nosso Circo-Teatro musical, dançarino, metafísico, religioso, político e vídeo-cinematográfico.

Precários, ineficazes e ilusórios como fossem, com tais instrumentos é que eu passara a enfrentar a Morte Caetana, transformando minha pessoa comum no Imperador da Pedra do Reino; e a minha vida numa Festa, representada com fervorosa alegria no palco desta grande Desaventura que é a Vida.

Para fazer dela *"uma Aventura pelo menos sofrível"* (como dizia meu irmão Mauro), comecei então a valer-me das armas que Antônio José da Silva, "O Judeu", chamava de *"o aparato do Teatro*

e sua fábrica", e que, por minha conta, eu passara a contrapor ao *"Castelo indecifrável"*, à perigosa *"Máquina do Mundo"*, à complicada e ameaçadora *"fábrica do Universo"* de que tinham falado Camões e Mathias Aires:

Luís Schabijno de Camões
"Não vês que a grande Máquina inquieta do Mundo se desfaz toda em tristeza, e não por causa natural, secreta?"

Mathias Aires de Savedra
"A ordem natural dos sucessos não se inclui na fábrica do Universo: é coisa exterior e indiferente. E mais: aniquilam-se os Bronzes em que se gravam os combates; corrompem-se as Pedras em que se esculpem os triunfos; e, apesar dos milagres da Estampa impressa, também se desvanecem as cadências da Prosa em que se descrevem as empresas heroicas, e se dissipam as harmonias do Verso em que se celebram as vitórias.

"Ainda as coisas inanimadas, parece que têm um tempo certo e limitado de vida. Mesmo o granito, de que se formam os Marcos e Padrões, vai perdendo a união das partes em que consiste sua dureza, até que vem reduzir-se ao princípio comum de tudo — terra e pó."

Dom Pantero

De certa maneira, eu poderia concordar com Mathias Aires quanto ao resto. Mas acabarem na memória dos Homens até as cadências da Prosa e as harmonias do Verso com as quais A Ilumiara seria composta? Desfazer-se em pó até mesmo o granito do Marco e das outras Esculturas implantadas na Pedra do Reino em homenagem ao Aleijadinho?

Nunca! Que ele encaminhasse noutra direção sua voz agourenta, carregada de chamas e trevas barrocas; porque, de minha parte, eu tinha consciência de que, comigo, estava acontecendo algo parecido com aquilo que sucedera ao grande Poeta popular Leandro Gomes de Barros (o mesmo que se atrevera a interrogar Deus daquela maneira):

Leandro Schabino Gomes de Barros

"Eu estou compondo um Marco que nunca vai se acabar. E se, acaso, um invejoso, entender de me negar, verá que este meu Castelo 'stá se erguendo pra ficar."

Dom Pantero

Lembrava-me do dia em que Altino, Auro, Adriel e eu, confrangidos, nos tínhamos visto diante da Fortaleza de Pau Amarelo, profundamente estragada pelo tempo e pelos vândalos que, ignorando seu significado para o Brasil, para a América Latina e para a Rainha do Meio-Dia, tinham permitido que ela chegasse a tal estado e até contribuído para isso.

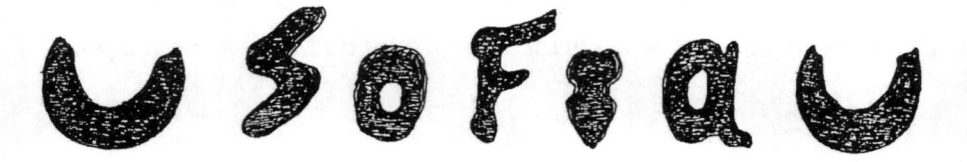

☾ SOFRAU ☽

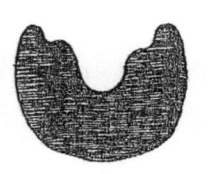

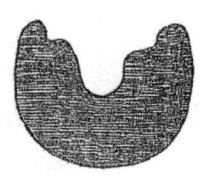

Na verdade, em nosso caso, além do significado que aquele Forte possuía em comum com qualquer outro, havia a memória do Escultor brasileiro do século XVIII, Menezes, que, numa Tenda próxima a ele, esculpira em Cedro um São Miguel e o Demônio: a vida e a obra de Menezes estava, por assim dizer, nas raízes d'A Ilumiara.

Então, procuráramos os encarregados do Instituto do Patrimônio Histórico e Artístico Nacional, conseguindo, deles, que a restauração da Fortaleza fosse empreendida. E, terminada ela, Altino, Auro e Adriel tinham celebrado o fato num Galope à Beira-Mar que transcrevo a seguir:

Altino Sotero

Aqui, neste Forte de Pau Amarelo, eu sonho o Brasil em seu sangue de Brasa. Reforço o alicerce de pedra da Casa e, ao sol do Sertão, este Azul desmantelo. Que eu canto o Paudarco, o paudarco amarelo, velando as entradas da Serra e do Mar. E a minha Viola se põe a esturrar, ferida no sangue do Povo que é pobre, que é grande, que é raça, que é Onça, que é nobre, cantando Galope na beira do Mar.

Adriel Soares

Eu moldo o Sertão em teu sol, Litoral, e o verde da Mata florada do Engenho é outro dos Reinos que forjo e que tenho, bebendo, do Mar, estes verdes e o Sal. Eu sopro meu Fogo na trompa de Cal e imito os estralos do Vento a queimar. No som dos Canhões vejo o Bronze sagrar os Fortes de pedra da Guerra Holandesa e a Negra-e-Vermelha da Nau Portuguesa, cantando Galope na beira do Mar.

Auro Schabino

Porque, no Sertão, as 3 Onças sinadas — a Negra, a Vermelha e a Branca-da-Moura — cruzaram seus sangues-de-ferro, em tesoura, parindo, no Sol, a Fiel, a Pintada. Castanha-da-parda, vermelha e malhada, seu pelo é dos ouros da Rosa lunar. Nos olhos acesos, a Brasa solar. E eu, sangue do Sol de uma Onça abrasada, celebro esta Raça castanha e sagrada, cantando Galope na beira do Mar.

Dom Pantero

No Galope, meus irmãos tinham escrito Paudarco assim, numa letra diferente, porque, além de ser uma Árvore, Paudarco era o nome do Engenho onde nascera Augusto dos Anjos. E Adriel fizera questão de compor a segunda estrofe porque, ao casar-se com sua amada Eliza, o Engenho Coral tornara-se, além do Sertão, um outro dos seus "*Reinos*"; para todos nós, o Forte de Pau Amarelo era um local-sagrado de resistência contra os inimigos da Rainha do Meio-Dia (coisa que eu também esperava em Deus fossem o Simpósio e A Iluminara).

De fato, no Circo, com o "*Riso a cavalo*" e o "*galope do Sonho*", com a energia e o fulgor daquela estranha alegria de origem obscura que me possuía ao entrar no Palco — e que era ainda mais surpreendente no Velho em que me transformara —, era com as danças, as falas, as músicas e as projeções da minha Lanterna que eu mais uma vez encenaria o Espetáculo, retomando, no Pasto-Incendiado do Circo-Teatro Savedra, a Grande-Marcha-de-Coluna-Aventurosa que Antônio Conselheiro,

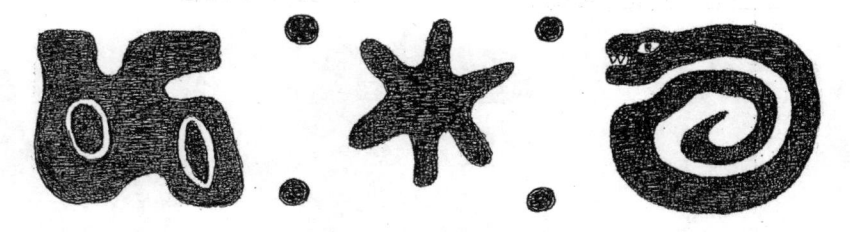

Euclydes da Cunha, O Aleijadinho, Leandro Gomes de Barros, Lima Barreto, Jesuíno Brilhante, Augusto dos Anjos e Heitor Villa-Lobos tinham empreendido, cada um a seu modo e todos meio-cegos, sabendo só em parte qual era o significado real de sua Busca.

Com a Marcha, pelo Circo, pela Dança, pela Música, pela Lanterna — enfim, pela Festa celebrativa e sagratória do Teatro e do Simpósio —, eu comporia A Ilumiara, como se cada uma destas Cartas fosse uma pedra ajuntada aos muros da Fortaleza. Ao mesmo tempo, a Obra seria meu Canto-de-Cisne; meu ritual-de-exorcismo contra o sofrimento, a solidão e a saudade; meu jubiloso canto-de-aleluia, entoado ante a face da Vida e da Morte. Do contrário, seria resignar-me àquilo que o grande Cantador brasileiro Lourival Batista afirmara assim:

Lourival Schabino Batista

"Entre o gosto e o desgosto, o quadro é bem diferente: ser Moço é ser Sol-nascente, ser Velho é ser um Sol-posto. Pelas rugas do meu rosto, vê-se que o que fui não sou. Onte'estive, hoje não 'stou, que o Sol, ao nascer, fulgura, mas, ao se por, deixa escura a Face que iluminou."

Dom Pantero

Foi na manhã de 9 de Outubro de 2000 que, no Circo-Teatro Savedra da Universidade Popular Taperoaense — Unipopt —, se instalou o Simpósio Quaterna, base e fundamento destas Cartas-Espetaculosas.

Além dos participantes comuns que, mediante inscrição prévia, poderiam intervir nos debates, compareceriam ao Simpósio, como titulares, 12 Pessoas — 9 Mulheres e 3 Homens —, o que, segundo uma das Coordenadoras, Luzia Limeira de Carvalho, *"iria transformar o Conclave num Dodecamerón da pós-modernidade"*.

Dom Paribo Sallemas

Assim, naquela manhã, os participantes do Simpósio desceram dos ônibus que os tinham levado desde o Hotel Pedra do Reino até a Universidade.

Dom Pantero

Das bandas da Cadeia-Nova chegava até eles o eco dos latidos de um Cachorro que, acompanhado pelos uivos de uma Cainçalha ensandecida, parecia ter se escondido entre os muros do Cemitério-Velho para nos ameaçar a todos. Era, de novo, como se, sob o comando da Besta Fouva, os Cães possessos de Lautréamont se tivessem soltado para nos acometer, contaminando-nos ao instilar em nosso sangue a peçonha funesta de seu Ladrido agoniento:

Isidoro Savedra Ducasse

"*Os Cães, furiosos, rebentam suas cadeias e fogem das Fazendas longínquas. Correm pra-lá-e-pra-cá, na Caatinga, possuídos pela raiva. Param, de repente, com os olhos em fogo, numa inquietude feroz. Elevam as cabeças, intumescem os pescoços terríveis e se põem a ladrar de-um-em-um, como um Agonizante condenado pela Peste ou como um Gato de ventre esfaqueado. Uivam contra o Sol, a Lua e a Estrela. Contra os Lajedos que, ao longe, parecem Lagartos gigantescos e petrificados dormindo ao Sol. Contra o ar seco que eles aspiram a plenos pulmões e que torna vermelha a mucosa de suas narinas incendiadas.*"

Dom Pantero

Descendo dos ônibus ao som de tais latidos, os participantes do Simpósio admiraram os 7 Prédios que, naquele ano, ainda compunham o conjunto da Universidade Popular Taperoaense, com as fachadas recobertas por Mosaicos cujo autor era Guilherme Jaúna. Espantaram-se, sobretudo, com a Torre-Central, onde ficava o Circo-Teatro Savedra, porque ali, pendurados em cordas, estavam os Atores e Bailarinos do Grupo Arraial: pareciam Espantalhos, fantasmas ou enforcados que, pelo impulso do vento e dos calcanhares empurrados na parede, dançassem um simulacro da pobre tragédia do Homem.

Dom Paribo Sallemas

Os convidados foram recebidos pelos organizadores do Simpósio — Inez Viana, Carlos de Souza Lima, Rosette Fonseca dos Santos, Álvaro Salmito, Luzia Limeira de Carvalho, Valdir Nogueira e Maria Lopes — encarregados de guiá-los pelo interior do Castelo-de-Rua que, em 2000, ainda era a nossa hoje extinta e destruída Universidade. Por causa desta condição de Castelo, os Casarões que a integravam eram, na verdade, 7 Moradas, e todas se comunicavam, por dentro, através de Corredores, ou Vias (como mais propriamente eram chamadas).

Dom Pantero

Todas as paredes internas eram recobertas por Murais semelhantes aos da fachada. Mas não feitos em mosaico: eram pintados em Pedras lisas e chatas, encravadas na alvenaria; assim mostravam logo o que eram — Variações de formas rupestres petropintadas ou insculpidas nos Lajedos da hoje também destruída Ilumiara Jaúna; e tinham sido recriadas para ali pelos irmãos de Guilherme — Alexandre e Manuel Savedra Jaúna.

Por outro lado, como Castelo que foi, a Unipopt era uma Variação da Catedral profeticamente levantada por Santo Antônio Conselheiro no Arraial de Canudos; Igreja que, naquele nosso Velho Testamento que é Os Sertões, Euclydes da Cunha genialmente reconstruiu em forma literária, se bem que jamais tenha avaliado a importância real da pessoa, dos atos e das palavras do Profeta, nem compreendido o verdadeiro significado daquilo que ele próprio estava dizendo:

A Igreja de Canudos
Primeira Pedra-Angular do Castelo do Povo Brasileiro

Euclydes Schabino da Cunha

"*Defrontando o antigo, o novo Templo erguia-se no outro extremo da Praça. Era retangular, e vasto, e pesado. As paredes-mestras, espessas, recordavam muralhas de Reduto. Durante muito tempo teria esta feição anômala, antes que as duas Torres, com ousadias de um Gótico rude e imperfeito, o transfigurassem.*

"*É que a Catedral admirável dos jagunços devia surgir — Obra formidável e bruta — da extrema fraqueza humana, alteada pelos músculos gastos dos Velhos, pelos braços débeis das Mulheres e das Crianças. Cabia-lhe a forma dúbia de Santuário e de Antro, de Templo e de Fortaleza, irmanando no mesmo âmbito, onde ressoariam mais tarde as Ladainhas e as balas, a suprema piedade e os supremos rancores.*

"Fora delineada pelo próprio Antônio Conselheiro. Velho arquiteto de Igrejas, requintara no Monumento que lhe cerraria a carreira. Levantava, volvida para o Levante, aquela fachada estupenda, sem módulos, sem proporções, sem regras. De estilo indecifrável. Mascarada de frisos grosseiros e volutas impossíveis, cabriolando num delírio de curvas incorretas. Rasgada de ogivas horrorosas. Esburacada de troneiras. Informe e brutal, feito a testada de um Hipogeu desenterrado; como se tentasse objetivar, a pedra e cal, a própria desordem do espírito delirante."

Dom Pajtero

Como se pode ver pelas Estilogravuras que vão sendo incluídas nesta Carta, no Castelo-de-Rua que era a Unipopt, procuráramos — Quaderna primeiro, e eu depois — fundir a Catedral de Canudos, descrita por Euclydes da Cunha, com a Viagem e os Castelos pintados pelo grande Artista-popular brasileiro e esquizofrênico que foi Carlos Pertuis (escolhido para figurar aqui porque o Livro que meu Tio, Mestre e Padrinho, Aribál Saldanha, pretendia escrever quando morreu tinha por título A Divina Viagem).

E vejam o que é o gênio, nobres Cavaleiros e belas Damas: Euclydes da Cunha nunca entendeu a beleza da Catedral de Canudos. Formado pelo Brasil oficial, jamais percebeu que aquilo que julgava feio era apenas uma categoria brutal e nova de Beleza (aliás muito parecida com a do estranho Livro que, depois de vê-la, brotou de seu sangue iluminoso, profético, alucinado e sombrio).

 Além disso, perturbado por ela, não notou que a Igreja de Canudos nada tinha de gótica: era, sim, aparentada com as românicas; não havia, lá, ogiva nenhuma, pois todos os seus portais eram arredondados em cima; e até aquela *"forma dúbia de Catedral e Fortaleza"* era a mesma que se encontra em Igrejas românicas ibéricas, como, entre outras, a Sé Velha de Coimbra e a de Lisboa.

 No entanto, quaisquer que sejam os *"erros"* de Os Sertões — e assim como acontece com as esculturas em pedra d'O Aleijadinho —, as obras *"corretas"* dos outros empalidecem diante do Livro áspero e poderoso de Euclydes da Cunha. E eu jurava a mim mesmo: se o Simpósio fosse levado a bom termo, A Iluminara — Novo Testamento que se seguiria ao Eu, a'Os Sertões e ao Triste Fim de Policarpo Quaresma — iria surgir também aos olhos de todos como a testada de um Hipogeu estranho e bruto, desenterrado do Chão brasileiro pelos músculos gastos de um Velho: mas um Velho que, tendo o Mundo inteiro dentro de si, terminaria conseguindo gerar, ao Sol, "*a luz de uma Estrela dançante*". Seria ela um misto de Antro, Santuário, Catedral e Fortaleza — o Castelo em que se irmanariam, no mesmo âmbito, o estralejar das balas de 1930, a suprema piedade e os supremos rancores. Ou melhor: seria a Casa em que, para atendermos ao pedido de nossa Mãe, Maria Carlota, o sofrimento e os rancores aparecessem cicatrizados ao

Carlos Pertuis: Castelo

término da construção, envolvidos pelo manto de uma imensa piedade. Antero Savedra era capaz da paixão, mas não, talvez, da compaixão a isso indispensável. Mas Dom Pantero cumpriria, por ele, a missão que terminara cabendo ao último dos Savedras ainda vivo. Cumpri-la-ia graças ao Dáimone que era o seu e era muito parecido com o de Antônio Conselheiro quando delineara a Igreja; aquele que baixava em seu sangue quando falava a seus seguidores, imediatamente possuídos e queimados pelo fogo que ele lhes ateava:

Euclydes Schabino da Cunha

"Quando era grande a concorrência, improvisava-se um Palanque no centro do largo para que a palavra do Profeta pudesse irradiar para todos os pontos e edificar todos os crentes.

"Ele ali subia e pregava. Era assombroso, afirmam testemunhas existentes. Uma oratória bárbara e arrepiadora, feita de excertos truncados das Horas Marianas, desconexa, abstrusa, agravada, às vezes, pela ousadia extrema das citações latinas;

transcorrendo em frases sacudidas; misto inextrincável e confuso de conselhos dogmáticos, preceitos vulgares da Moral cristã e de Profecias esdrúxulas.

"Era truanesco e era pavoroso, um Bufão arrebatado por visões do Apocalipse. Parco de gestos, falava largo tempo, olhos em terra, sem encarar a multidão, abatida sob a algaravia, que derivava demoradamente, ao arrepio do bom senso, em Melopeia fatigante.

"Tinha, entretanto, a preocupação do efeito produzido por uma ou outra frase mais incisiva. Enunciava-a, e emudecia; alevantava a cabeça, descerrava de golpe as pálpebras; viam-se-lhe então os olhos, extremamente vivos, e o olhar — uma cintilação ofuscante. Ninguém ousava contemplá-lo. A multidão, sucumbida, abaixava, por sua vez, as vistas, fascinada sob o estranho hipnotismo daquela insânia formidável."

Dom Pantero

Como Vocês podem avaliar, o Dáimone que possuía Antônio Conselheiro em Canudos era muito parecido com o de Euclydes da Cunha e com aquele que nos incendeia a imaginação e o sangue, quando, ao reencetar, a cada vez, a leitura de Os Sertões, repetimos sua Viagem, percorrendo seus Tabuleiros e serranias e tomando parte em seus combates e emboscadas, arrebatados pela mesma paixão do Profeta que narrou a saga do Conselheiro e que, em sua cegueira de gênio, via em tudo aquilo apenas a possessão *"da própria desordem do espírito delirante"*.

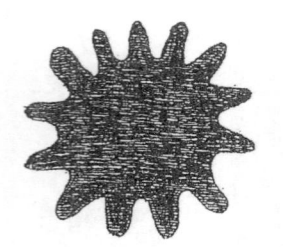

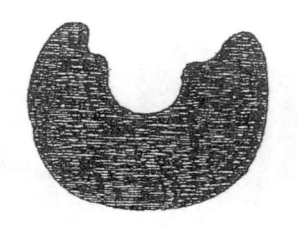

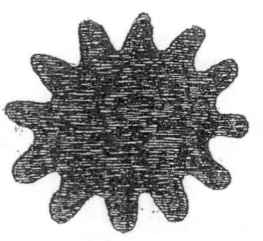

Dom Paribo Sallemas

Ora, nós sabíamos que, também possuído por seu Dáimone, Dom Pantero (Rei, Poeta, Palhaço e Profeta) era outra espécie de "Bufão arrebatado por visões do Apocalipse"; e ele tinha, mesmo, que transcrever, nesta Carta, as palavras de Euclydes da Cunha porque, no Circo-Teatro Savedra, esperava transformar o Palco num Palanque, num Púlpito semelhante àquele de onde falava o Profeta; e mostrar que, aqui também, como em Canudos, a Catedral está sendo erguida pelos braços já debilitados de um velho Mestre-de-Obras que procura dar o máximo de si na feitura do Castelo-e-Fortaleza que lhe encerra a carreira.

Albano Cervonegro

Salva-se, assim, o Sol de todo o Reino, no pajeú-de-pedra do Sertão. Gemem os Catolés, estralam Balas, passa, ferido, El-Rei Sebastião, "suja de sangue e pó a real fronte", mas vivo noutro Rei — meu Capitão.

Dom Pantero

Foi àquele Castelo que os participantes do Simpósio chegaram na manhã de 9 de Outubro de 2000, sendo então conduzidos através do Labirinto enigmático, metafísico e profético da Unipopt. Falo assim porque, tanto em sua feição interior e espiritual quanto na estrutura exterior e arquitetônica, cada um dos 7 Casarões da nossa Universidade naquele tempo ainda era uma Morada.

Ficava na primeira delas a única Porta que dava acesso ao interior dos Prédios; o que suscitava muitas reclamações, porque ela, servindo de entrada e de saída, criaria um risco a mais, em caso de incêndio; e os reclamadores tinham razão, perigo de fogo era o que não faltava ao Castelo (como se viu quando os mesmos criminosos que tinham saqueado a Ilumiara Jaúna destruíram a Unipopt, a fim de que não restasse sobre a Terra qualquer resquício mais visível de nossa passagem pelo Mundo).

Ao passar por aquela Porta, situada na parede lateral do primeiro Prédio, as pessoas que entravam percorriam, pela ordem, as 3 primeiras Moradas. Mas, ao saírem da 3ª, eram obrigadas a penetrar num longo Corredor escuro que, pela parte de trás do conjunto, levava à 4ª Morada. A partir daí, passava-se pela 5ª e pela 6ª, em caminho contrário ao da entrada; e chegava-se à 7ª Morada, a mais alta, a da Torre-Central onde se localizava o Circo-Teatro Savedra.

A porta de acesso era ladeada por dois Mosaicos feitos por Guilherme Jaúna: o da esquerda representava O Coroado e a Invenção do Teatro; o da direita, A Coroada e a Origem da Música; encimando os dois, viam-se os 3 candelabros da Ilumiara — o da Verdade, o do Bem e o da Beleza.

Por aquela Porta enveredaram os participantes do Simpósio. Deram, pela 1ª Morada, uma volta destinada ao exame dos Murais encravados nas paredes. E, concluída ela, passaram à 2ª e à 3ª, de onde se embrenharam na noite-escura do longo Corredor que os levaria à 4ª.

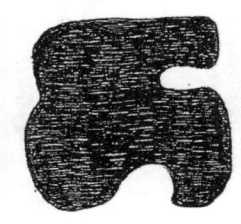

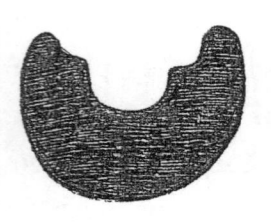

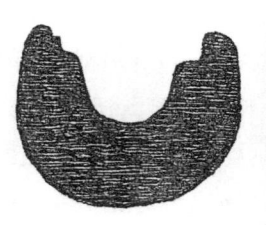

Ali, durante o trajeto — que eles percorriam tensos, calados e às cegas, sem que lhes chegasse o som de qualquer Música —, escutava-se apenas aquele estranho Pássaro que — sempre escondido, sempre misterioso — fazia soar seu canto na Ilumiara Jaúna, como a insinuar que somente quem conseguisse avistá-lo poderia, para além da sua gargalhada escarninha, entrever, como na Vulva feminina, "*o segredo do Mundo*"; e entender, como colocação do mistério do sofrimento humano, a Gravura em que Manuel Savedra Jaúna representara seu tio Mauro com o peito transfixado por 3 Punhais (e que podia ser, também, um Cristo crucificado, piedosamente acolhido ao colo de sua Mãe).

Albano Cervonegro
À noite, a estranha luz sobre a Cidade, mas, de dia, o Sertão — Grial vermelho. Vaga, em busca do Gral, minh'alma errante, procurando acertar o Desacerto. Tento, em vão, penetrar neste Castelo, e o sono do Jaguar late no Espelho.

Dom Pantero

Então, vencida a noite-escura do Corredor — mas sem que ninguém tivesse sequer vislumbrado o Pássaro —, os participantes do Simpósio seguiram pelo caminho inverso até a 7ª Morada. De tal modo, percorrendo o Castelo-de-Rua que era a Unipopt, estavam realizando uma espécie de paráfrase das Incursões que, a pé e por ásperos caminhos, eu empreendia ao Castelo-de-Serra d'A Ilumiara.

Outra coisa: diferentemente do que acontecia com o Corredor da noite-escura, cada uma das 7 Moradas (além de tornada cheirosa por uma infusão que Quaderna me ensinara a fazer com as entrecascas de algumas Árvores-aromáticas) tinha sua própria música-de-ambiente; e os convidados iam-nas ouvindo enquanto caminhavam. Todas eram do repertório musical brasileiro; e, recriadas por Antonio Madureira, soavam no Castelo para lembrar, com Novalis, que *"a essência da Arquitetura é a Música imobilizada"*.

Naquele dia, as que se ouviram foram as seguintes:

Na 1ª Morada, Canindé Lune, música indígena e lunar que, juntamente com os baixos-relevos, esculturas, cantos, mitos, danças e petropinturas da Ilumiara, representava os milênios e milênios da Arte que aqui se praticava desde o começo imemorial dos tempos até o último ano do século XV.

Na 2ª Morada, 3 Músicas: o *Romance da Bela Infanta*, luso-espanhol; o de *Minervina*, já brasileiro; e — cantada em duas versões, uma em Espanhol, outra em Português — a *Cantiga de Dom Sebastião*, do século XVI.

Na 3ª, o *Lundu*, música negra do século XVII, tocada por Viola-Brasileira, Marimbau e Violão.

Na 4ª Morada, 3 Músicas do século XVIII: *Per Singulos Dies*, peça do *Te-Deum*, de Luis Álvares Pinto; o *Kyrie*, da *Missa de Nossa Senhora da Conceição*, de José Maurício Nunes Garcia; e o da *Missa em Mi-Bemol*, de Lobo de Mesquita.

Na 5ª, a *Valsa* nº 4, de Manuel de Porto-Alegre Faulhaber; é do século XIX, e nosso Tio, Antero Schabino, tinha por ela especial apreço, comparando-a com a *Gnossiana* nº 5, de Erik Satie.

Na 6ª, o 1º Movimento da *Bachiana Brasileira* nº 1, composta, para Conjunto de Violoncelos, por Heitor Villa-Lobos.

Finalmente, na 7ª, a *Cantata Pedra do Reino*, formada pela junção de 5 partes da *Missa* composta por Danilo Guanais no Rio Grande do Norte.

As 2 últimas peças eram músicas do século XX e tocavam-se ali para celebrar o 3º Milênio que vinha chegando e cuja Arte o *Simpósio Quaterna* profeticamente anunciava.

Dom Pancrácio Cavalcanti

No entanto, foi ao som da Salve Rainha, do próprio Antonio Madureira, que os convidados entraram na sala do Teatro, centro da 7ª Morada. Ele possuía apenas Palco e lugar para a Plateia, de modo que, para as sessões, as Cadeiras tinham sido emprestadas pelas famílias Taperoaenses, "*das mais pobres às mais abastadas*", conforme vinha explicado no Programa.

Dom Pantero

Entretanto, com toda aquela pobreza, no Castelo-de-Rua da Unipopt a Morada mais importante era a 7ª. Primeiro porque, como já disse, ali se encontrava o Circo-Teatro Savedra, o Cine de danças, falações, cantares e projeções no qual se encenavam as Aulas e Narrativas-Espetaculosas indispensáveis à estrutura d'A Ilumiara.

Dom Porfírio de Albuquerque

Em segundo lugar, porque o próprio Teatro nascera, em Taperoá, da fusão dos nossos 3 Lugares-cênicos fundamentais:

o Teatro Antônio Conselheiro, da Favela-Consagrada (ou Ilha de Deus), do Recife; o Cine Jaúna, de São José do Belmonte; e a Gruta das Vulvas, que era o centro religioso e sexual do indecifrado, temeroso, agreste e impenetrável Castelo-de-Serra d'A Iluminara, em Taperoá.

Dom Paribo Sallemas

Nos momentos mais explicitamente religiosos da celebração, o Teatro se transformava em Capela e a Universidade em Catedral — um Templo afortalezado, capaz de abrigar o Rei e o Profeta, e que, como se viu, pertencia à mesma linhagem da Igreja de Canudos. Fora a isso que se procurara aludir em sua decoração, mas sempre de modo a que seu caráter circense e mamulengueiro também ficasse evidenciado, com o Palhaço e o Poeta tendo, no Palco, seus lugares garantidos.

Dom Pancrácio Cavalcanti

Nas paredes que ladeavam a boca de cena encravavam-se 6 Murais — 6 Figuras criadas por Guilherme Jaúna. Eram imagens baseadas em personagens do Mamulengo: de um lado, a Tragédia, uma Lua-com-Romã e a Morte — A Moça Caetana; do outro, a Farsa, um Sol-com-Caju e aquele Diabo conhecido como Fedegoso, O Cão Coxo.

Dom Pantero

Na entrada para a Plateia, viam-se dois Vitrais. O do lado do Sol representava Santo Antônio Conselheiro, o Profeta do Arraial de Canudos. O do lado da Lua, Santa Maria Vilanova, a bela Mulher que, segundo o General Dantas Barreto, desempenhava ao lado do nosso santo Conselheiro o papel de Liza Reis junto a mim, o de Beatriz para Dante e o de Dulcineia para Dom Quixote.

A Coroada e a Origem da Música

Dom Porfírio de Albuquerque

Dentro do Teatro, nas paredes que cercavam a Plateia, estavam representadas 33 grandes Vulvas em forma de Flor. Eram 16 de um lado, 16 do outro, e a 33ª no centro, encimando o Nicho que, sobre o Palco, abrigava a imagem de Santa Teresa, Padroeira literária do Castelo e do Simpósio.

Dom Paribo Sallemas

Além de Críticos e Professores-de-Literatura, as Universidades que apoiavam o evento tinham mandado, a Taperoá, Músicos, Atores, Bonecos e Dançarinos que, juntando-se aos Artistas locais, iriam tornar mais festiva a celebração. Tinham sido assim reforçados o Balé Cabaço, o Coro Santa Cecília, o Quinteto Cuité e a Trupe do Cavalo Castanho, outrora dirigida por Dom Pancrácio e Dom Porfírio — mas que Dom Pantero incorporara à Unipopt depois de seu encontro com eles, em Ingá do Bacamarte.

Dom Pantero

Os outros grupos tinham sido fundados, na Unipopt, por Dom Pedro Dinis Quaderna, para que dessem apoio a seu Movimento Cabaçal (que, fundido ao Grial, o de Tio Antero, e ao Arraial, de Auro, tinha dado origem ao Movimento Armorial, síntese por mim imaginada a partir daqueles 3 anteriores — tese, antítese e contrátese).

Para criar o Armorial eu me valera do fato de ser Secretário da Cultura de Taperoá — cargo para o qual fora nomeado pelos Prefeitos Miguel de Alencar e Henrique Accioly —, assim como da Sibila e da TV Ilumiara, onde trabalhava por indicação de sua Diretora, Vera Ferraz. E o Movimento contava ainda com o apoio decisivo da Unipopt, instituição para a qual eu entrara a convite de Quaderna, tornando-me seu Reitor-Vitalício, Presidente do Conselho e Professor de Filosofia da Arte.

Mas, no Simpósio, ao Balé, à Trupe, ao Coro e ao Quinteto, acrescentavam-se o Quarteto Romançal, o Grupo Gesta, o Quinteto da Paraíba, o Armorial Marista, Os Filhos do Sol, o Grupo Cariry e a Tribo Negra Cambindas Nova — a mesma que, no Carnaval daquele ano, juntando-se ao Reisado de Mestre João Cícero e à Câmara Municipal de Belmonte, organizara seu desfile sob o comando de Ernesto Manoel do Nascimento e Eduardo Caetano para conferir-me o título que ostento hoje — o de Imperador da Pedra do Reino.

Quanto à parte musical do Colóquio, ficara a cargo de Antonio Madureira, que criara e adaptara as partituras. Ensaiara também os grupos corais e estava já ali, de batuta em punho, pronto a reger instrumentistas e cantores que permaneciam no Poço-da-Orquestra, destacando-se entre eles Eltony Nascimento, Sérgio Ferraz, Sebastian Poch, Fernando Torres Barbosa, Edilson Eulálio e Egildo Vieira (este com o instrumento musical que criara em homenagem a mim, colocando-lhe o nome de Pantero).

Dom Paribo Sallemas

A um lado dos outros Músicos, via-se Elyanna Caldas, sentada em frente do Piano que pertencera aos Savedras e, em seu tempo, era o único existente em Taperoá.

Dom Pantero

Devo lembrar que, no Simpósio, tentaríamos fundir Poesia, Canto, Música, Teatro e Dança, na linha dos Espetáculos-Populares brasileiros. E, para isso, pesando a escolha das peças-musicais que poderiam dar suporte à fusão, leváramos em conta uma certa "*Polifonia escordata e inversa*", criada por Constâncio Porta no século XVI e que iria ter até uma repercussão literária no processo de redação destas Cartas-Espetaculosas.

Procurando chegar pelo menos perto daquilo que sonhávamos para o Simpósio, eu terminara por me fixar na escolha de 7 Compositores — 2 Brasileiros, 2 Russos, 2 Franceses e 1 Espanhol. Eram eles: Heitor Villa-Lobos, Claude Débussy, Ígor Stravinsky, Manuel de Falla, Erik Satie, Antonio Madureira e Sérgio Prokófiev. Escolhera-os porque em suas peças camerísticas (ou teatrais, como o Retábulo de Mestre Pedro) eles seguiam um caminho aproximado da "*Polifonia inversa*"; e cada um realizava, a seu modo, uma música de vanguarda, a partir do som "*arcaico*" da Flauta ou "*do timbre e do gume afiado das Cordas*", como dizia Adriel.

Não sei se Vocês estão lembrados disso, nobres Cavaleiros e belas Damas da Pedra do Reino: mas Stravinsky compôs a Suíte Polichinelo (ou Suíte Italiana) baseando-se em temas de Pergolese, sendo que o 6º Movimento da Suíte é uma Gavota, com duas Variações. E, seguindo esta mesma ordem de ideias, achávamos que, no campo literário, Dante compusera A Divina Comédia como uma série de Variações sobre o mote da "*descida aos Infernos*", d'A Odisseia e d'A Eneida; e Cervantes fizera o mesmo no Dom Quixote, tendo como tema "*O Fidalgo e o Pajem*" d'O Lazarilho de Tormes.

De modo parecido, terminado o Simpósio, eu pensava em erguer A Iluminara por meio de Variações sobre temas de Dramaturgos como Antônio José da Silva, O Judeu; de Poetas como Gregório de Mattos, Cruz e Souza e Augusto dos Anjos; e de Prosadores como José de Alencar, Machado de Assis, Euclydes da Cunha, Júlio Ribeiro, Aluízio Azevedo e Lima Barreto. José de Alencar e Euclydes da Cunha, por exemplo, despertavam meu interesse porque apresentavam o Sertão como uma terra sagrada e vestida de Sol — um Reino pobre e austero mas grandioso; e, consequentemente, o Brasil como *"um Palco desmedido"*, semelhante àquela Rússia que Gógol e o próprio Euclydes da Cunha tinham profetizado.

Em tal Reino, o Sertanejo, *"um Forte"*, era tão identificado com seu Cavalo que com ele formava *"um Centauro"* — a estátua guerreira e equestre de um Rei:

José Schabino de Alencar

"Ao correr pelo Cerrado, o Sertanejo veste um traje completo, de couro; e é um dos traços admiráveis de sua existência, essa corrida veloz através das brenhas; ainda mais quando é o Vaqueiro a campear uma Rês bravia. Nada o retém. Por onde passa o Boi, lá vai-lhe no encalço o Cavalo, e com ele o Homem, que parece incorporado ao animal, como um Centauro."

Dom Pantero

Apresentando uma Variação sobre esse tema de José de Alencar, escrevia o outro Mestre nosso:

Euclydes Schabinno da Cunha

"*O aspecto do Vaqueiro recorda vagamente, à primeira vista, o de um Guerreiro antigo. Envolto no Gibão de couro curtido, de Bode ou de Vaqueta, suas vestes são uma Armadura. Esta Armadura, porém, não rebrilha, ferida pelo Sol. É fosca e poenta. Mas se uma Rês alevantada envereda, esquiva, pela Caatinga garranchenta, por onde passa o Boi passa o Vaqueiro com seu Cavalo. Colado ao dorso deste, realiza a criação bizarra de um Centauro bronco.*"

Dom Pantero

Bronco como meu Mestre erradamente o considerasse, era ele a imagem mais apta a figurar "*em pedra, a fogo*", a "*Rocha viva da Raça brasileira*". E, em nosso caso, deflagrava uma paixão tanto mais poderosa porquanto para nós, Savedras, nosso Pai, João Canuto, era a maior, mais bela e mais forte encarnação daquele "*Rei e Cavaleiro*" que, no Sertão, vestindo a Armadura de couro dos Vaqueiros, terminara por enfrentar a Moça Caetana, imortalizando-se por ter ido corajosamente a seu encontro: "*A morte em sangue sagra a vida inteira*" (como, aliás, também provara o Príncipe, Mauro Jaúna).

Era por isso que, no Simpósio, surgiriam temas que apareciam, desapareciam e reapareciam depois: aproveitando o fato de que, reunindo mais uma vez a Música à Literatura, existem as chamadas "*frases musicais*", eu pretendia que, n'A Ilumiara, determinados Versos, textos, citações e mesmo algumas *"frases literárias"*, aparecessem, desaparecessem e depois reaparecessem, para acentuar a importância do significado que carregavam. Lembrava-me de que Beethoven compusera uma Peça-instrumental intitulada *"7 Variações sobre um Tema d'A Flauta Mágica, de Mozart"*: assim seria com A Iluminara, que deveria ser composta como se as sessões do Simpósio fossem Variações tecidas e bordadas na Tela de uma grande Tapeçaria e reunidas em torno de vários Temas.

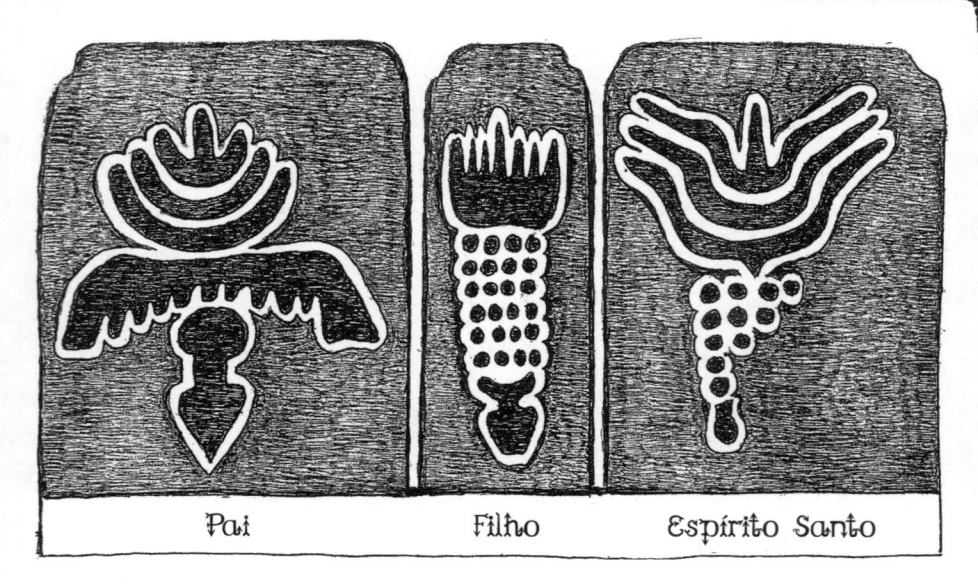

Na verdade, o que eu pretendia era que A Iluminara, pelo ritmo, pela *"forma"*, pela cadência, e até nas Estilogravuras que viessem a ilustrá-la, fosse empreendida como *"uma Tragédia composta segundo o espírito da Música"*.

Os 12 Temas principais que nela apareceriam eram o do Espelho, com o Jaguar; o da Casa e do Castelo; o da Estrada e da Viagem; o do Circo e do Teatro, com o Cine e o Palco; o da Rabeca (fosse ela a do Encourado, fosse a da Sabedoria); o da Pedra, com seus Sinais proféticos; o do Córrego e da Cadência; o do Pássaro e da Serpente; o da Luta entre o Anjo-Abrasador e a Besta Fouva — a Besta Ladradora; o do Cavaleiro e o Pajem, com a Morte; o da Fonte, das Águas e dos Rios; e o da Mulher, no qual de certo modo se fundiam os demais, porque ela ora aparecia como Beldade diante do Monstro; ora junto às Águas; ora em sua Casa; ora num Bosque — mata ou Caatinga; ora numa Estrada; ora num Castelo; mas, em todos esses casos, apenas enquanto se esperava a formosa e pura Soberana do nosso Reino.

Dom Pancrácio Cavalcanti

Mas de novo passemos à Sala dentro da qual, naquela manhã de 9 de Outubro de 2000, se viram os participantes do Simpósio Quaterna.

Dom Porfírio de Albuquerque

No local situado entre a primeira fila de cadeiras e o Proscênio, havia, sobre um Estrado, uma grande Mesa, com diversos Microfones. Abancados a ela, estavam Ricardo Gouveia de Melo e Adriana Victor (respectivamente Príncipe e Princesa das Águas Belas); Gerson Camarotti, Carlos Tavares, William Costa, Marcus Vilar, Gustavo Moura, Claudio Brito e Vladimir Carvalho, encarregados de documentar os debates; e, finalmente, Balduíno Lélis, como Reitor, que era, da Universidade Leiga do Trabalho.

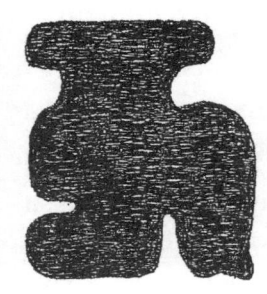

O Espírito Santo (A Beleza)

Dom Paribo Sallemas

Encerrada a tarefa de guiar os convidados, os organizadores do Simpósio foram se juntar aos da Mesa. E para que o Público, logo de início, tomasse conhecimento do verdadeiro sentido do Espetáculo, 2 integrantes d'Os Filhos do Sol, Natércio Santana e Bruno Alves dos Santos, e 2 do Grupo Arraial, Pedro Salustiano e Jáflis Nascimento, cruzaram a Sala por trás da Mesa, conduzindo aos ombros um Andor, sobre o qual uma Redoma de vidro azulado representava O Cálice do Sangral. Pedro vinha vestido de Mateus; Jáflis, de Bastião; Bruno, de Tareco, O Palhaço Sabido; e Natércio, de Paspalho, O Palhaço Besta. À frente deles, com uma Tocha na mão, Maria Iluminada.

Dom Pantero

Eu sempre me orgulhara muito da participação daqueles Bailarinos no Movimento Armorial e nos Espetáculos do Circo-Teatro Savedra: porque, sendo eles integrantes pobres do povo do Brasil real, eram uma demonstração concreta da capacidade de resistência do nosso Povo que, oprimido por circunstâncias terríveis, a elas se sobrepõe por meio da Arte, enfrentando o infortúnio pela Beleza, e a feiura do Mundo pela Dança.

Além disso, a presença deles, ali no Palco, representava outra vitória do amor pela Arte, porque Bruno era Tio e irmão-de-criação de Patrícia, Menina que fora estuprada e morta em nossa Matriz no dia 5 (fato que quase nos levara a cancelar o Simpósio).

Dom Paribo Sallemas

Depois que os Bailarinos se retiraram, Inez Viana se dirigiu ao Público:

Inez Viana

Para começar a sessão, achamos que o ponto de partida mais adequado seria um texto extraído da Dissertação com a qual Dona Clarabela Noronha de Britto Moraes, aqui presente, obteve seu grau de Mestra em Teoria Literária. Intitula-se PROMETEU E O ABUTRE — Uma Xênia Intertextual entre a Prosa de Roberto Alvim Corrêa e a Poesia de Albano Cervonegro.

Rosette Fonseca dos Santos

Ao som de uma das Bachianas Brasileiras, de Villa-Lobos, vocês ouvirão, por Ricardo Gouveia de Melo, a parte d'O Velho Rapsodo. Pela voz de Adriana Victor, a d'A Mulher Consoladora.

Carlos de Souza Lima

Enquanto eles falam — e assim como acontecerá durante todas as sessões do Simpósio — o Coro vai colaborar, cantando ou recitando o que for indispensável aos momentos mais significativos da celebração.

Maria Lopes

Por outro lado, recordo aos presentes: todos os comunicados lidos aqui devem ter por assunto a obra dos Savedras, uma vez que este Simpósio é uma espécie de fusão, aprofundamento e ampliação dos famosos *Seminários de Schabinologia*, criados por Antero Schabino, especialmente para estudo de sua própria obra.

Dona Clarabela

Finalmente solicitamos que as intervenções, além de breves, se atenham ao mais absoluto rigor crítico. Somente assim este Conclave deixa de ser uma reunião comum, de Terceiro Mundo, e torna-se uma de Primeiro — isto é, um *Convivium*, um *Colloquiu*, um *Symposion*!

Dom Paribo Sallemas

Ao ouvir estas palavras, Ricardo Gouveia de Melo levantou-se da Mesa e, dirigindo-se ao Microfone, aprontou-se para começar a leitura, que foi apresentada ao som da *Bachiana Brasileira* nº 9, de Heitor Villa-Lobos, e iniciada por um Martelo-Gabinete, da forma como se passa a transcrever:

Prometeu e o Abutre
Jornada Poética e Entremeio Semiespetaculoso em dois Quadros

Quadro 1 – O Velho Rapsodo

Parmênides Savedra

"O Ser não é gerado, é imperecível: sua estrutura é firme, inabalável. Divindade amorosa, pulsa, nele, o fogo da Paixão, o Amor selvagem. À luz da Lua e dessa Estrela errante, qualquer outro caminho é inaceitável."

Ricardo Gouveia de Melo

"O insolúvel é a Vida, com o Tempo, que o resolve. Começo a perceber o invencível trabalho da Morte, em mim. Bico e garras de fogo a tatuar-me indelevelmente, sinto cada dia com mais força aquilo que, dentro de mim, impiedosamente me esquarteja. Toda criatura humana tem de passar por este jugo de fogo, e é como se eu ouvisse o latejo do Mar contra o Barco que sou."

Coro

"Figuraste o ser que tentou suprimir o inelutável. Mais amigo do Homem, qual o sonhavas, do que dos Deuses, criaste um

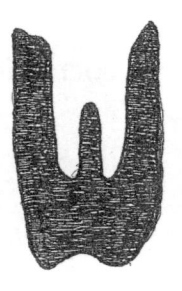

Ente não apenas de barro mas também de algo que o animasse com o Fogo celeste.

Ricardo Gouveia de Melo

"De tal gesto (na opinião dos deuses, de revolta, na dos homens, de libertação) resultou um estranho incêndio, chamado por vezes Alma.

Coro

"Desta fedra-mítica, Madrasta incestuosa que nos fascina, qual o segredo?

Ricardo Gouveia de Melo

"Aquele que nos permite comunicar com o Desconhecido. A Alma é aquilo que o Demônio nunca pode seduzir de todo. É ela que nos solidariza com o infortúnio, que nos ensina a ter compaixão, a lutar contra a cegueira e o absurdo, a encarar a aventura do Homem, ansiosamente debruçado sobre seu destino e purificado de uma culpa injustamente considerada sua.

Coro

"O mar humano! Revelar a flora venenosa, cuja cor é visível em nossos olhos: Deus em nós, recalcado na espessura negra.

Ricardo Gouveia de Melo

"A luz do dia é uma coisa, outra é a sombria claridade, a qual, agindo em nós, consegue levar à tona, como se fosse coisa leve, aquilo que pesava em nós mais do que chumbo.

Coro

"Sob o vento das idades, treme e agoniza, muito lentamente, a sombria Humanidade: criaturas já ofegantes mas ainda cobiçosas ou cheias de luxúria no que têm de mais significativo.

Ricardo Gouveia de Melo

"Afrouxamento e luz, neste imenso afresco sulfúreo. Dele, porém, desprende-se uma solene impressão de tristeza, de fatalidade: o Tempo que passa, que sopra, que tudo acende e tudo apaga — o ritmo do Céu, das estações, da fecundação; os ciclos dos anos e dos séculos; o fôlego de um Homem, as pulsações do seu coração, os sonhos que desde a infância vêm urdindo a nossa vida — Noite que meus pecados nunca me deixaram atravessar ileso.

"Mas é tarde: areias e rochedos pelo Sol e pelo vento mordidos; e — proa na Viagem já avançada — Eu!

CORO

"Pelo tempo, pelas paixões, até que ponto roído?

RICARDO GOUVEIA DE MELO

"Entretanto, não devo nem posso morrer: tenho, ainda, que, pela última vez, libertar do jugo universal algo de imperecível.

CORO

"Sim, por que a Vida-imortal seria mais impensável do que o Mundo-absurdo?

RICARDO GOUVEIA DE MELO

"Nem todos são os mesmos antes e depois de crer em Deus, antes ou depois de uma vingança ou de um Crime — e nesta diferença pode haver um abismo para sempre decisivo.

CORO

"Não precisamos saber o nome de Deus para sermos religiosos: basta possuir o senso da perfeição e da responsabilidade; e é o que carregamos no mais íntimo que decide o nosso destino."

Dom Paribo Sallemas

Chegara a vez de Adriana Victor que, ao som do 2º Movimento da Bachiana Brasileira nº 8, e também apoiada pelo Coro, começou sua leitura:

Quadro II - A Mulher Consoladora

Heráclito Schabino

"Canta a Estrela que a Morte não existe, pois o Ser é também a negação: o Ser, que funde em si a Terra e o Fogo, a Ventania e as chuvas do Verão! Ninguém pode afirmar que o Ser não é; mas nele já começa a Pulsação."

Adriana Victor

"O deus da Beleza, filho do Feio e filho da Harmonia, filho do Belo e filho da Loucura! A meu lado, o velho Rapsodo, com seus dias contados. Todo criador é filho e pai de uma terra sua, move-se num Reino pessoal, insubstituível.

Coro

"Eis o que dissemos àquele, tentando consolá-lo de sua morte próxima:

ADRIANA VICTOR

"Um Poeta é perigoso por tudo quanto ameaça em nós, não de morte, mas justamente de vida. Quanto a mim, sempre precisei do mundo visível para ir ao invisível: encontro no Palco, num Mundo acordado, aquela atmosfera de realidade mais real do Sonho.

CORO

"É o Poeta que nos liberta da Morte e de todos os pesos.

ADRIANA VICTOR

"O Cômico não costuma adular ninguém, e, de todos os observadores do 'Eu-odiável', nem sempre é o menos impiedoso.

CORO

"O Trágico é um lavrador que nos lavra e nos revira, para que, dentro, apodreçam luxúria, preguiça, cólera, cobiça.

ADRIANA VICTOR

"No Mundo deles — Palco ou Prelo, Teatro ou Livro — reina a ilusão; mas reina para nos encontrarmos com nós mesmos, numa consciência angustiada cuja expressão se torna poética e estabelece nosso parentesco com Personagens míticos, históricos ou imaginários.

Coro

"Participamos daquilo que reprovamos. O rumor marinho da Sala, o lustre, a Cortina de veludo enfim levantada sobre um mundo invadido pelos emissários dos Magos.

Adriana Victor

"Seres monstruosos, por serem quase divinos, como Abraão, Sara e Agar. Reveladores, e por isso castigados, como Prometeu.

Coro

"Pactários, como Fausto e Cipriano. Parricidas e matricidas, como Édipo, Electra e Orestes. Fratricidas, como Etéocles, Caim e Polinices. Suicidas, como Nero, Judas e Cleópatra. Sedutores vulgares, ou violadores incestuosos, como Amnon.

Adriana Victor

"Será que éramos tais Monstros? Será que somos tais Monstros?

Coro

"Sim, um pouco, ajudando as Musas a nascerem dentro de nós estes inesperados visitantes dos nossos sonhos. A frase terrível, segredada por Jocasta, esposa e mãe, com uma voz estrangulada:

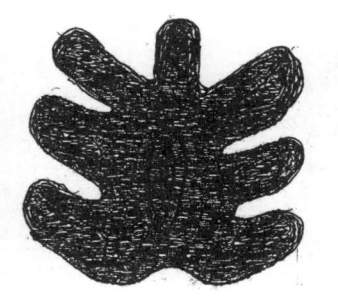

Adriana Victor

" 'Infortunado! Possas tu nunca saber quem és!'

Coro

"A ressonância do fatídico aviso: 'Neste mundo de culpabilidade lúcida, o Dia escurece as coisas, a Noite as esclarece'.

Adriana Victor

"O mistério da Vida no que tem de mais denso: uma relação entre o que pensamos saber e aquilo que admitimos não saber; entre a consciência de nossa curta duração e o abismo que a cerca; entre a Vida e a Morte.

Coro

"A grandeza da Arte desperta no Homem algo de invicto e vivo; toda Poesia é enigma e oráculo; abeira perigos desconhecidos; é somente uma pulsação, mas serve para medir o Mundo.

Adriana Victor

"O mais puro Poeta dispõe de sortilégios, como a Beleza, e é escravo desta Beleza, como de um vício.

Coro

"Graças aos pesquisadores da Sombra, o domínio do que é claro vai se estendendo cada vez mais, e o archote aceso por Gregos e Judeus mantém sua realidade através do Tempo.

Adriana Victor

"Tudo isto dissemos ao enfermo e envelhecido Aedo, cujo olhar revelava, a um tempo, inquietação e resignação. Quando moço, era um criador de ritmos, um decifrador de sonhos, um revelador de mitos. Movia-se à beira dos abismos, sua Arte coincidia com a Vida. Tudo, nele, surgia da paixão secreta, da zona tenaz do ser: zona obscura e sombria, mas, por estranho que possa parecer, pura.

Coro

"Havia, nele, algo de incorrupto, que exigia e feria. Tinha a virtude do fogo e do diamante. Avivava o mais inalienável, renovando as manhãs da primeira idade que nele ainda não de todo escurecera.

Adriana Victor

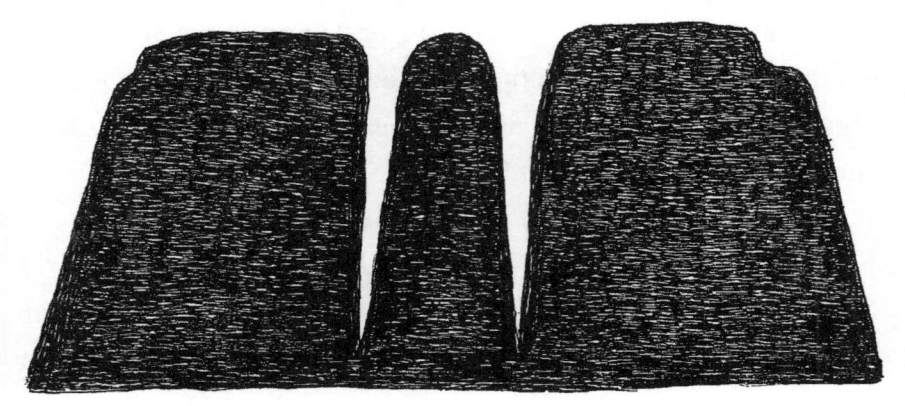

"Mas não nos iludíamos: a Morte anunciava-se, fosse em túmulos humildes com grama e plantas que não custam caro, fosse no implacável Campo-Santo virado em deserto, em parte calcinado e onde jazem membros de um enorme Esqueleto demasiadamente branco. E não havia palavras que o confortassem.

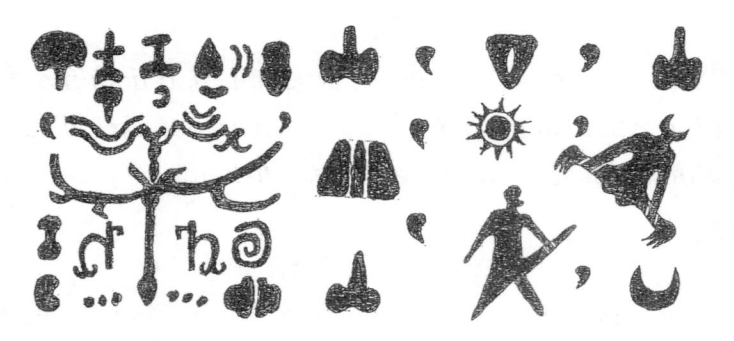

Coro

"Na verdade, que falar a uma pessoa que vai morrer? Somente um herói pode dizer àquele que morre: *'Seja intrépido!'* E só uma pessoa de Deus pode lhe falar de Deus: nada humilha mais do que ser orgulhoso."

Dom Pantero

Agora, porém, nobres Cavaleiros e belas Damas da Pedra do Reino, devemos contar-lhes que, cerca de uma hora antes do início do Simpósio Quaterna, o Anjo-Abrasador começara a esvoaçar sobre o Santuário de Congonhas, em Minas, a fim de abençoar as figuras dos 12 Profetas, ali esculpidas em pedra por Antônio Francisco Lisboa, O Aleijadinho.

Dom Paribo Sallemas

No momento em que apareceu o Anjo, soprava sobre Congonhas uma ventania tempestuosa, que vinha do Norte, e pairava uma grande Nuvem cor-de-chumbo, arrodeada por uma Orla de fogo e claridade.

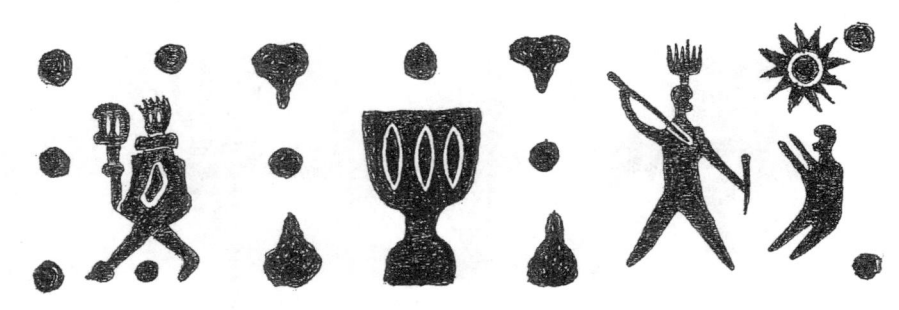

Dom Pantero

Era sob essa Nuvem que o Anjo esvoaçava por cima do Santuário, onde se dirigiu primeiro para a Escultura em que o Aleijadinho representara o Profeta Isaías.

Olhando-o, o Abrasador lembrava-se do grave erro de interpretação cometido pelos que apontam no grande Artista que o esculpiu *"defeitos e erros de anatomia"*. Cegos e extraviados, não viam que tais *"erros"* é que davam àquelas Esculturas uma força diante da qual as *"corretas"* empalideciam. O Aleijadinho podia até ter desejado seguir modelos europeus acadêmicos e *"bem feitos"*.

Mas o gênio do grande Escultor brasileiro (gênio que resultava da fusão de sua espantosa imaginação criadora com o caráter peculiar e poderoso do nosso Povo), seu gênio, graças a Deus, o impedira de imitá-los.

Além disso, o Anjo sabia que o Santuário de Congonhas era um Castelo, um rude e singular Teatro-de-pedra, criado pela *"fantasia tosca e brilhante"* de um Artista mais inclinado *"à brutalidade do Grandioso do que às harmonias do Belo"*. Era algo cuja legitimidade nos fora garantida por outro extraordinário Artista e pensador brasileiro daquele mesmo século que produzira O Aleijadinho — Mathias Aires:

Mathias Aires de Savedra

"A Arte leva consigo uma espécie de rudeza; a Formosura até se sabe introduzir na fealdade, no horror, no espanto. A Beleza atrai só por si, e não pela sua regularidade. Desta, sabe afastar-se a Natureza, e então é que se esforça e produz coisas admiráveis.

"A Arte também faz com que, divertido e empregado, nosso pensamento chegue a contemplar luzida a nossa mesma Morte e vistosa a nossa mesma Sombra. Do fugir das proporções e das medidas resulta, muitas vezes, uma Fantasia tosca e impolida mas brilhante e forte."

Dom Pantero

Conforme se vê por aí, Mathias Aires afeiçoava-se até mesmo àquela Arte nascida da Sombra, daquela região habitada pelo Mal e pela Morte; pela Onça Caetana, pelo Encourado e pela Besta Fouva (a qual, dentro e fora de nós, a cada instante nos faz estremecer o sangue, ao som de seus ladridos e ao estralo de seus cascos).

Dom Pancrácio Cavalcanti

Assim, melhor do que Mathias Aires, o Abrasador, por ser um Anjo, sabia que o Santuário de Congonhas era uma de tais Obras; e, sem qualquer preocupação de justificá-lo, passou de Isaías a Ezequiel, Baruc, Jeremias e Daniel. Este falou por sua boca de pedra, condenando o Quarto Império e anunciando o nosso, o da Iarandara — o Quinto Império da Rainha do Meio-Dia:

Daniel Schabino

"Ao contemplar minhas Visões noturnas, vi um outro Animal — o do Quarto Império. Era terrível, espantoso, cruel e extremamente forte. Com enormes dentes de ferro, comia, triturava e depois calcava aos pés tudo o que restava. Pior do que os 3 outros que o tinham precedido, o quarto Animal possuía 10 grandes Chifres e uma boca que proferia palavras arrogantes. Partia para devorar o Mundo inteiro, para calcá-lo sob seus pés e esmagá-lo, gritando graves insultos contra o Altíssimo.

"E eu ainda olhava tudo aquilo quando notei, vindo sobre as nuvens do Céu, um como Filho de Homem (Aquele que fora gerado pelo Gavião nas entranhas da Pomba da Sabedoria). A Ele, sob as bênçãos de Deus e de sua Mãe, era outorgado o Império, com a honra e o Reino. Seu domínio jamais passará e seu Reino jamais será destruído."

Dom Pajtero

Depois de ouvir tais palavras, o Anjo voou sobre Oseias, Jonas, Naúm, Joel, Abdias, Habacuc e finalmente Amós, que repetiu para ele suas advertências contra os ricos, opressores e poderosos; naquele dia, porém, especialmente dirigidas aos que insistem em vender o Brasil, traindo seu grande Povo e, por isso, afastando para um futuro ainda mais longínquo o advento do Quinto Império:

Amós de Savedra

"Oráculo de Deus, Nosso Senhor: Não sabem agir com retidão aqueles que amontoam opressão e rapinagem em seus Palácios,

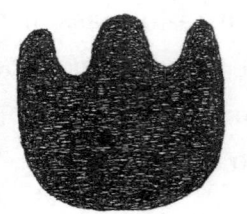

Fábricas, Mercados, Bancos e Edifícios. Eles esmagam sobre o pó da Terra a cabeça dos fracos e tornam ainda mais duro o caminho dos Pobres. Transformam o Direito em veneno e lançam por terra a Justiça. No entanto, Eu quero que o Direito corra como água pura e a Justiça como um Rio caudaloso."

Dom Pantero

Assim que Amós terminou de falar, vi que, concluídas suas bênçãos sobre Congonhas, o Abrasador começara a trocar o Sertão mineiro pelo nordestino, em rumo paralelo ao do Rio São Francisco. Seu voo era extremamente rápido, de maneira que em poucos instantes chegava ele à Via-Sacra de Monte Santo, perto do local em que, a 5 de Outubro de 1897, o Exército brasileiro (infelizmente persuadido, naquela época, por Intelectuais positivistas e Empresários capitalistas) destruiu o Império do Belo Monte de Canudos, Arraial pré-socialista e messiânico, liderado pelo maior dos nossos Profetas, Santo Antônio Conselheiro.

Auro Schabino

A Via-Sacra de Monte Santo também teria entusiasmado Mathias Aires, caso ele a tivesse conhecido. Euclydes da Cunha (Profeta do nosso Velho Testamento e artista da mesma linhagem d'O Aleijadinho) assim a recriou naquela outra Obra-de-gênio *"tosca, brilhante, impolida e forte"* que é Os Sertões:

Monte Santo
Castelo, literariamente recriado a partir de outro, arquitetônico, erguido pelo Povo brasileiro.

Euclydes Schabinno da Cunha

"Monte Santo é um lugar lendário. Quando, no século XVII, a descoberta das Minas determinou a atração do interior sobre o litoral, os Aventureiros que, ao Norte, investiam com o Sertão, arrebatados pela miragem das minas de Prata, ali estacionavam longo tempo. A Serra solitária atraía-os irresistivelmente: é que, num de seus flancos, escritas em caligrafia ciclópica com grandes Pedras arrumadas, apareciam Letras singulares — um A, um V e um S — ladeadas por uma Cruz, de modo a fazerem acreditar que estava ali, no Sertão nordestino, o Eldorado apetecido.

"No fim do século XVIII, redescobriu-a um Frade missionário; e, achando-a semelhante ao Calvário, planeou logo para ali a ereção de uma Capela, que ia ser a primeira daquele tosco, imponente e poderoso templo da Fé religiosa.

"E fez-se o Monumento prodigioso, erguido pela Natureza e pela Fé, mais alto do que as mais altas Catedrais do mundo; a extensa Via-Sacra de 3 quilômetros de comprimento, em que se erigem, a espaços, 25 Capelas, encerrando os passos da Paixão. Amparada por Muros capeados; calçada, em certos trechos; tendo noutros, como *leito, a Rocha viva, rampeada ou talhada em degraus — aquela Estrada de quartzito, onde ressoam há mais de 100 anos as litanias das procissões da Quaresma e têm passado legiões de Penitentes, é um prodígio de Arquitetura, de Engenharia rude e audaciosa."*

Dom Pantero

Ao me ver, pela primeira vez, diante da Obra que é Monte Santo, vi-me obrigado a confessar que a Imagem literária criada por Euclydes da Cunha é mais bela do que a real. Ainda assim, devo dizer-lhes que, como A Ilumiara, aquela Via-Sacra é um Castelo; uma Catedral; uma Fortaleza que, dentro de si, contém um Palco de pedra e uma Estrada, decisiva para os Andarilhos que temerariamente se arriscam a percorrer suas 7 Moradas (ou Vias).

Adriel Soares

Mas vamos continuar, com Euclydes da Cunha, a leitura de seu próprio *"Monumento prodigioso"*, de sua apocalíptica Revelação:

Euclydes Schabino da Cunha

"A Via-Sacra começa investindo com a Serra, numa rampa íngreme. Adiante, a partir da Capela maior — Ermida interessantíssima, ereta num ressalto da Pedra, a cavaleiro do Abismo —, volta à direita. Finalmente, alteia-se de improviso, retilínea, em ladeira forte, arremetendo com o vértice pontiagudo do Monte até o Calvário, no alto.

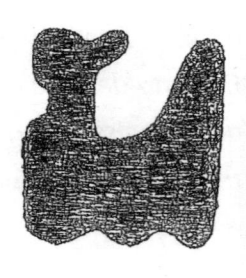

"À medida que ascende, ofegante, estacionando nos Passos-da-Paixão, o Peregrino, em sua Viagem-purificatória, depara perspectivas que seguem num crescendo de grandezas soberanas. Primeiro, os planos das Chapadas e Tabuleiros, esbatidos, embaixo, em Planuras vastas. Depois, as Serranias remotas, agrupadas, longe, em todos os quadrantes. E, atingido o alto, o olhar a cavaleiro das Serras — o espaço indefinido, com a emoção estranha da altura imensa, realçada pelo aspecto da pequena Vila embaixo, mal percebida na confusão caótica dos telhados.

"E quando, pela Semana Santa, convergem ali as Famílias da redondeza e passam os Penitentes pelos mesmos flancos em que vagueavam, outrora, inquietos, os Aventureiros ambiciosos, vê-se que o Frade-missionário, mesmo sem chegar a penetrá-lo ou decifrá-lo inteiramente, chegou perto do Castelo sacratíssimo e enigmático, oculto no Deserto."

Dom Pancrácio Cavalcanti

Mas agora (reafirmando que, comparada ao Velho Testamento d'Os Sertões, A Ilumiara é uma espécie de Novo Testamento Brasileiro), deixamos de lado o Anjo-Abrasador, o qual, depois de voar sobre Monte Santo, começava a pegar o caminho da

Ilumiara Pedra do Reino, situada no Sertão, exatamente na divisa entre Pernambuco e a Paraíba.

Dom Porfírio de Albuquerque

Temos que deixá-lo porque, naquele mesmo instante, a Moça Caetana, sob forma de Onça alada, também começara a voar sobre o Reino triangular e sagrado onde ainda hoje se inscreve o obsessivo Périplo que acende e queima o sangue de Dom Pantero, e que possui, nos vértices, 3 Pontos-cardeais — Taperoá, São José do Belmonte e o Recife (este com Olinda, os Montes Guararapes, São Lourenço da Mata, a Ilumiara Cantapedra e Igarassu).

J. Borges

Dom Pantero

Naquela manhã de 9 de Outubro de 2000, a Moça Caetana aparecera primeiro como a sinistra e bela Divindade descrita no Soneto composto, com tema de Deborah Brennand, a partir dos sonhos obscuros de meu irmão Altino Sotero. Naquele Soneto estava presente o "*sagrado terror*" que de nós se apossa diante da terrível Divindade que é a Morte.

Posteriormente Auro e Adriel compuseram outro Soneto que, n'O Pasto Incendiado, se seguia ao primeiro, sendo que, desta vez, o terror gradativamente se transformava em aceitação e até em celebração da Morte, integrada na paixão da Vida, que nos movia a todos:

A Moça Caetana – O Sol de Deus
Com motes de Deborah Brennand e Renato Carneiro Campos

Albano Cervonegro

Eu vi a Morte, a Moça Caetana, com o Manto negro, rubro e amarelo. Vi-lhe o inocente olhar, puro e perverso, e os dentes de coral da Desumana.

Eu vi o Estrago, o bote, o ardor cruel, os peitos fascinantes e esquisitos. Na mão direita, a Cobra-cascavel, e, na esquerda, a Coral, rubi maldito.

Na fronte, uma Coroa e um Gavião. Nas espáduas, as Asas deslumbrantes, que, ruflando entre as pedras do Sertão, pairavam sobre Urtigas causticantes, "caules de prata, Espinhos estrelados, e os cachos do meu Sangue iluminado".

Mas eu enfrentarei o Sol divino, a luz do Sonho em que a Pantera arde. Saberei por que o laço do Destino não houve quem cortasse ou desatasse.

Não serei orgulhoso nem covarde, que o Sangue se rebela ao toque e ao Sino. Verei, feita em Topázio, a luz da Tarde — pedra do Sono, cetro do Assassino.

Ela virá, Mulher, aflando as Asas, com os dentes de cristal queimando Brasas, e há de sagrar-me a vista o Gavião.

Mas sei, também, que só assim verei a coroa da Estrela e Deus, meu Rei, "assentado em seu trono do Sertão".

Dom Pedro Dinis Quaderna

Naquela manhã, pois, como Mulher e ainda sob o Crescente noturno que lhe serve de insígnia, a Moça Caetana acordara nua, na Furna pedregosa em que mora. Deitada, estirara os braços, num espreguiçamento. Depois, alongou a vista pelo próprio corpo perfeito, com os dois belos Peitos opulentos e de bicos avermelhados — *"garças do Céu, com bicos cor-de-rosa"*, para usar a expressão do genial Poeta paraibano, Doutor José Rodrigues de Carvalho.

Dom Pajtero

A divindade brasileira da Morte aparece como fêmea aos Homens, e como macho às Mulheres. Macho, é O Moço Caetano, cujo nome vem de Kai-Thano, isto é, E-eu-morri. Fêmea, é A Moça Caetana, cujo corpo é moreno, pois ela é uma divindade de origem cariri. Seus peitos, porém, são alvos, com aréolas e bicos de um rosado mais vivo do que os de qualquer outra Mulher, nascida ou por nascer no Mundo.

Dom Paribo Sallemas

Quando, sob forma de fêmea, ela escolhe um homem para matar, aparece a ele, por entre delírios e prodígios, exibindo-lhe sedutoramente seus peitos. O homem, fascinado, beija-os, e, enquanto os morde, é picado pela Cobra-Coral que serve de colar à Moça Caetana.

Dom Pantero

É então que ele é fulminado aos estremeços obscenos da Morte: Caetana bebe-lhe o sangue, e é o sangue dos assassinados que robustece seus peitos, tornando-os firmes, belos e rosados daquela maneira.

Agora, ainda deitada, ela olha esses peitos, e, mais embaixo, a bela Concha bivalve e vermelha, entrecerrada na relva noturna do Púbis selvagem (*"Sol de pelos, onírico Diadema"*, nas palavras daquele outro grande Poeta paraibano que é Luiz Correia). Com os dedos da mão direita, apalpou, num ritual, primeiro um peito, depois o outro, e colocou a mão esquerda espalmada sobre a Vulva, para selar o Concriz negro-e-vermelho do Sexo.

Dom Pedro Dinis Quaderna

Imediatamente começou a perder sua forma de Mulher e a assumir a de Onça. A Cobra-Coral Vermera — que lhe serve de Colar, jamais largando seu pescoço — enroscava-se ali, ferindo o ar de vez em quando com sua língua bipartida.

Enquanto isso, as 3 Aves-de-rapina da Morte pousavam sobre a Onça e, cravando-lhe as garras, começaram a penetrar em seu corpo — na pele, na carne, no sangue, nos ossos; entraram primeiro as unhas, depois os pés, e as pernas, até que os 5 Bichos se transformassem numa só Besta, com 6 asas e 5 cabeças — a da Onça, a da Cobra e as 3 das Aves-de-rapina.

Dom Pajtero

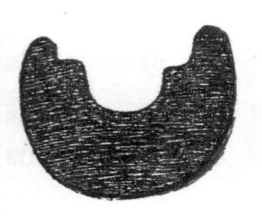

Composta assim a estranha Fera, havia nela algo de belo, fascinador e reluzente, mas também de sinistro e infame. No flanco direito da Onça, ficou-lhe cravado pelo corpo o Gavião vermelho Caintura, a ave-de-rapina da fome, da sede, da miséria, da doença e do Tempo. No flanco esquerdo, Malermato, o Gavião negro da nudez, do sofrimento, do infortúnio, do acaso, da má-sorte e da Fatalidade. Entre os dois, o Carcará branco, negro e castanho que se chama Sombrifogo e é a ave-de-rapina do assassinato, da chacina e do suicídio.

Dom Paribo Sallemas

Aí, naquela manhã de 9 de Outubro de 2000, a Moça Caetana saiu de sua Furna, ao mesmo tempo em que o Sol levava adiante sua tarefa de alumiar o Mundo. Piscando os belos olhos ainda meio enevoados de sono, ela apareceu à entrada da Gruta; e, alçando voo, dirigiu-se para a Serra da Copaóba, regozijando-se ao rever o local onde, a 9 de Outubro de 1590, foi morto Dom Sebastião Barretto, primeiro e encoberto Príncipe-brasileiro-do-sangue-do--vai-e-volta.

Dom Pajcrácio Cavalcajti

Depois, passou à Estrada da Santa Cruz da Piedade, no Rio de Janeiro, onde, a 15 de Agosto de 1909, foi assassinado

Euclydes da Cunha. E, voltando ao Nordeste, começou a plainar sobre o Reino, àquela hora já iluminado pelo Sol. Deu algumas voltas por cima do primeiro vértice do Triângulo — vértice formado por Taperoá, Desterro, Assunção e Teixeira —, detendo-se com mais vagar sobre as ruínas do Arraial do Bacamarte e sobre o conjunto de Lajedos onde, na Fazenda Saco da Onça, se encontrava a Ilumiara Jaúna, banhada pelo Riacho do Elo (em cujas margens foi assassinado o Cavaleiro).

Dom Pantero

Por cima de todos os lajedos da Ilumiara esvoaçou a Morte naquela manhã de 9 de Outubro de 2000. E, concluída a primeira parte do voo, dirigiu-se ao Recife, segundo vértice do Reino. Demorou sobre a Igreja de Nossa Senhora da Conceição dos Militares, por causa do Painel pintado sobre madeira e que ali celebra a vitória obtida pelos Brasileiros em Guararapes, no século XVII; era, aquela, uma visita hostil que a Onça fazia, não só por causa da Misericordiosa mas também porque a Batalha fora um fato decisivo para todos nós, pois impedira que o Brasil fosse excluído da Iarandara, da Rainha do Meio-Dia — o que inevitavelmente aconteceria caso os Holandeses fossem vitoriosos.

Dom Porfírio de Albuquerque

Depois, Caetana voou sobre a velha Casa de Detenção do Recife, misto de Fortaleza e Prisão: um Castelo que, por ser "*davídico*", é, a um tempo, sinistro e belo, como o canto dos Pavões e como a própria Moça Caetana. Relembro: é que ali, 3 dias antes do Cavaleiro, foi também assassinado João Soares Sotero Veiga Schabino de Savedra, Tio-materno de Altino, Auro, Adriel e dos outros irmãos de Dom Pantero — Mauro, Afra e Gabriel.

Dom Pantero

Então, a Morte passou a voar sobre o Colégio e a Sé de Olinda, lembrando-se de que lá, no dia 15 de Agosto de 1594, nosso primeiro antepassado brasileiro, Alexandre Schabino de Savedra, respondera a um Processo perante Heytor Furtado de Mendoça, "*Visitador do Santo Ofício às Partes do Estado do Brasil*".

Depois, em Igarassu, visitou o Engenho Chabino e o Convento de Santo Antônio, com sua Igreja. Em São Lourenço da Mata, o Engenho Coral e a Ilumiara Cantapedra, onde agora me encontro a redigir esta Carta: Caetana sabia que as "*Epístolas*" sonhadas por meu Tio-materno Antero Schabino seriam decisivas na grande Peleja em que me empenho; e queria se munir de todos os agouros que lhe fosse possível reunir, contra elas e contra as sessões do Simpósio Quaterna, que estava começando naquela manhã de 9 de Outubro de 2000.

Dom Paribo Sallemas

Entretanto, neste segundo vértice do Triângulo, sua atenção maior foi dada, mesmo, à Ilumiara Zumbi, ao Teatro Antônio Conselheiro (situado na Favela-Consagrada, ou Ilha de Deus) e à Ilumiara A Coroada, a Casa recifense dos Schabinos, Savedras e Jaúnas: esses eram os 3 Redutos que serviam de armas a Altino, Auro e Adriel em sua luta para afirmar o trono e a arte do povo do Brasil real.

Dom Pedro Dinis Quaderna

Finalmente, a Moça Caetana passou a voar sobre o terceiro vértice do Reino, plainando sobre Princesa, na Paraíba, e São José do Belmonte, em Pernambuco. Ali, exatamente na divisa entre os dois Estados, sobrevoou a Ilumiara Pedra do Reino, olhando, hostil e de viés, para as grandes Esculturas feitas em granito por Arnaldo Barbosa: entre elas, o Cristo Rei, a Nossa Senhora, o São José e o Marco — o Padrão que tem, no anverso, o nome do lugar, Ilumiara Pedra do Reino; e, no reverso, a Inscrição-votiva, Homenagem ao Aleijadinho.

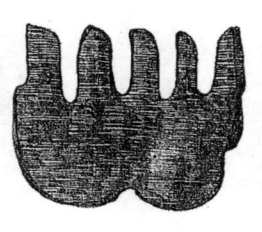

Dom Pantero

A Moça Caetana sabia que na Serra do Reino estava sendo erguido um Santuário para assinalar, plasticamente, a ponta nordestina do eixo que liga o Sertão nordestino ao mineiro. E sabia que, se ficasse pronta, A Ilumiara seria a expressão literária daquela ponta, a terceira do *"Triângulo místico, solar e mítico"* que aparecia no Livro Luz & Trevas, dedicado por sua autora, Maureen Bisilliat, a meu irmão Auro.

Quer dizer: fossem, ou não, concluídos aqueles dois Castelos — o escultórico e arquitetônico da Serra do Reino, e o literário d'A Ilumiara —, a Moça Caetana tudo faria para destruir as partes já prontas de cada um deles, pois sabia que ambos eram tentativas de, pela Arte, celebrar a Vida e a imortalidade.

Por isso, pretendia se demorar ainda sobre a Ilumiara Pedra do Reino. Mas aí avistou o Anjo Abrasador que, de Monte Santo, vinha chegando para Belmonte, lugar que ele amava muito, porque seu nome lhe recordava o do Império do Belo Monte de Canudos.

Dom Pancrácio Cavalcanti

Então, assustada, Caetana fugiu de volta para Taperoá, onde, às 10 horas da manhã daquele 9 de Outubro de 2000, esvoaçou sobre a grande Pedra que encima a Serra do Pico. Ficou por um instante alçada no ar, dando a impressão de ser uma estranha Harpia, um enorme Gavião-Real, com 5 cabeças e corpo de Onça.

Dom Porfírio de Albuquerque

Parou, afinal, com a bela pelagem ainda mais dourada pelos raios do Sol. Pousou. E, com as garras tocando a Pedra, acabou por se deitar como as Onças comuns se deitam — com as patas traseiras ao lado do corpo e as dianteiras espichadas para a frente, firmadas no topo áspero e belo da Pedra do Pico.

Alexandre Dumas de Savedra

"Era como a antiga Esfinge, de cócoras, à entrada de seu Antro, propondo àqueles que caminhavam pela Estrada um Enigma insolúvel."

Dom Pedro Dinis Quaderna

Ali se manteve imóvel, invisível para as pessoas sensatas, mas perfeitamente clara aos olhos visionários dos Poetas e Poietas;

aos olhos inocentes e sem mercê das Crianças; aos olhos aguçados e culposos dos Profetas; aos olhos perturbados dos Ébrios, dos Mágicos, dos Loucos, dos Palhaços e daqueles Reis que, bebendo o Vinho da Pedra do Reino, são possuídos pelo dom da Poesia divina, daimoníaca, escumejante, epiléptica e alucinatória.

Dom Pantero

O que Vocês bem podem comprovar, no Poema que aí vai e que, também composto com base nos sonhos dementes do nosso irmão Altino, foi incluído por Auro e Adriel no Livro O Pasto Incendiado, por eles publicado sob o pseudônimo de Albano Cervonegro: fato que lhes valeu a alcunha de Os Xifópagos, colocada por nossos mesquinhos adversários recifenses, que procuravam, ou ignorá-los, ou então ridicularizá-los por meio de caricaturas.

Dom Paribo Sallemas

Mas deixemos de parte esses equivocados, e vamos ao Poema, que nos interessa mais:

A Onça
Martelo-Gabinete no qual aparece o Jaguar como insígnia da Morte

Albano Cervonegro

Eis a Flecha cruel que despedaça a carne dos Cabritos e Cordeiros. Eis o Bicho sagrado, o velho Medo, no sangue mal-cravado dos meus erros. A Besta coroada, a Fera doida, o veneno do Sono e do Desterro.

O vermelho Clarão e o verde Escuro; o Mundo — ouro e enxofre malfadado. Possesso da Serpente, asas de Arcanjo, olhos cegos no Sol incendiado. Que maldade se encerra na Beleza? Que sangrento, no Molde iluminado?

Do Rebanho maldito, um verde Musgo. As Pedras, a Ferrugem verde as tinge. À luz azul do Cérebro inquieto, o Punhal dorme, oculto entre as Meninges. É divina esta Chaga que o Sol cura, e o Anjo é soletrado em cega Esfinge.

O topázio dos olhos, nas Estrelas. A pele de ouro e negro, os dentes brancos. A luxúria de púrpura e desejo, na polpa clara dos macios Flancos. Canta em meu sangue a frauta dos meus Ossos: a corneta da Tíbia e o punho manco.

Quem me sopra o Traspasse e a solução? Que me sussurra o fogo desta Voz? Ai, perigo-de-ser do meu cansaço! Ai, papoula-da-vida, sangra os Nós! — que vai, e esquiva foge, e espreita a Sombra, na cabeça de Cacto feroz.

Dom Pajtero

Pois bem: naquela manhã de 9 de Outubro de 2000, enquanto o Anjo-Abrasador e a Onça Caetana esvoaçavam sobre o Reino do Sete-Estrelo do Escorpião do Nordeste, na última Casa urbana que, no Sertão, pertencera aos Savedras, eu estava no meu Quarto, preparando-me para comparecer ao Simpósio Quaterna.

Preocupado com a importância do Depoimento que ali iria dar, passara a noite acordado, velando as minhas Armas, isto é, pensando nas palavras, histórias e reflexões que, segundo esperava, justificariam Schabinos, Savedras e Jaúnas diante de todos. Guardadas as proporções, acontecera comigo o mesmo que a Santo Inácio na noite em que decidira abandonar tudo para se dedicar ao caminho de Deus. Contava ele como, ferido-de-guerra, entregara-se à leitura, em sua Cama de enfermo:

Inácio Schabino de Loyola

"Cuidando-me dos ferimentos, era forçado a guardar o leito. E como era muito afeito a ler aqueles Livros mundanos e falsos que se chamam de Cavalarias, pedi que me dessem alguns deles para passar o tempo; mas, na Casa em que estava, não se achou nenhum dos que eu costumava ler; assim me deram uma Vida de Cristo e um Livro sobre as vidas dos Santos, estes em romance. E, estando uma noite acordado, vi claramente uma imagem de Nossa Senhora

com o santo e sagrado Menino Jesus, fato que me acarretou grande consolo; e fui invadido de tanto asco da minha vida passada, que me pareceu ter arrancado da alma todos os pecados, todas as imagens e coisas carnais que, antes, nela havia pintadas. Mas como, por outro lado, meu entendimento vivia ainda povoado por aquelas coisas e por tudo o que lia em *Amadis de Gaula* e em Livros semelhantes, determinei-me a velar minhas Armas por toda a noite, sem me sentar ou deitar; e, em alguns momentos, ficava de joelhos diante do altar de Nossa Senhora, pois decidira abandonar minhas roupas comuns e vestir as armas do Cristo.

"Entretanto, já com o dia claro, vi, perto de mim, no ar, uma coisa que me deu grande sensação de felicidade, porque era muito bonita. Não distinguia bem o que fosse, mas parecia-me ter forma de Serpente. Tinha belas cores e muitas coisas que resplandeciam como olhos, se bem que não o fossem. E depois que isso durou um bom momento, caí de joelhos diante de uma Cruz que havia perto. E, rezando e dando graças a Deus, entendi afinal que aquela Aparição não tinha cor tão bela como me parecia; e tive claro conhecimento de que aquele era o Demônio."

Dom Pajtero

Ora, se tais perigos corria uma pessoa de Deus, como Santo Inácio — uma pessoa que entendia *"tanto de coisas espirituais quanto de coisas da Fé e das Letras*" —, o que não aconteceria com o "*velho Pecador*" que era, e é, Dom Pantero? Eu sabia que, por trás das músicas, das falas e das cores do Palco, o que eu iria enfrentar, mesmo, no Circo-Teatro Savedra, eram o Encourado, a Besta Fouva e a Onça Caetana.

Dom Paribo Sallemas

Tudo isso errava na memória e no coração de Dom Pantero naquela manhã, enquanto ele se preparava para comparecer ao Simpósio Quaterna; Simpósio por meio do qual, na busca da redenção, esperava ressuscitar seu passado implacavelmente destruído, celebrar o presente e anunciar o futuro.

Dom Pancrácio Cavalcanti

No Palco, ele tentaria criar uma Cidade-literária na qual se fundissem todas as que, no Mundo, fossem parecidas com Taperoá, Recife, Belmonte, Olinda, Igarassu, Piranhas, Icó, Oeiras, Martins, São Cristóvão, Alcântara e Monte Santo (esta por iniciar o caminho da Via-Sacra da qual já se falou aqui).

Dom Pantero

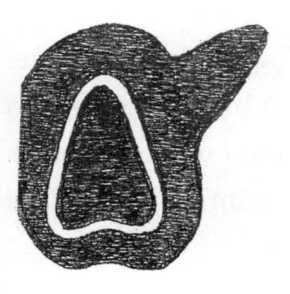

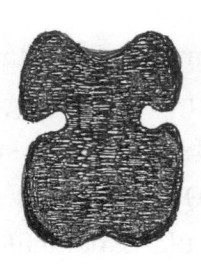

Em tal Cidade haveria um Circo, com todos os meus amados mortos ressuscitados; e, mais, Reis, Palhaços, Mágicos, Músicos e Bailarinos; Estradas e Bosques, com aquele mesmo cheiro de Jurema que me encantara uma vez, de madrugada; Casas com Jardins perfumados por Rosas, Jasmins e Bogaris; e sempre povoados por Borboletas de todas as cores; assim como, ao cair da tarde, pelo som de um Piano no qual se juntavam todas as Músicas que depois me fariam cantar, rir, chorar ou sonhar.

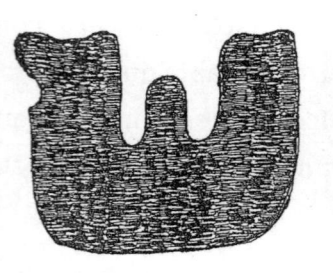

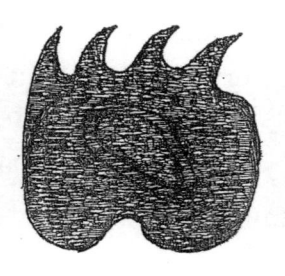

Então, naquela manhã, enquanto os participantes do Simpósio chegavam ao Circo-Teatro Savedra, eu saí do meu Quarto para aquele Terraço que, juntamente com o Muro exterior, fazia do Quintal da nossa Casa uma espécie de Claustro.

Pouco antes de sua morte, meu Pai construíra, em Taperoá, aquela Casa, para a qual pretendia que nos mudássemos a fim de abandonar o ambiente hostil de Assunção — Vila dominada pela poderosa família Villoa, inimiga da nossa. E a Casa, assim como acontecera com a do Recife, fora muito danificada em 1930 pelos partidários daquela Família.

Depois que me mudei de volta para Taperoá e me tornei Reitor da Unipopt, restaurei a Casa, ligando-a à Universidade e ao Circo-Teatro por meio de um Túnel subterrâneo que, saindo da Torre situada no fim do Quintal, ia dar no Camarim onde eu ficava antes do início de cada Aula-Espetaculosa.

Assim, o conjunto de Casa, Túnel e Teatro era integrado pela síntese de 3 Castelos. Deles, o primeiro, tese, era interior, plotínico e teresiano. O segundo, antítese, era subterrâneo, inconfessável e davídico. O terceiro, contrátese, era exterior, gabriélico e cunhal. E todos, no fim, superando o *quadernesco* e o *savédrico*, terminariam fundidos na síntese do *pantérico*.

Naquela manhã, pois, deixando o Quarto onde acabara de vestir a roupa negra-e-vermelha que em Campina me transformara em Dom Paribo Sallemas (e que depois viria a ser, também, a de Dom Pantero), passei para o Quintal: lá se erguia a Torre que, pelo Túnel secreto, me abria o caminho do Teatro.

De longe, das bandas da Cadeia e do Cemitério, chegava até mim o eco dos latidos-de-cachorro que os participantes do Simpósio tinham ouvido quando se aproximavam da Universidade.

Cruzei o Quintal e cheguei a seu ângulo-exterior direito, onde ficava a Torre. Com o coração aos saltos, entrei pela pequena Porta para o aposento térreo, naquele momento alumiado pela chama de uma Vela. Isto me permitia ver o Mosaico, feito, a meu pedido, por Guilherme Jaúna e que se mantinha ali, encravado na parede: representava aquele Fogaréu pelo qual eu passara na Ilumiara em 9 de Outubro de 1970 e se tornara, para mim, uma espécie de superstição: meus Espetáculos só se manteriam à altura da Obra que sonhava se, ao encaminhar-me para o Teatro, eu passasse pelo Fogo (que, para mim, era o do Espírito Santo). Vendo-o, agora, eu sabia o que verdadeiramente me estava acontecendo naquele instante:

Albano Cervonegro

Sobre o chão, as muralhas do Castelo, e, em torno, o Sol — o Sol, o Fogo e a Estrada. Dali me espreitam Faces perigosas, uma sombria, a outra iluminada. E a minha sombra se projeta, inteira, entre o chão do Cachorro e o sol da Taça.

Dom Pantero

Uma vez no interior daquela Torre pobre, circular e bruta, aproximei-me da pesada tampa de madeira que havia no chão, fechada por corrente e cadeado. Abri-a e, depois de fechá-la sobre minha cabeça, desci os 13 degraus da Escada, chegando ao chão do Túnel secreto pelo qual, sem conhecimento de ninguém, costumava ir para meu Camarim: este e a Torre faziam parte daquele Castelo a que me referi como sendo "*inconfessável e davídico*"; e o Túnel que os ligava, escavado pelas profundezas, era parecido com aquele pelo qual Edmundo Dantès ia encontrar o perigoso Abade Faria — o mesmo que, como fez o Demônio com Fausto e São

Cipriano, transformara o jovem, inocente e confiante marinheiro de Marselha no sinistro, e pálido, e lutuoso Conde de Monte Cristo.

Assim que comecei a palmilhar o caminho, começou também a soar na escuridão do Túnel aquele mesmo canto do Pássaro desconhecido que se ouvia no Corredor da noite escura e agreste do Teatro. Como sempre, o canto começava harmonioso e pungente, como o do Uirapuru, e acabava com uma gargalhada zombeteira e maligna, como a da Casaca-de-Couro.

Ora, o Túnel, decorado por Guilherme Jaúna, era uma versão arquitetônica, resumida e subterrânea da Estrada de Matacavalos por onde, 70 anos antes, saíra o Cavaleiro para encontrar a Morte às margens do Riacho do Elo.

Assim, Vocês já podem entender melhor o ansioso estado-de-espírito em que eu me encontrava dentro do Túnel, a caminho do Simpósio: cada Saída que eu dava de minha Casa a fim de comparecer ao Teatro e lá ministrar uma Aula-Espetaculosa, era como uma nova Incursão (real, e não figurada) que fizesse à Ilumiara Jaúna; era também como uma Viagem que fizesse com o Circo da Onça Malhada para, por meio da Arte e da Beleza, procurar Deus e defender o Povo brasileiro; e mais ainda daquela vez, quando iria dar o Depoimento final da minha vida.

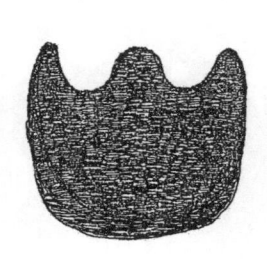

Ao chegar ao fim do Túnel — cujos Murais e Mosaicos naquele momento apareciam mal iluminados pela chama da Vela que levara comigo — subi outra Escada, de 13 degraus como a primeira; chegando em cima, fiquei exatamente sob a segunda tampa de madeira, igual à da Torre mas plantada no chão do Camarim. Esta, porém, ao contrário da primeira, estava apenas encostada: erguendo-a com os ombros, firmei as mãos na borda da abertura e alcei-me ao chão do Aposento que procurava (o que normalmente fazia, também para imitar Edmundo Dantès).

Nos momentos de Espetáculo eu não permitia a entrada de ninguém ali, de modo que o Camarim estava deserto; e, sentando-me em frente ao Espelho, dei as costas para uma parede na qual mandara dependurar 2 Tapetes bordados pelas filhas de Adriel e Eliza: eram O Cálice do Sangral e O Autor e a Graciosa.

Naquele instante, tão especial por causa do Simpósio, mais do que nunca eu estava atento ao significado que o Espelho assumira em minha vida. Lembrava-me de que Antônio Vieyra afirmara certa vez: "*O Espelho é o Demônio mudo*". Mas eu nunca aceitara sem reservas esta afirmação de Vieyra. Achava que o universo do Espelho não era demoníaco: era, sim, daimoníaco e festivo, como se via nos Circos, onde às vezes eles deformavam nossas imagens; e eu fizera questão de colocar dois no Teatro — um no Palco, outro no Camarim.

Com isso, pelos reflexos recriadores, encantados e encantatórios da Arte, podia o Espelho abrir caminho para pelo menos eu me aproximar do Castelo, e ali — quem sabe?— avistar, de longe, as imagens do Rei, do Príncipe, da Rainha e da Princesa.

Tanto assim era que, noutra ocasião, o próprio Antônio Vieyra emitira, sobre o Espelho, opinião muito diferente daquela. Afirmara ele:

ANTÔNIO SCHABINO VIEYRA

"Um Espelho se compõe de aço e cristal (aquele mesmo cristal de que, segundo Santa Teresa, se compõe o Castelo interior de nossa Alma). E que sucederia a quem se visse por um ou pelo outro lado? Quem olha para o Espelho pela parte do aço, vê o aço, mas não se vê a si. Quem olha pela parte do cristal, vê o cristal, e no cristal se vê a si mesmo."

DOM PANTERO

Os assassinos do Cavaleiro tinham olhado para o Espelho pela parte do aço, vendo nela a face monstruosa e feroz da imagem. Mas, graças a Deus, havia outro modo de olhá-lo; um modo que Vocês vão conhecer agora pelas vozes de Dom Paribo Sallemas, Joaquim Simão, João Grilo, Chicó, Gregório, Galdino, Dom Pancrácio Cavalcanti e Dom Porfírio de Albuquerque. Alguns destes eram Palhaços, Mágicos e Malabaristas e era assim que se apresentariam no Circo-Teatro Savedra. Mas por enquanto aparecem aqui apenas musicalmente e colocados a serviço de Albano Cervonegro:

A Cantiga de Jesuíno
Canção Frígia (de Guerra e Morte mas também de Esperança)

Dom Paribo Sallemas

"Jesuíno já morreu: morreu o Rei do Sertão! Morreu no campo da honra, não entregou-se à prisão, por causa de uma desfeita que fizeram a seu irmão."

Joaquim Simão

Meus Senhores que aqui estão, vou cantar meu Desatino: a canção do Cangaceiro que se chamou Jesuíno; seu Bacamarte de prata e o luar do seu destino.

João Grilo

Num Gibão pardo e vermelho, um Punhal no cinturão, bem montado num Cavalo, cujo nome é Zelação, Jesuíno virou logo — "ay, ay, ay meu Deus" — Rei do povo do Sertão.

ou A Divina Viagem

Chicó

Ver a Terra, era seu sonho — nobre terra do Sertão —, pertencendo a todo mundo pelo sol-da-partição; e é por isso que ele canta, de Bacamarte na mão:

Dom Pancrácio Cavalcanti

"Eu tenho um Espelho de cristal: foi Jesus Cristo que limpou ele do Pó! Mas, lá um dia, a Terra se alumia: ao meio-dia se espalha a luz do Sol!"

Joaquim Simão

Mas os ricos se juntaram com o governo da Nação: botaram-lhe uma Emboscada, e ele morre à traição. Mas o Povo não o esquece: sonha com ele o Sertão.

Gregório Mateus de Sousa

E dizem que, ainda hoje, em qualquer ocasião, se alguém sofre uma injustiça nos caminhos do Sertão, soam tiros de seu Rifle — "ay, ay, ay meu Deus" — e o tropel de Zelação.

Galdino Bastião Soares

E Jesuíno Brilhante volta feito Aparição: queima o dono da injustiça, de Bacamarte na mão. Sua voz então se afasta, cantando a velha Canção:

Dom Porfírio de Albuquerque

"Eu tenho um Espelho de cristal: foi Jesus Cristo que limpou ele do Pó! Mas lá um dia a Terra se alumia: ao meio-dia se espalha a luz do Sol!"

Dom Pantero

Aliás, Manuel Savedra Jaúna e Dantinhas incluíram esta Canção (tocada, cantada e dançada pelo Circo da Onça Malhada numa Aula-Espetaculosa) como parte integrante d'A Ilumiara.

Adriel Soares

Foi em 1967 que eu e Auro compusemos a Cantiga de Jesuíno, musicada naquele mesmo ano por Lourenço da Fonseca Barbosa — Capiba. E sempre entendemos o Espelho, aí, como uma imagem da nossa Arte — do romance de Auro, do meu Teatro e da Poesia que compúnhamos a partir dos sonhos de Altino; Poesia que, a nosso ver, era a raiz, o tronco e a seiva de tudo o que escrevíamos (assim como das imagens que minha Mulher, Eliza, gravava na

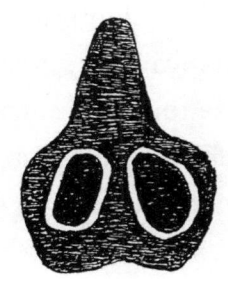

Pedra para fazer suas Litogravuras, ou modelava no Barro para queimar suas Terracotas).

AURO SCHABINO

Para nós, a Arte era o Espelho por meio do qual procurávamos devolver à realidade a imagem recriada daquilo que nela víamos. Imagem às vezes deformada, obscura, cruel e enigmática, por refletir *"as danações da Vida, as injustiças e os desconcertos do Mundo"*, como dizia nosso Tio, Antero Schabino, a partir de palavras de Camões; mas imagem que, noutros momentos, podia parecer luminosa e bela, por fazer brilhar, de noite, a prata da Lua e das Estrelas, e, de dia, a chama e o fulgor do Sol.

ADRIEL SOARES

Por isso, era pelo Espelho que nós cantávamos, tocávamos e dançávamos, nisto seguindo o exemplo do nosso Povo que, apesar de todos os sofrimentos e injustiças que suporta, também canta, e brinca, e dança, e toca, na esperança de que, um dia, a Terra inteira se ilumine ao sol de Deus.

Dom Pantero

Foi assim, também, que, ao assumir a Unipopt e o Circo-Teatro Savedra, o Espelho e a Lanterna tinham me proporcionado as iluminações que, em certos momentos — e como relâmpagos na escuridão do Enigma —, chegavam a cicatrizar e transfigurar, no Palco, as chagas de feiura e maldade do Mundo. Isto sem que o Espetáculo perdesse seu caráter também de denúncia: porque se era, por um lado, contraponto da festa e da beleza da Vida, por outro revelava sua face injusta, sombria e dilacerada, nele marcando-se a cara fria e indiferente dos cruéis com o ferrete dos mais duros estigmas.

Era por isso que, naquela manhã de 9 de Outubro de 2000, já sentado defronte do Espelho, eu me sentia, ao mesmo tempo, ansioso e exaltado, consciente como estava de que, logo mais, iria encarnar no Palco a figura de Dom Pantero, com a garra que o Personagem exigia e com a raça característica do Povo brasileiro (garra e raça que levavam o índio-fulniô Garrincha e a negra Daiane dos Santos a atuar em seus respectivos Palcos como se estivessem dançando a serviço de Deus e para alegria do Mundo).

A Cortina só se abriria daí a momentos; por enquanto, vibrava somente, no interior do Teatro, aquela atmosfera que precede sua abertura; aquela tensão que, como Encenador, eu conhecia demais e era tanto mais fascinadora porquanto, também afetados por ela, Músicos, Atores e Dançarinos circulavam pelo Palco e nos

Corredores, repetindo falas, frases musicais ou passos de dança, por trás do Pano fechado.

Pelo fato de meu Camarim pertencer à face-davídica do Castelo, a princípio eu me julgava, ali, menos exposto à vigilância implacável que caracterizava as outras dependências daquela Fortaleza que era o prédio da Universidade e que, graças ao plano das reformas nela executadas por Marcos Tebano, era panóptica. Mas tal isolamento era ilusório. E disto deveria ter logo desconfiado: porque, quando lá me encontrava, além do canto do Pássaro, ouvia o eco dos latidos de Cães e o das músicas e falas dos Artistas que se agitavam nas Coxias, também já dominados pela possessão do Palco.

Eu estava, ainda, sem o Colar, que só iria colocar ao pescoço depois de pintar-me para representar aquele Encorado tetrafônico (ou heptafônico), acompanhado, no Palco, pelas Máscaras-Coregais; mas que nossos adversários diziam ser monofônico, pois, "*em toda aquela história não aparecia nenhum Personagem independente, sufocados, todos, pelo Ego hipertrofiado de seu Autor*".

A Aguilhada ritual, antes pertencente a Quaderna (e que eu mandara pintar de azul e rematar por um Pombo branco, em homenagem ao Espírito-Santo), também me aguardava a um canto para que eu a empunhasse no momento de entrar em cena. O medalhão, o colar, a camisa vermelha, a roupa e os sapatos pretos, eu os herdara de Tio Antero; tudo ele me legara na conversa decisiva que mantivéramos, eu profundamente perturbado por sentimentos contraditórios, à beira do seu leito de morte.

Era então indispensável que os usasse naquele dia, porque o Simpósio fora planejado para ser um Castelo-e-Côrte-de-Cavalaria no qual seria julgado meu modo de fundir, no Palco, por um lado a escrita de Altino, Auro e Adriel, e, por outro, a encenação de Dom Paribo Sallemas, Dom Pancrácio Cavalcanti e Dom Porfírio de Albuquerque.

Ora, de acordo com o que ouvíramos na conversa mantida por meu Tio com Sartre em 1961, *"toda sessão de julgamento tem algo de Teatro e toda sala de tribunal alguma coisa de Palco"*.

Assim, naquela manhã, logo mais me seriam aplicáveis as palavras que Alexandre Dumas, um século antes de Sartre, tinha escrito sobre o assunto:

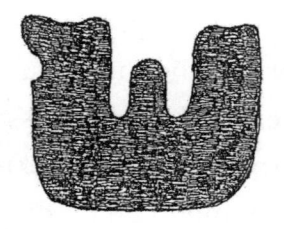

Alexandre Schabino Dumas

"Na ocasião em que se abre a Cortina de tão sangrento e festivo Teatro, estavam-se preparando os Jurados para analisar o Crime e proferir a Sentença.

"O Acusado, vestido com a roupa preta-e-vermelha com a qual haveria de caminhar para o Cadafalso, estava conversando com seus Advogados, que se dirigiam a ele com as palavras vagas em geral empregues pelos Médicos que já desesperam de salvar o Enfermo.

"O Público estava animado por um espírito feroz. Ora, os Jurados também são Atores, e desempenham melhor seus papéis de Carrascos quando os representam na frente de um Público cruel."

Dom Pantero

Como numa Tragédia esquiliana ou numa Comédia plautina, o Coro iria ajudar-me nos cantares e nas falas que, no meu Depoimento, fossem mais espetaculosas do que meramente reflexivas ou explanatórias.

Quanto a nossas roupas, eu me vestiria, ou de roupa clara, para ser Antero Savedra, ou de preto-e-vermelho, para ser Dom Pantero. Os Atores que encarnariam os outros, vestir-se-iam como eles, na vida real: Auro iria de mescla azul, traje sobre o qual, em homenagem a Antônio Conselheiro e Antônio José da Silva, O Judeu, todo ano, nos dias 5 e 18 de Outubro, ele usava a Túnica-sambenitada imposta aos Profetas assassinados pela Inquisição;

Adriel ia de linho claro; e Altino, de calça azul, de mescla, e camisa branca.

Dom Paribo Sallemas iria com *"roupa de Professor"*, mas tendo sobre os ombros a *"gola"* usada por Tio Antero no dia em que recebera o título de *"Guerreiro e Rei-de-Honra"* do Maracatu--Rural Piaba de Ouro; Dom Pancrácio Cavalcanti e Dom Porfírio de Albuquerque, de casacão preto sobre calças com losangos — vermelhos e negros, no caso do primeiro, azuis e amarelos, no do segundo; ambas as roupas eram baseadas nas Estilogravuras em que, a partir de Fotografias, Eliza e eu representáramos como *"Personagens ilumiáricos"* dois grandes Palhaços do nosso tempo — Chaplin, Pierrô, e Picasso, Arlequim: era com tais roupas que, no Circo, Dom Pancrácio e Dom Porfírio se punham à frente de Gregório Mateus de Sousa, Palhaço Obsceno, e Galdino Bastião Soares, Palhaço Herege.

Dom Paribo Sallemas

Quanto aos outros Personagens — principalmente os Escritores vivos ou mortos cuja presença era indispensável à Narração —, encarregar-se-iam deles os Atores que lidavam com

Bonecos e que, por isso, eram capazes de comunicar melhor ao Público as falas dos Mestres dos quais seriam porta-vozes, e cujas caras tinham sido reproduzidas nas dos Bonecos (fossem estes de-Mamulengo, Marionetes ou de-Ventríloquo).

Dom Pancrácio Cavalcanti

Na maioria dos casos, os Artistas vinham de fora. Outros, como era o caso de Bruno e Natércio, tinham sido recrutados nos grupos taperoaenses de Teatro, Música e Dança. No Simpósio, todos usariam roupas pintadas por Manuel Savedra Jaúna, Andréa Monteiro e Eveline Borges, a partir das usadas pelos Mestres, Brincantes, Velhos, Pastoras e Folgazões do Cavalo-Marinho, do Reisado, do Auto de Guerreiros, do Maracatu-Rural, do Mamulengo e outros.

Dom Porfírio de Albuquerque

Devo lembrar ainda que uma coisa é o Tempo real, e outra era o tempo dos nossos Espetáculos, em cujo Palco, por meio dos Atores, podiam aparecer, juntas e dialogando na mesma cena, pessoas que já eram adultas na época da Coluna Prestes (1924--1927) e outras que continuam vivas no momento em que escrevo esta Carta. Tal simultaneidade não deve espantar ninguém, uma vez que, no Teatro, durante o Simpósio, todos os Personagens passavam a fazer parte do universo daquele Encenador soberano que era Dom Pantero — o Imperador da Pedra do Reino que a figura menor de Mariano Jaúna apenas representava, a partir do momento em que se abria a Cortina.

Santo Agostinho de Savedra

"Misteriosa coisa é o Tempo: vem do Passado que já se extinguiu, entra pelo Presente, que não tem duração, e caminha para o Futuro, que não existe ainda."

Dom Panteiro

Eram estas as preocupações que me vinham ao espírito, enquanto, no Camarim, dava os derradeiros toques em minha pintura-de-cara, destinada a marcar minha condição de Chefe-dos-Comediantes, de Velho-e-Mestre das Personas-Dramáticas e Máscaras-Coregais que tomavam parte no Espetáculo. Estremecia ante a responsabilidade de entrar no Palco para submeter-me ao Julgamento. Mas também começava a ser empolgado pela convicção de que, nele, iria mais uma vez identificar-me com meu Povo, na jubilosa alegria de um Espetáculo musical, poético, teatral e dançarino, ainda que encenado na pobreza, por sobre a dor, o sofrimento, o sangue e o choro.

Por isso, a cada momento com mais intensidade, eu ia sendo mergulhado num estado de espírito em que se mesclavam uma exaltação ansiosa e a fascinante apreensão que precede a entrada de um grande Ator em qualquer palco do Mundo.

Aliás, Ator que, no Camarim, começava a ser definitivamente afetado pela encantação do Espelho. Na verdade, quem era, agora, a Pessoa real, e quem a Máscara-e-Persona-de-Teatro? Qual dos dois Mundos era mais verdadeiro — o de fora ou o do Palco, cujo sonho era exacerbado pela Música, pela Dança, pelas imagens e visões que o Espelho me comunicava? Quem era o Personagem real e quem o imaginário? O Mariano Jaúna medido e comum, do dia a dia? Antero Savedra? Ou o Imperador no qual, sob a máscara de Dom Pantero, ele fundia, por um lado, o Profeta e o Rei, por outro, o Poeta e o Palhaço, transfigurando-se e refletindo-se no Espelho ao entrar no Palco?

  O mais fascinante, porém, era que a separação entre os dois mundos (e entre os Personagens que por eles transitavam, graças ao Espelho) deixara de ser uma cisão diaceradora. Agora, pelo Cristal, era, mesmo, uma outra possibilidade de fruição; uma linguagem exaltadora a mais; uma dança; uma revelação iluminosa da Lanterna. E, com isso, o Palco também passara a ser um motivo de festa e de beleza; uma compensação, precária mas eficaz e consoladora, a todas as frustrações que, desde a adolescência, me tinham desesperado no trato com as Mulheres, com a Arte e, por causa delas, com a Vida e com o Mundo.

Altino Sotero

Aspas do Cervo negro erguidas para o alto; asas e cascos do Cavalo castanho, cujas Patas dianteiras erguem-se no ar, enquanto as traseiras firmam-se no chão, entre chamas de fogo que também nos impelem para o alto e para o Sol.

Dom Pantero

Na idade em que me encontro, num momento em que outro qualquer já andaria cabisbaixo ante o triste limiar e os umbrais carrascosos da Morte, eu, preocupado mas animoso, cada vez que compunha na cara o disfarce da Máscara, ficava me sentindo como um Toureiro, pronto a entrar num combate, arriscado mas espetaculoso e belo.

Era assim que eu me sentia agora, ao se aproximar o momento de entrar no Palco. Recordava como fora longa e dura a minha vida e como se transformara a partir do meu encontro com a Trupe do Cavalo Castanho, de Dom Pancrácio Cavalcanti e Dom Porfírio de Albuquerque, e com o Circo da Onça Malhada, de Quaderna.

Lembrava-me do balbuciante e frustrado Poeta-lírico que tentara ser na juventude — solitário, feio, inferiorizado diante de Auro e Adriel; tratado com desprezo ou indiferença pelas Mulheres; rejeitado por Liza Reis e por meu Tio, Mestre e Padrinho, que nunca me permitira participar, ao lado de meus irmãos, do trabalho de recriação artística de sua Obra-maior, A Divina Viagem.

Auro Schabijo

Quem me canta, na voz rouca do Rei, a imagem sagrada da Rainha?

Adriel Soares

Quem me canta, na luz e ao sol do Reino, a juventude e a graça da Princesa?

Dom Pajtero

Mas, para que se entenda com mais clareza o estado de espírito em que me encontrava, devo contar ainda que depois de um incidente traumático, acontecido quando, em 1949, acompanhávamos Camus em sua visita ao Recife, meu irmão Auro fizera o voto de se manter casto para o resto da vida.

Por outro lado, não era à toa que nossos adversários recifenses falavam da falta de compostura "*daquele Histrião pedófilo, mentiroso, megalomaníaco e debochado*" que, segundo eles, era nosso Tio, Antero Schabino.

Este rebatia. Afirmava que seus detratores, "*além de preconceituosos, eram ignorantes*": ele não era "*pedófilo*", e sim "*hebéfilo*" (expressão que logo lhe valeu outra alcunha, entre as muitas que já tinha — Antero Mitoma, Antero Megalo etc.). E jactava-se de várias proezas amorosas, "*provavelmente imaginárias*", como se comentava, ostentando nos lugares e momentos mais inadequados sua preferência sexual "*por Pucelinhas apenas pubescentes*", como dizia ele, num tom de autocomplacência que, em tudo, era o que me deixava mais envergonhado.

Assim, de todos nós, somente Adriel, casado e apaixonadamente fiel a sua mulher, Eliza, não passava pelos extravios e desacertos que atormentavam a castidade austera de Auro e infamavam a histrionice obscena de nosso Tio e Mestre, Antero Schabino.

Refiro-me a esses fatos porque, de minha parte, apesar de sentir vergonha e repulsa pelo comportamento de meu Padrinho, nunca me dispusera a seguir Auro em seu pesado voto. Ainda assim, meu relacionamento com as Mulheres era tão extravioso quanto o dele. Parecia até que, ao recusar-me, Liza Reis se transformara definitivamente na jovem e bela Bruxa Lagardona da minha vida e trançara em torno de mim uma teia enfeitiçada, uma espécie de maldição: com a duvidosa exceção da moça de Patos, nenhuma Mulher me queria; de modo que, além de frustrado na terrível paixão que me ligara a Liza para sempre, eu sofria mais do que Auro (que, pelo menos, tomara por si mesmo aquela dura decisão de nunca tocar em Mulher).

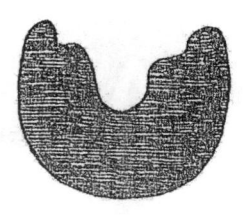

Dom Porfírio de Albuquerque

Era esse o teor dos pensamentos que perturbavam o espírito de Dom Pantero naqueles últimos instantes em que ele retocava *"a máscara da Face"*, remoendo cavilações bastante parecidas com as de dois Poetas e um Romancista, todos três cavilosos.

Dom Paribo Sallemas

O primeiro era o Juiz mineiro Raymundo Corrêa, de quem Dom Pantero se recordava naquele instante por causa da Máscara que acabara de pintar no rosto:

Raymundo Savedra Corrêa

"Se se pudesse o espírito que chora ver através da máscara da Face, quanta gente, talvez, que riso agora nos causa, então piedade nos causasse."

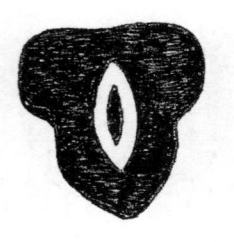

Dom Pancrácio Cavalcanti
O segundo, era o Romancista francês Alexandre Dumas, que afirmava na mais longa de suas Novelas:

Alexandre Schabino Dumas
"A Vida é um longo Carnaval onde se anda sempre mascarado. Que Comédia é a Tragédia humana! E quanto não choraria eu se não tivesse preferido tomar a decisão de rir!"

Dom Paribo Sallemas
O terceiro era o Padre nordestino Antônio Thomaz, que falava sobre um Palhaço obrigado a rir e fazer rir no Palco, enquanto, nas coxias, sua Filha pequena agonizava:

Antônio Thomaz Savedra
"Aos aplausos da Turba ele trabalha, para esconder, no Manto em que se embuça, a cruciante angústia que o retalha. No entanto, a dor cruel mais se lhe aguça; e, enquanto o lábio trêmulo gargalha, dentro do peito o Coração soluça."

Dom Pantero
Eu sempre zombara do romantismo descabelado destes Versos. Até que, poucos dias depois da morte de Mauro, fui

obrigado a dar uma Aula que marcara há tempo, o que fiz fingindo não ver a cada instante o peito apunhalado do meu irmão, que se matara, pondo fim a um sofrimento que o acompanhara desde menino, num martírio a nossos olhos miseráveis incompatível com a bondade e a misericórdia de Deus. Esta Visão passara a me aparecer até no Teatro, nos momentos em que eu ria e mais fazia rir. E eu sabia que dali a pouco, no Palco, iria me fingir de forte e sarcástico perante os ataques dos nossos adversários, mas que, na verdade, tais ataques me atingiriam profundamente; porque a crueldade maligna deles talvez fosse mais lúcida do que a visão benevolente de pessoas como Carlos de Souza Lima, Rosette Fonseca dos Santos, Maria Lopes, Aderbal Freire Filho, Gabriel Ferro, Mário Martins etc., todos eles com os olhos perturbados pela simpatia amiga que tinham por mim.

Dom Paribo Sallemas

Fosse como fosse, o fato é que Dom Pantero continuava a ser um sujeito invocado, melodramático e cabuloso; a *"cruciante dor"* que o retalhava, fazia dele, no Palco, *"um Palhaço atormentado"*.

Dom Pancrácio Cavalcanti

Um Palhaço que, a cada instante, sentia, pesada, a consciência e que, dali a pouco, se veria obrigado a causar riso, *"enquanto, dentro do peito, seu Coração soluçava"*.

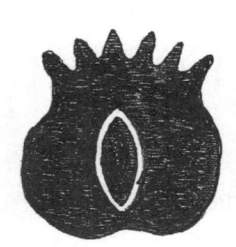

Dom Porfírio de Albuquerque

E era na linha apontada por aqueles Escritores que, no Camarim, ele se preparava para fazer de seu Depoimento uma outra Aula-Espetaculosa, final, definitiva, redentora, na qual pelo "*Riso a cavalo*" e pelo "*galope do Sonho*" se fundissem o Trágico e o Cômico.

Dom Pajtero

Era assim que, pelo Humorístico, eu esperava fazer o público perdoar a altura e a obscuridade de meus interlocutores mais próximos, Altino, Auro e Adriel.

No Palco, por trás da Cortina fechada, Figurantes de todos os tipos aguardavam minha chegada para ajudar-me no que fosse necessário. Nas Coxias, os Músicos afinavam os instrumentos e, tocando pequenos trechos, repassavam a Abertura e as outras toadas, solfas e cantigas que animariam o Espetáculo. Por trás da forma e do timbre de cada instrumento, o que soava eram "*a Viola, a Rabeca, o Sol sangrento, a Lua-flauta e os cardos do meu choro*"; e o som do que tocavam chegava até o Camarim, com sua carga lídica, lunar e melancólica, por um lado, jônica, solar e galopada por outro.

Eu acabara de pintar-me. E, já com o Medalhão ao peito, chegara o momento de beber o Vinho que Quaderna me legara e que me aguardava sobre um Consolo, numa Salva de prata.

Em cima desta, Inez Viana e Felipe Santiago tinham mandado colocar uma grande Taça de cristal, coberta por um Pano-rendado, semelhante ao dos Altares.

Dom Paribo Sallemas

Aliás, tinham colocado mais duas no Púlpito de onde Dom Pantero iria falar no Palco: sem o Vinho, ele não teria forças para enfrentar aquilo que, de modo um tanto exagerado, chamava de *"os momentos mais dolorosos do meu Depoimento"*.

Dom Pancrácio Cavalcanti

Então, como Introito à celebração prestes a ter início, Dom Pantero tomou a Taça nas mãos e, como se fosse um Monge-Cavaleiro da Ordem de Cristo, a longos tragos prazerosos bebeu aquele Vinho que, por ser o do Pai, era sagrado anúncio do Sangue contido no Cálice do Graal.

Dom Pantero

Imediatamente, um calor estimulante e ardente começou a circular dentro de mim. E, deflagrada talvez pela encantação musical das Toadas que ensaiavam, começou também a efetivar-se a transfiguração de Antero Mariano Savedra Jaúna em Dom Pantero.

Entretanto, o vácuo dilacerador causado pela perda e pela ausência de Liza não se preenchia, nem mesmo depois de beber o Vinho: porque nenhuma das Mocinhas que atuavam comigo no Palco era tão bela e luminosa quanto aquela que, sendo eu ainda muito jovem, avassalara meu coração de uma vez para sempre; a ponto de que, na minha idade (e, como disse, sem ter feito qualquer voto em tal sentido), eu era casto, como Auro.

Dom Porfírio de Albuquerque

Um casto a contragosto, como *"o Médico à força"*, de Molière; pelo que, do mesmo jeito que acontecia a outras pessoas da Família, ele não escapava a seus desocupados, invejosos e ressentidos adversários, que o tratavam pela alcunha de *"Dom Mariano Beato, O Donzelo"*.

Dom Pantero

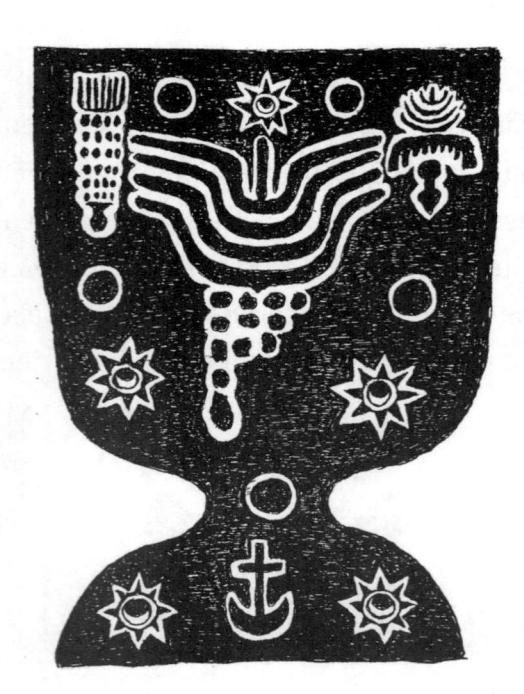

O problema era mais grave ainda porque, Velho, eu continuava a ser aquele mesmo Menino que, lendo O Guarani pela primeira vez, jurara a mim mesmo: entre "*o Amor sagrado*" de Pery e "*a Paixão profanadora*" de Loredano, eu tomaria sempre o partido do primeiro. E ninguém pode imaginar a intensidade do desespero que me assaltava quando Adriel me fazia de confidente para falar-me do seu amor por Eliza e da paixão que os dois viviam na Casa e nas matas do Engenho Coral (o mesmo do qual foi desmembrada a Ilumiara Cantapedra de onde escrevo a Vocês). É claro que, não sendo indiscreto, ele não me contava tudo. Mas eu supria as pausas e os silêncios de sua fala com a descrição de cenas parecidas que ia encontrando nos livros de José Lins do Rego, a nós recomendados por Tio Antero como "*paradidáticos*"; a família do Escritor paraibano era dos Engenhos do vale do Rio Paraíba, de maneira que não me era difícil fazer a transposição; as confissões que escapavam de um e de outro bem mostravam: nem que fosse por momentos, ambos tinham fruído junto a suas Amadas uma felicidade da qual eu jamais sequer me aproximara!

Antero José Lins do Rego Savedra

"*Nós estávamos andando pela Horta, onde havia uma Jabuticabeira cujos galhos se deitavam pelo chão fazendo uma Camarinha de folhas secas. Para ali entramos à procura de comer os Frutos macios e doces.*

"De repente, no sombrio daquele recanto, a Menina se deitou no chão, erguendo o Vestido, e eu pude ver sua Vulva, que já começara a se emplumar.

"Atravessou-me as carnes do corpo uma faísca que me queimou. Ela pegou a minha mão e apertou-a sobre a Vulva. Desabrochavam botões de Rosa ao calor daquele Sol misterioso. E ainda hoje, no momento em que escrevo, sinto palpitar sob minha mão aquela lindeza morna que se arrebitava em penugem e onde se podia talvez — quem sabe? — entrever o segredo do Mundo."

Dom Pajntero

Para fugir a tal desespero (e como acontecia, também, no campo da Política), o único caminho a meu alcance era o da Arte, em nosso caso colocada nos termos da "*Polifonia escordata e inversa*" de Constâncio Porta; e foi por este caminho que enveredei, no Palco. Nele, tentava, às vezes, fundir duas ou três das jovens Brincantes que participavam do Espetáculo numa Figura só, que evocasse Liza. Quando me encontrava em cena com elas, aqui e ali o milagre acontecia, e, graças ao Espelho, no embalo encantatório das Artes envolvidas no Espetáculo, eu conseguia recuperar pelo menos a imagem do Amor que perdera.

Mas, para o Simpósio, onde esperava apresentar o Espetáculo supremo da minha vida, tínhamos tomado providências para que a imagem de minha amada Liza aparecesse do modo mais convincente que fosse possível, para o Público e para mim. E, no momento em que acabei de beber o Vinho, abriu-se a porta do Camarim e entrou Maria Iluminada, a jovem e bela Atriz que, por se parecer com meu Amor perdido, fora rebatizada por mim com o nome-artístico de Liza Reis. Eu lhe confiava papéis como o da Julieta, de João Martins de Athayde, ou o da Justina, da peça O Santo Pecaminoso, composta a partir do Folheto-de-Cordel São Cipriano e o Diabo: em minha alma, ferida pela irreparável perda de Liza, essas duas, Justina e Julieta (assim como a jovem amante de Abelardo, Heloísa), eram as que, de modo mais pungente, me recordavam minha nunca esquecida Amada. E tal é a força da Arte em mim que, apesar de saber perfeitamente que Iluminada não era Liza, naquela manhã de 9 de Outubro de 2000, tive mais um choque ao vê-la. Eu lhe dera a chave do Camarim e pedira-lhe: sempre que lá fosse a meu encontro, usasse um Vestido igual ao que Liza usava em um dos Retratos que dela me tinham restado.

Mas, naquele dia especial, Manuel Jaúna, Andréa Monteiro e Eveline Borges tinham acentuado de propósito a semelhança entre as duas pela caracterização, e cheguei quase a me criar a ilusão de que estava diante da Graciosa.

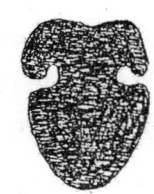

Aí, Iluminada aproximou-se e carinhosamente me tomou a mão, a fim de encaminhar-me para o Corredor onde me aguardavam as duas outras jovens Bailarinas, Lucinda e Luziara. Iluminada era a única que tinha permissão para entrar no Camarim; e, com aquele gesto, queria animar-me para o Julgamento, indicando que ela e as outras duas iriam guiar-me para o Palco enquanto durasse o Simpósio (pois, naquele ano, era pela fusão delas que eu tentava recuperar a perdida imagem da minha amada Liza Reis).

Dom Paribo Salletmas

Sentindo que a Graciosa o autorizara a se aproximar das Meninas, Dom Pantero segurou uma ponta do Bastão e estendeu a outra a Luziara. Lucinda ficou atrás, fechando o pequeno cortejo. E, mesmo na penumbra das Coxias, dava para ver que Iluminada se postara diante deles, andando à frente para desbravar o caminho.

Dom Pantero

Assim, com mais coragem, comecei a palmilhar o chão do Corredor, perturbado pelo medo do Palco, mas bafejado por aquela sombra do carinho feminino que, irreal e quimérico como fosse, pelo menos nunca me faltava nos momentos cruciais do Espetáculo. Na realidade, minha vida continuava tão erma e solitária como sempre fora desde que Liza me rejeitara naquele terrível

Natal de 1944. Na visão das jovens Atrizes e Bailarinas figurantes do Espetáculo, eu era apenas um Velho-e-Mestre, por quem só podiam, mesmo, sentir afeto e compaixão. Mas não importava. Fosse qual fosse sua natureza, o carinho existia: era claro, visível e me dava forças para enfrentar o Público.

Dom Pancrácio Cavalcanti

É, portanto, no Palco, que se desnovela a Obra inteira — a Ilumiara Pantero, soma e fusão final da Casa, do Circo e do Castelo com a Estrada e a Itaquatiara; do Teatro Savedra com o Romance Schabino e o Pasto Sotero.

Dom Porfírio de Albuquerque

É o lugar em que, como afirmou Carlos de Souza Lima no Jornal O Mossoroense, chegando ao fim da vida "*o Cisne entoa seu Canto*".

Dom Pajtero

Assim, este Castelo-de-Cartas é o mesmo Grande-Teatro-de-Pedra que, englobando a Tapeçaria d'A Divina Viagem, o Santuário da Pedra do Reino, a música do Quarteto Romançal e a Dança do Grupo Grial, sempre sonhei levantar à altura da Obra deixada por Altino, Auro e Adriel. Aqui, A Ilumiara, "*derradeiro suor de uma Alma obscura, prestes a cair no abismo*" — como disse Machado de Assis —, transforma-se num pedregoso e alcantilado lugar-fera, alapardado como um Jaguar em sua Furna. É o local-sagrado que "*o Deus desconhecido*" começou a construir e que várias gerações de Povos rebelados continuaram, raspando e acrescentando por sobre o Original divino "*seus Palimpsestos ultrajantes*" (para usar a expressão do imortal Euclydes da Cunha). É, finalmente, a grande Catedral brasileira que, como um novo Evangelho-de-Pedra e com sua fachada recoberta de Mosaicos, exteriormente correspondia àquela Fortaleza, àquele Templo de bruta beleza que Santo Antônio Conselheiro levantara no Arraial de Canudos; e, interiormente, é expressão da alma de um velho Mestre-de-Obras cujo sonho era empreender a Viagem, decifrar o Roteiro e encontrar o Castelo que um dia, enfrentado o Enigma, lhe abriria a Porta, vendo-se ele, então, no próprio centro interior de suas Moradas imortais.

Dom Paribo Sallemas

E que ninguém o subestimasse, ninguém brincasse com tal Velho. No Simpósio, ele tentaria fundir Gregório de Mattos, Antônio José da Silva e Mathias Aires com Machado de Assis, Euclydes da Cunha, Lima Barreto e Augusto dos Anjos. Se obtivesse êxito, seria admitido na mesma linhagem do infortunado Profeta de Canudos; e do não menos infortunado Poeta que pretendendo, a princípio, apenas combater "*o Arraial messiânico, reduto do fanatismo e da barbárie sertaneja*", fora depois forçado por seu Dáimone a celebrá-lo, numa espécie de Velho Testamento rude, apocalíptico e genial — Os Sertões.

Era movido por sonho parecido que, em seu Teatro-Antro-e-Santuário, Dom Pantero tentaria erguer seu Castelo, reunindo, como um Encenador ou um Arquiteto-de-Escombros, as pedras-angulares a ele deixadas por seus familiares. E era no Palco do Circo-Teatro Savedra que se realizaria a celebração teatral, orgiástica, literária, musical e dançarina, anteriormente festejada na Gruta das Vulvas, e que iria ser retomada (pela última vez, em sua forma final) na sagração maior do Simpósio Quaterna.

Dom Pajuteio

Aí, naquela manhã de 9 de Outubro de 2000, usando a Aguilhada como um bastão-de-cego, Iluminada, Lucinda, Luziara e eu iniciamos nossa caminhada para o Palco — elas graciosas e leves em sua juventude, eu com o andar já meio tardo dos Velhos.

Pelo simples fato de ter disfarçado a cara com a pintura, ela se transformara numa Máscara; e o Castelo-de-Rua, formado pelo conjunto de Casa, Torre, Túnel e Teatro, já se identificava mais uma vez com o sagrado Castelo-de-Serra da Ilumiara. No topo do seu Lajedo mais alto, no cimo da mais elevada Torre do seu Anfiteatro, drapejava, num Mastro, a Bandeira do Jaguar Malhado: batida pelo sopro do Mar e pela ventania do Sertão, estalava em frente ao Estandarte do Cavalo Pardo — o Potro alado e castanho que, erguendo as patas dianteiras no salto para o Sol, mantinha as de trás entre chamas de fogo que o impeliam a se alçar do chão.

Ladeada pelos dois e perenizada em óleo-sagrado ardia "*a Candeia imortal que tudo alumia*": ali se guardava, dia e noite, o culto do Jaguar-Malhado.

Quando a invocávamos, ao culto comparecia, da parte dos Quadernas, a raça de Reis escusos que dominara a Pedra do Reino — Personas de condição principal mas cujas Coroas pingavam sangue. A saber:

Dom Paribo Sallemas

Dom Pedro Sebastião, o velho Rei, degolado nas tramas de um Crime indecifrável.

Dom Pedro Dinis Quaderna, O Decifrador: o Estradeiro astucioso, de olhos dilacerados; o Dono-de-Circo que, jungido por um pacto extravioso, avançava pela Estrada, guiado no chão duro pela mão de sua Filha.

O Doutor Pedro Vandiwoyah, Diretor-Presidente da Colorado Minérios S/A, e sua Mulher, Ashera Acken, principais responsáveis pela destruição da Unipopt e da Ilumiara Jaúna.

Sinésio, O Alumioso, o Moço-Cavaleiro, errante em sua Busca.

Heliana, a jovem Dama a quem ele amava e cujas mãos viviam ocultas, no Véu ou sob a manta de seus cabelos cor-de-ouro.

E, bastardo talvez, Arésio, o primogênito da sua Estirpe: o Príncipe-Alanceado, que se achou a braços com A Terrível, no curso da Demanda que o levou, com o irmão, ao Lá-maior do seu Dó-menor tresvarioso.

Dom Pancrácio Cavalcanti

Da parte dos Savedras, por sua vez, comparecia o outro rol de Assinalados:

corta o Reino Perigoso do Ladrido

Dom Porfírio de Albuquerque

João Sotero, o assassino, assassinado depois, e que, ao redigir e ilustrar o manuscrito do seu Livro Negro do Cotidiano (repleto de imagens eróticas e anotações da Pintura rupestre), tivera a revelação do corpo feminino como a mais perfeita figuração terrestre da Pulsação do Ser; e, com isso, também viera a exercer forte influência na transformação de seu sobrinho Mariano Jaúna em Antero Savedra e Dom Pantero.

O irmão dele, Antero Schabino, que adotava 2 Pseudônimos: em seus Ensaios, o de Aribál Saldanha; no "*quase-romance*", O Desejado, o de Ademar Sallinas. Era "*O Histrião Visionário*", que, depois d'A Onça Malhada e d'O Desejado, passou a vida tentando, em vão, realizar A Divina Viagem.

João Canuto, o Cavaleiro assassinado na Ilumiara, e que, ao ser ferido pelas costas, misturara para sempre seu sangue ao Riacho do Elo, transformando as águas daquele Córrego na Fonte do Cavalo Castanho que nunca mais deixou de inspirar, obsedar e atormentar o sonho dos Savedras.

Joana, a bela Moça negra achada no rio, apunhalada mortalmente mas ainda viva, boiando entre um casal de Cisnes, o macho branco e a fêmea negra a nadarem em torno dela, sobre as águas tingidas de vermelho.

Mauro, o profeta da Quinta-Força, que, desesperado, não se resignava a ignorar o segredo da Vida e vivia a despedaçar sua fronte, batendo a cabeça contra os grossos muros de uma Prisão irremediável. Até que, não suportando mais o sofrimento, matou-se, aos 53 anos, no dia 6 de Outubro de 1970.

Altino, o Poeta, que, também de modo vão, procurava "*a centelha e o lume da Lâmpara inviolada*", ao mesmo tempo em que tentava opor, à Babel, a Favela e o Arraial.

Seu irmão Auro, que, ao se mudar para a Favela e compor o Romance d'A Pedra do Reino, se arvorou em "*vingador sem crime*" de toda aquela teia manchada de sangue; mas que, embaraçado e cego, terminou por se enredar nas malhas sem rumo de uma Alegoria inalcançável.

Adriel, "*o Príncipe da Fala de Ouro*" (como o chamava sua irmã) e que, abrigado no sonho da Casa, procurava um Teatro, uma Dança que fosse imortal mas dançada mortalmente na corda-bamba de seus Jograis: músicos, atores, bailarinos e saltimbancos, os quais, com ele, tentavam atuar num Palco, sobre um precipício amontoado de Carvões-acesos.

Gabriel, "*o cabreiro da Malhada*", filho mais moço do Cavaleiro e único a seguir o Pai em sua faina "*de governar seus Pastos e rebanhos*".

E, finalmente, Afra, a Profetiza; a Coreógrafa do Grupo Romançal; a incansável guardiã da Urna; aquela que, sem piedade de si mesma, permanecia, por decisão sua, lucidamente exposta à luz implacável da sétima estrela do Escorpião.

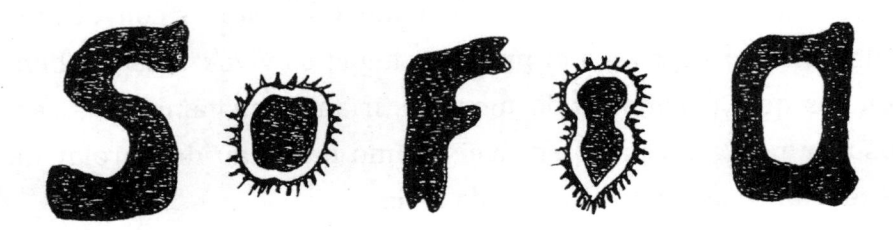

Sofia

Dom Paribo Sallemas

Estas eram as principais Personas-Dramáticas que iriam figurar no Auto. As Máscaras-Coregais seriam apresentadas aos poucos no próprio decorrer das sessões do Simpósio. De maneira que, hasteadas as Bandeiras e, ao modo da Sibila, anunciados os Personagens, que se dê prosseguimento ao Espetáculo.

Dom Pajutero

Acompanhado por Lucinda e Luziara, saí do Camarim, com a imagem da Graciosa a guiar nós três pela mão de Iluminada. Soava por todo o Teatro a Música, ora épica e acerada, ora lírica e suave, das Violas, dos Pífaros, das Flautas, das Rabecas, Tambores e Marimbaus. Fora, nos 4 cantos do Mundo, 4 Dragos-de-Serpente ameaçavam o Jaguar, o Cervo, o Touro e o Cavalo. Planando no alto Céu azul-esbraseado, 2 Pássaros divinos — a Pomba e o Gavião: garantiam, por acaso, que a Noite feminina e a Lua compassiva iriam afinal predominar sobre o Dia cruel e o Sol ensangrentado?

Era impossível responder. E, de qualquer maneira, não tínhamos como voltar: estávamos, já, quase no Palco; e, nas Coxias, encontramos os Atores, Mímicos e Dançarinos que, sob o comando de Romero de Souza Lima, se tinham prontificado a ajudar-nos, representando os Personagens, Artistas e Escritores convocados a figurar no Simpósio. Em primeiro lugar, os vivos. Mas também aqueles que, mesmo tendo morrido, iriam ser chamados a ressuscitar no Palco, indispensáveis, como eram, ao desenrolar do Espetáculo e ao entendimento da Ação.

Com um gesto, indiquei que todos se aprestassem para entrar em cena, na medida em que suas presenças fossem exigidas, a começar pelos integrantes do Coro. E, parando pela última vez fora de cena, notei que, apagadas as luzes da Plateia, as da Ribalta, incidindo na minha cara, impediriam que eu visse os rostos das pessoas do Público.

Somente aí começou a baixar a tensão que me dominava. Respirei, menos opresso: sabia que assim, com a ilusão de estar só no Teatro, teria condições de falar, ilumiarizar e panterizar à vontade, reinventando o que bem entendesse e que fosse necessário à construção do Castelo d'A Ilumiara — aquele grande Espetáculo de Cavalo-Marinho, Circo e Auto de Guerreiros cujo Capitão era Dom Pantero.

O Padre Manuel estava sentado na primeira fila, como eu solicitara: o Bispo da nossa Diocese proibira as Confissões comunitárias e eu, acanhado de fazer uma, pessoal, sem que algum fato desse, ao Padre, ocasião para fazer suas perguntas, esperava que o meu Depoimento abrisse caminho para elas na próxima vez em que fosse me confessar.

Além disso, do lugar em que eu estava, deu para ver, à frente das câmeras, fotógrafos e jornalistas ligados à TV Ilumiara e a outros órgãos da Imprensa interiorana. Lá estavam Marcus Vilar, Douglas Machado, Vera Ferraz, André Bezerra, Amaro Wellington e Angélica Tasso. Os três últimos integravam, com Adriana Victor e comigo, o glorioso grupo dos Quatro Ases e uma Curinga, que organizava, na TV Ilumiara, O Canto da Casa Sonhosa; e todos estavam ali, prontos para anotar, fotografar e filmar o que acontecesse.

    Os Músicos, embaixo, perto do Palco, faziam suas derradeiras afinações, o que, *"com os murmúrios abafados do Público e o rumor marinho da Sala"*, mantinha, na Plateia, aquele mesmo ambiente-de-encantação que eu sentira antes, no Camarim.

    Por outro lado, cuidoso de seduzir os Juízes também pelo olfato, eu ordenara que se queimasse, em Braseiros, pó de resina de Jurema colocado sobre gravetos envelhecidos e ressecados de Cumaru, aos quais se ateara fogo; e, ao arderem eles, a fumaça odorante, que do lume se desprendia, não só embriagava o Público como a todos evidenciava a sacralidade real-e-profética, não do homem comum, que sou eu, mas sim do Imperador Dom Pantero — a Máscara-e-Persona-Dramática que, com seu Dáimone, já começava a se apossar da minha alma, dos meus ossos, do meu sangue e do meu coração.

    Tranquilizado, pois, quanto àquela parte, espiei para o Palco e notei que Luiz Fernando Carvalho, usando as belas e estranhas formas criadas por Manuel Savedra Jaúna (assim como o dramático e misterioso claro-escuro de sua Câmera visionária), tinha transformado o Palco do Circo-Teatro Savedra numa espécie de réplica da Ilumiara. Por isso, era como se o local que eu estava prestes a ocupar também se tivesse transformado no Altar de uma

Catedral. Inclusive, na linha da *"pobreza despojada e bela"* que era a nossa, o Cenário fora pintado em velhos Jornais colados uns aos outros; e, com luzes às vezes também por trás, dava ideia de que iríamos falar e nos mover dentro de um Castelo-interior formado por 3 grandes Vitrais.

Notei, ainda, que a Cátedra, outrora pertencente, no Colégio de Olinda, a Antônio Vieyra, fora assentada a um lado do Palco, como eu solicitara. Ao fundo, estava meu Púlpito, onde, juntamente com a Rabeca simbólica e a Viola ritual, tinham sido colocados os outros dois cálices de Vinho que eu pedira.

Dispostos em semicírculo ao correr da Rotunda, tinham sido assinalados, no chão, os lugares em que iriam ficar meus Adjuntos principais: à minha direita, *"no lugar do Profeta e do Rei"*, Altino, Auro e Adriel; à esquerda, *"no lugar do Poeta e do Palhaço"*, Porfírio, Pancrácio e Paribo. Assim:

Dom Pantero

Altino   Paribo

Auro   Pancrácio

Adriel   Porfírio

Microfone   Cátedra

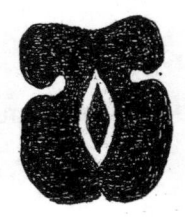

Como se vê, no lado oposto ao da Cátedra, estava o Microfone em que se iriam alternar os Atores pela ordem de chamada. Atrás da Plateia, a Lanterna Mago-Iconoscópica que Quaderna nos legara e que, de lá, apontava seu bocal para a Tela, estendida ao fundo entre duas Tapeçarias — A Invenção do Teatro e A Origem da Música Brasileira, semelhantes aos Mosaicos já apresentados nesta Carta.

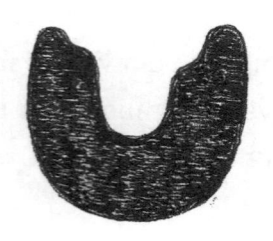

No pano da Rotunda, Manuel pintara um retrato de meu Pai e seu Avô, O Cavaleiro, ladeado pel'O Rei da Copaóba, Dom Sebastião Barretto, e pel'O Profeta Infortunado, Euclydes da Cunha — e os 3 Encobertos tinham rostos muito parecidos entre si.

Dom Paribo Sallemas

Atores, Bonecos e Dançarinos espalhavam-se por trás da Rotunda, em toda aquela área que, nos Teatros, fica perto do Palco mas escondida aos olhos do Público. Tinham-se vestido de acordo com a condição e classe de cada Personagem que iriam representar e usavam roupas criadas por Manuel Jaúna, Romero de Souza Lima, Andréa Monteiro e Eveline Borges. Eram como se descreve a seguir:

Dom Pancrácio Cavalcanti

As dos personagens do Povo eram pintadas no estilo Seridó, em preto e branco.

Dom Porfírio De Albuquerque

As do Patriciado-de-Esquerda, no estilo Agreste, Cariri ou Pajeú, isto é, em preto, vermelho e amarelo.

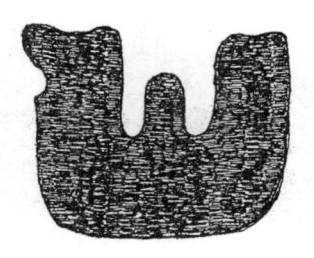

Dom Paribo Sallemas

As do Patronato e do Patriciado-de-Direita, sem qualquer estilo nomeável, mostravam, misturadas, as cores capitalistas e liberais-modernosas: cinza-feio-com-listras-de-mau-gosto, branco-frio, azul-cruel-escuro, preto-sinistro, verde-lodoso, roxo-funéreo e rosa-indefinido.

Dom Pantero

Enquanto assim eu verificava se tudo estava em ordem, Madureira me avistou. A meu sinal de concordância, ergueu gravemente os dois braços, com a Batuta numa das mãos, e um pesado silêncio calou o Teatro.

Nosso Mestre, Tio Antero, gostava muito da famosa Overtura em Ré, composta no século XVIII por José Maurício Nunes Garcia. Por isso, eu combinara com Madureira: a Música que assinalaria minha entrada no Palco não deveria ser uma Abertura comum, mas sim uma Overtura, parecida com aquela e composta na linha da Entrada de Scaramouche de O Burguês Gentilhomem, de Lully-Molière.

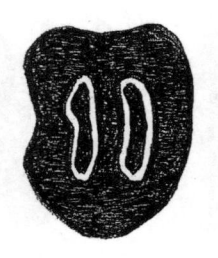

Por outro lado, há muito tempo eu vinha decorando textos, em sua maioria extraídos d'O Pasto Incendiado: destinavam-se eles a comover em nosso favor *"até mesmo os mais duros corações que houvesse na Plateia"*, como costumava dizer Quaderna.

Aí, concluindo que tudo se dispusera de acordo com minhas recomendações, pensei comigo: *"Não posso adiar mais nada. Quem tiver ouvidos para ouvir, que ouça! Dentro dos meus limites, estou fazendo o máximo que posso: seja o que Deus quiser!"*

E, ao som da Pequena Overtura Triunfal composta por Antonio Madureira, joguei meus temores e hesitações para um lado: persignando-me, como um Toureiro ou um Jogador-de-Futebol, corajosamente franqueei o limiar da Arena e empreendi minha entrada no Palco, seguido por meus principais Auxiliares-de-Narração.

Mas agora, ainda uma vez acabado o meu espaço, passo a despedir-me.

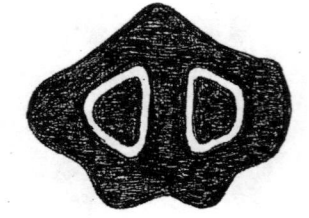

DOXOLOGIA

ALBANO CERVONEGRO

Agora, só me resta ir para a Igreja. Subo a ladeira. A Porta. A escura Nave. Com o Livro aos ombros, vou como uma Ave de papel preto e branco que esvoeja. Vazio, o Nicho, em ouro, ali flameja. Subo ao Altar. No vão, perto da grade, deposito a futura Raridade. Vou ao Padre. Recebo a minha Tença. E, em meio da geral indiferença, abandono — mais uma! — esta Cidade.

Pois é assim: meu Circo pela Estrada. Dois Emblemas lhe servem de Estandarte: no Sertão, o Arraial do Bacamarte; na Cidade, a Favela-Consagrada. Dentro do Circo, a Vida, Onça Malhada, ao luzir, no Teatro, o pelo belo, transforma-se num Sonho — Palco e Prelo. E é ao som deste Canto, na garganta, que a cortina do Circo se levanta, para mostrar meu Povo e seu Castelo.

Dom Pantero

E, com estes Versos, compostos em Martelo-Agalopado — uma Estrofe criada pelos Cantadores brasileiros —, aqui se despede de Vocês, nobres Cavaleiros e belas Damas da Pedra do Reino, este que é, ao mesmo tempo, seu Soberano e seu companheiro de cavalgadas e Cavalaria,

Dom Pantero do Espírito Santo, Imperador.

ከተ

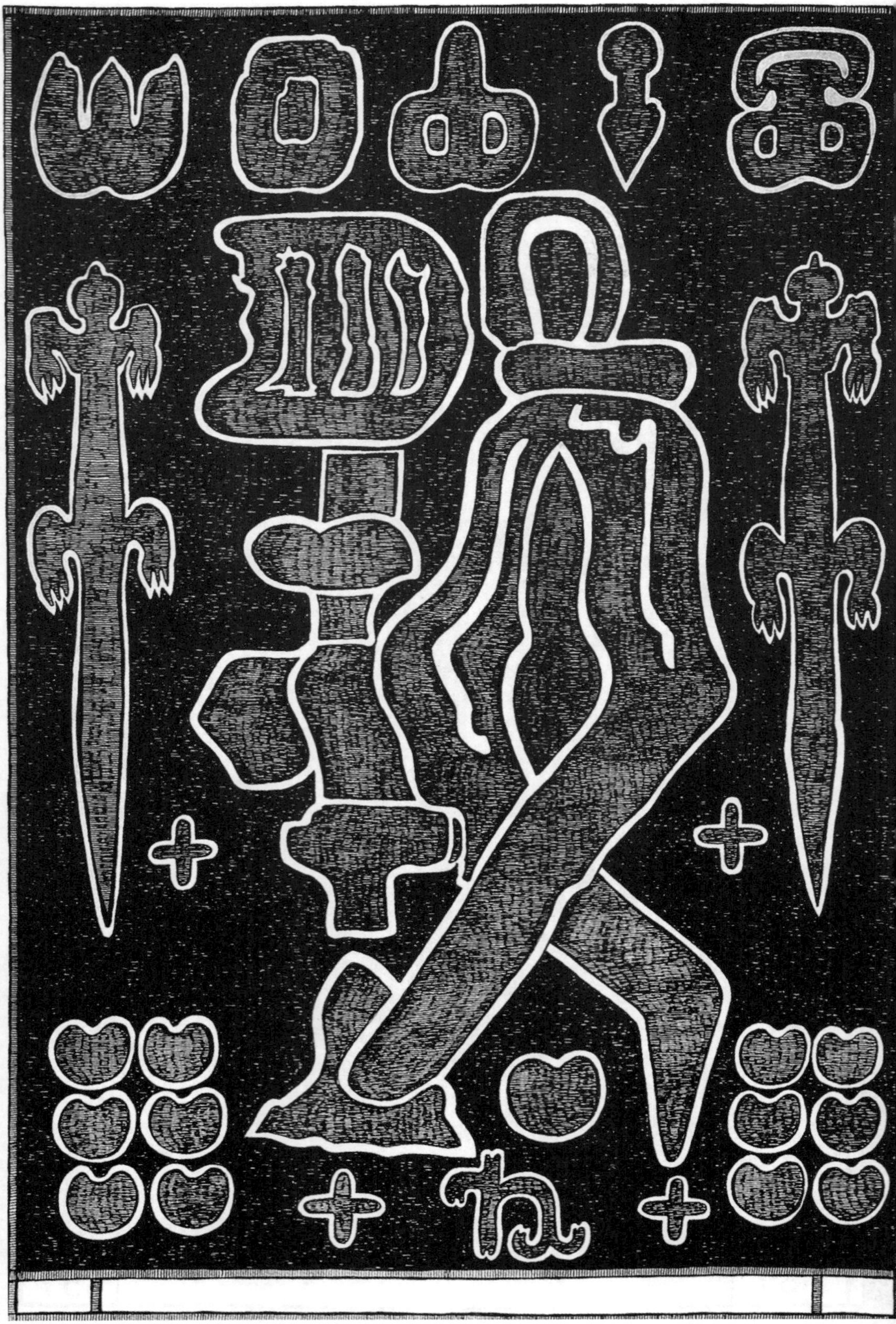

Repente

O Bufão Apocalíptico

O Bufão Apocalíptico
Epístola de Santo Antero Schabino, Apóstolo

    Escrita por seu afilhado, sobrinho e discípulo Antero Savedra, em homenagem aos Brasileiros descendentes de Ciganos, nas pessoas de Teresa Mateus, Massilânia Gomes Alcântara, Celiara Vanda Maia, Luís Costa, Vicente Vidal de Negreiros, Damiana Bezerra e Roberto Messias Carlos, integrantes da comunidade cigana Calom, de Sousa, Paraíba.

    Dirigida aos nobres Cavaleiros e belas Damas da Pedra do Reino. E enviada, por seu intermédio, aos diversos povos do Mundo; especialmente aos da Rainha do Meio-Dia, aqui representada por Portugal.

EPÍGRAFES

"O Rei é senhor e escravo de seu Reino. É o Pai encerrado em um espaço geográfico (ou literário), e representa simbolicamente a alma nacional, na qual todos se refletem como se estivessem diante de um Espelho, e representando ele, portanto, aos olhos de seu Povo, o aspecto tangível da imortalidade e da Eternidade."

EGUIMAR SIMÕES VOGADO

"Bem vedes, não sou eu o Pierrô bufo e belo, filho de Cassandrino ou de Polichinelo! Não! Eu sou o Palhaço de vermelho e de preto, o Palhaço-encorado, o sangue do Esqueleto, que procura espargir pelo Mundo tristonho, no sangue e ao pó da Morte, o galope do Sonho, na Onça-do-imprevisto, o Riso-do-burlesco, no Mocho do fantástico, o Tigre-romanesco."

MARTINS FONTES

Dedicatória

Este Repente é dedicado a Mariana de Andrade Lima Suassuna, Guilherme Queiroz Monteiro da Fonte, Maria Isabel, Rafael, Gabriel e Daniel Suassuna da Fonte. Foi composto em memória de Adálida Suassuna Barretto e Chateaubriand Maia de Arruda Barretto.

O Bufão Apocalíptico no Claro-Escuro do Palco

Alegro Jocoso

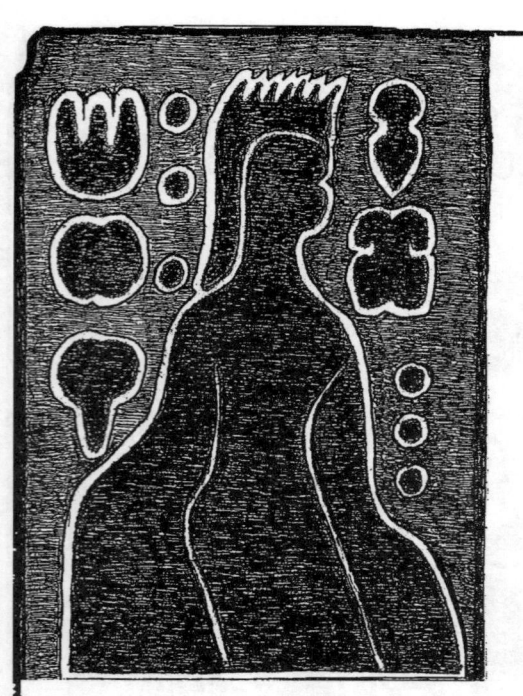

SIBILA
Moda, Turismo & Lazer
Igarassu, 23 de Março de 2014
23 de Abril de 2016

Aos nobres Cavaleiros e belas Damas da Pedra do Reino.

Amigos:

Eu concebera o Simpósio Quaterna como uma grande Aula-Espetaculosa. Desde que, para realizá-la, pudesse contar com a música de Antonio Madureira; as câmeras de Marcus Vilar, Douglas Machado e Claudio Brito; com os cenários e figurinos de Manuel Savedra Jaúna; com as fotografias de Alexandre Nóbrega, Geyson Magno e Dantinhas; com os dançarinos de Maria Paula Costa Rego; e com os atores de Romero de Souza Lima — desde que contasse com tudo isso eu mesmo participaria do Espetáculo como Ator-principal, Encenador, Depoente, enfim, com o título que fora o de Tirso de Molina — O Definidor-Geral (sua decisiva e subterrânea Eminência-Parda).

Mas, além disso, uma das minhas expectativas era que o Simpósio nos permitisse mostrar, no Palco, a imagem verdadeira, profunda e bela *"do Brasil-que-há-de-vir"*, a respeito do qual, escrevendo sobre o Romance d'A Pedra do Reino de meu irmão Auro, falara um certo Mário Martins, no Jornal O Lidador, de Vitória de Santo Antão, interior de Pernambuco, no tempo em que a Rússia ainda era chamada de União Soviética.

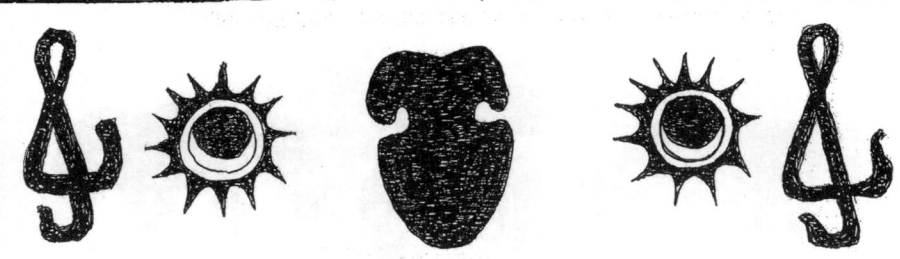

Ora, a Rússia desertara, primeiro enveredando por uma Ditadura sinistra, e enfim abandonando a Missão e as esperanças nela depositadas. Eu queria que a América Latina, unida, a substituísse. Para isso, faria o que estava a meu alcance: mostraria no Palco (pelo menos em imagem e para os participantes iniciados do Simpósio) aquele *"Brasil-que-há-de-vir"*, a fim de que pudéssemos manter acesas a dignidade, a altivez, a beleza, a esperança e — quem sabe? — talvez até devolvê-las ao nosso Povo, delas espoliado, principalmente, mas não exclusivamente, pelo *"governo dos dois Fernandos"*, que o Profeta Cícero Cordeiro Espada profetizara no Arraial do Bacamarte, em 1930.

Dom Paribo Sallemas

Entretanto, ao lado de tais nobres motivações — e, é verdade, pensando menos em si do que na Figura exponencial que representava (a do Imperador do Espírito Santo) —, Dom Pantero queria fazer do Simpósio um triunfo. Por isso, mandara espalhar entre as pessoas do Público uma claque de amigos, alunos e ex--alunos da Unipopt, comandados por Maria da Salete da Silva; de modo que, enquanto ele se encaminhava para seu lugar no Palco, a Cortina se abriu e o Teatro inteiro estralejou ao som de uma crepitante salva de palmas. Ouviram-se, mesmo, alguns urros e assobios que passavam um pouco da conta no entusiasmo que tínhamos recomendado.

Dom Pantero

Ao mesmo tempo que Iluminada, a Graciosa ocultara-se, a fim de, novamente encoberta, possibilitar que o Espetáculo assumisse também seu caráter de Demanda: se a Taça reaparecesse em algum de seus volteios e episódios, seria, com certeza, por intercessão da sagrada Figura que ela representava; por seu intermédio é que A Misericordiosa iria aparecer no Palco como A Coroada, a Musa oposta à Moça Caetana; a Padroeira superior e tutelar do Simpósio, que, graças a Ela, poderia ser encarado como celebração da Beleza e da Vida (e não, apesar de tudo, da Feiura e da Morte):

São João Evangelista Schabino

"E viu-se um grande Sinal no céu: uma Mulher vestida de Sol; e a Lua estava sob seus pés, e uma Coroa de 12 Estrelas sobre sua cabeça. E estava grávida, e com dores do parto, e gemia com ânsias de dar à luz."

Dom Pancrácio Cavalcanti

Cumprida a obrigação de conduzir Dom Pantero, Iluminada, Lucinda e Luziara tinham voltado às Coxias, onde se juntaram aos outros Figurantes, que ali aguardavam sua vez de entrar no Palco.

Quanto a ele, chegou, só, ao Proscênio, e curvou-se profundamente para agradecer os aplausos, que iam arrefecendo mas que redobraram àquele seu gesto de cortesia. Depois, subiu para o Púlpito e, lá, bebeu o segundo cálice de Vinho — o do Filho. E foi só neste momento que o Espetáculo realmente começou, com a recitação do seguinte Entremeio:

O Cervo, o Jaguar e o Gavião
Pequena Jornada Retórica, Musical e Profética

Frei Antônio do Rosário

"Ay, ay, ay, três vezes ay! Ay dos pensamentos, ay das palavras, ay das obras que habitam a terra de que sou composto! Ay, ay, ay, três vezes ay!"

Dom Pantero

Reino solar, Reino pedregoso, Reino sagrado, Reino glorioso! Reino sonhado, que o Mal, o Feio e a Morte querem degradar e cobrir de vergonha, aos ais do Apocalipse!

Eu, Jaguar-do-Deserto, esconjuro, cego, a cinza fatal que cerca o Reino! Eu, Cervonegro-do-Sol, denuncio, cego, a injustiça que

se comete contra meu Povo! Mas eu, Gavião-da-Soledade, profetizo, cego, o sol-d'O-que-há-de-vir!

Frei Antônio do Rosário
"Ay, ay, ay, três vezes ay! Ay do entendimento perdido, ay da vontade cega, ay da memória desencaminhada!"

Dom Pantero
Mas aleluia, glória e hosana ao sol dos Encobertos e à lua da Coroada!

Dom Porfírio de Albuquerque
Aqui, Dom Pantero fez uma pausa, não muito prolongada, a fim de não parecer que ele simplesmente esquecera o papel; mas também suficientemente arrepiadora para que todos pudessem perceber que, além de Cátedra, Trono, Tribuna e Picadeiro-circense, seu Púlpito era Lajedo, como o de Prometeu, e sobretudo Gólgota, como o do Cristo (uma vez que, depois do choro e das lamentações da Tragédia, apontava para uma gloriosa, festiva e exaltadora Ressurreição).

Dom Paribo Sallemas
Por isso, permaneceu assim um instante, com o peito empinado para frente, de modo a que todo o Teatro ouvisse os arquejos de seus ais e de seus gemidos, mas também os de seus hosanas,

glórias e aleluias. E só quando notou que bastava, como efeito cênico, foi que continuou, dirigindo-se, em espírito, à sua amada Liza Reis (e, por intermédio dela, ao público do Simpósio):

Dom Pantero

Amor, sagrado Amor, oh Rosa do meu sangue, Rosa do meu desejo, oh meu Sextante e Vela!

Têm, para mim, Visões de um outro Mundo, as Noites perigosas e queimadas, quando a Lua aparece mais vermelha.

De dia, ao olhar para o Céu azul-esbraseado, vejo brilhar ao Sol, à luz do Olhar divino, um Reino de muralhas, Castelos e bandeiras, de Estandartes ao vento e de estrelas na Esfera.

Mas, por outro lado, *têm, para mim, Visões de um outro Mundo, as Noites luminosas, azuladas, quando a Lua aparece mais bonita* — e o Espetáculo que agora se inicia é também uma espécie de Soneta-Noturna; de Sonata para Violino e Piano; de Concerto--Lunar (ou ao-Luar), composto para Rabeviola e Orquestra.

Começo, portanto, com o Soneto O Profeta, incluído por Albano Cervonegro n'O Pasto Incendiado.

Dom Pancrácio Cavalcanti

Depois de falar assim, Dom Pantero desceu do Púlpito e sentou-se na Cadeira que fora do Profeta e pregador do Quinto Império, Antônio Vieyra. Colocou a Viola entre as magras pernas, como se ela fosse uma Viola-de-Gamba ou um corpo de Mulher: seguindo, nisso, uma sugestão do grande violeiro Roberto Corrêa, ia ele, assim, acompanhar o Canto, esfregando o arco da Rabeca no par-de-bordões da Viola.

Dom Porfírio de Albuquerque

Mas como o que ele sabia tocar era quase nada, pedira ajuda a Aglaia Costa, no Violino, Jarbas Maciel, na Viola-de-Arco, e João Carlos Araújo, no Violoncelo: porque, com a excelente execução deles, seus próprios erros e acordes rudimentares seriam abafados e diluídos no acerto geral dos outros, integrantes do Trio que verdadeiramente tocava, acompanhando o Soneto.

Dom Paribo Sallemas

Além disso, fundidos aqueles instrumentos numa Viorrabeca — ou Rabeviola —, ao som de seu toque o Soneto ressoaria ainda mais grave na rouca e feia voz do Cantador; daquele

Poeta fracassado; daquele Jaguar especuloso e cego que, herdeiro do Tio e dos irmãos, se transformara, como Ator e Encenador, no principal responsável pela Narração:

O Profeta
Abertura sob Pele de Carneiro

Albano Cervonegro

Falso Profeta, insone, extraviado, vivo, Cego, a sondar o Indecifrável. E, jaguar da Sibila inescrutável, meu sangue canta a rota deste Fado.

Eu, forçado a ascender, eu, mutilado, busco a Estrela, que chama, inapelável. E a pulsação do Ser, Fera indomável, arde ao sol do meu Pasto incendiado.

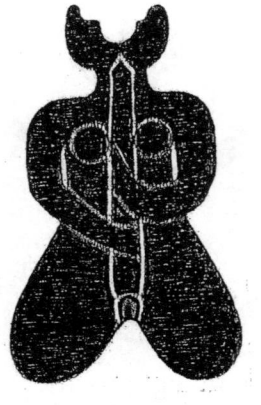

Por sobre a dor, a Sarça-do-Espinheiro, que acende o estranho Sol, sangue do Ser, transforma o sangue em Candelabro e Espelho.

Por isso, não vou nunca envelhecer: com meu Cantar, supero o desespero, sou contra a Morte e nunca hei de morrer.

Dom Pantero

Acabando de cantar o Soneto, voltei ao Púlpito e, como Velho-e-Mestre, bebi o terceiro cálice de Vinho, fato que definitivamente consumou a transfiguração da minha pessoa comum e apagada em Dom Pantero do Espírito Santo, Imperador da Pedra do Reino.

Dom Pancrácio Cavalcanti

Pouco tempo antes da morte de Adriel Soares, Antonio Madureira fizera com ele um Disco, A Poesia Viva de Albano Cervonegro, no qual o Poeta, com acompanhamento musical, recitava os Sonetos e também aquela espécie de Autobiografia-em-prosa-e-verso que é a Vida-Nova Brasileira; de modo que a recitação, ali no Palco empreendida por Antero Savedra, era apenas um outro plágio, entre os muitos que ele cometia em relação às obras de seus irmãos e de outros Escritores.

Dom Porfírio de Albuquerque

Mas a força de autopersuasão que se apodera dos falsificadores e plagiários é tanta que, apesar de tudo, ao som da *"rabeca da Sabedoria"*, do Cego Oliveira, o sangue de Dom Pantero, iluminado pela chispa que a Graciosa lhe comunicava por meio de Iluminada, começou a cantar na *"Cadência"*, de Mestre Vitalino; a ferver nas águas sangrentas do *"Riacho do Elo"* — que é o mesmo e misterioso *"Córrego"* do qual falava Nô Caboclo; a se povoar, no *"Palco"*, das iluminosas projeções do *"Cine-de-Circo"*, de Luiz de Lira; e dos penumbrosos rituais em claro-escuro daquele Trono-e-Altar que se finca no centro da *"Casa da Flor"*, de Gabriel Joaquim dos Santos.

Dom Paribo Sallemas

Era como se as 7 Fontes-Sagradas do Cavalo Castanho se tivessem reunido no Castelo-e-Teatro, no Circo que Manuel Jaúna pintara (e que agora, alumiado pela Câmera profética da TV Ilumiara, se tornava uma nova Gruta das Vulvas, semelhante à do nosso Anfiteatro). Em tal condição era a suma teatral, circense, dançarina, literária, musical e vídeo-cinematográfica de todas elas.

Com isso, e tendo baixado de vez em seu sangue o dáimone da Festa, Dom Pantero pôde realmente mergulhar o Teatro na pulsão obsessiva que o Espetáculo exigia. Ele falou assim:

Dom Pajtero

Senhoras e senhores participantes do Simpósio Quaterna! O título do único Livro deixado pelo grande Augusto dos Anjos é Eu. Aqui, apesar da natureza épica do Diálogo, em minha condição de Ator e Encenador, o Personagem principal também é Eu; ou sou Eu; ou somos Eu — não sei nem como diga!

Uma coisa, porém, é certa: como Encenador das Conferências Quase-Literárias de meu Tio, Padrinho e Mestre, Antero Schabino (assim como dos Espetáculos que meus irmãos Afra e Adriel criavam), é seguindo processo semelhante ao deles que, aqui, penso levar meu Depoimento adiante. Com isso, o que pretendo é fazer uma espécie de Relato que dê alguma ordem e algum brilho ao conjunto, algum sentido e alguma beleza à minha vida — a este amontoado de gestos, atos e palavras que, no comum, é contraditório, às vezes angustioso, quase sempre fosco e feio.

"*A Vida é um Sonho*", disse um Poeta espanhol e que, como todo grande Homem, provavelmente era meio despilotado do juízo.

Pois se a Vida é um Sonho, cuide-se de fazer aqui deste Pesadelo triste, feio e sem graça, uma Festa; uma Dança que, como nos Circos e nos Espetáculos populares brasileiros, tenha seus mantos e golas recobertos de vidrilhos e lantejoulas; alegre e ensolarada aqui; noturna e acolhedora ali; terrível e sangrenta acolá;

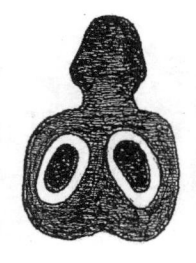

religiosa e compassiva, em sua profanidade; luzida e intrépida, em sua vitória sobre a feiura, o sofrimento, a pobreza, a injustiça e a Morte. Uma Festa na qual, refletidas pelo Espelho juntamente com o Jaguar, caibam as coisas mais diferentes: o brilhante e o monstruoso; o trivial e o insólito; o real e o quimérico; o grotesco e o doloroso; o trágico e o cômico; o obsceno e o religioso.

  Era esse o espírito dos Espetáculos que encenávamos no Teatro Antônio Conselheiro, da Ilha de Deus, no Recife. Desde a longínqua representação que, em 1945 e com base num Folheto escrito por João Martins de Athayde, fizemos d'A História de Romeu e Julieta, eu metera na cabeça que, se chegasse a encenar um Espetáculo perfeito, recuperaria meu Amor perdido; cumpriria a recomendação do Cristo, perdoando os assassinos "*capuletos e villoas*" do Cavaleiro (que, na minha visão, era um "*montéquio e savedra*"); consertaria as injustiças, reparando a triste sorte de todos os pobres e desvalidos; e até decifraria o segredo do Mundo, resgatando, nos limites do humano, a mim mesmo, aos meus, aos filhos da Rainha do Meio-Dia e a todos os integrantes do nosso Rebanho, das feias chagas causadas pelo sofrimento, pelo mal, pela injustiça e pela Morte.

  Como se vê, era mais uma quimera a perturbar minha vida, e foi uma das causas que levaram nossos adversários a me chamarem de "*Dom Quixote arcaico*": porque fracassei em todas as tentativas que, depois de rejeitado como Poeta por meu Tio, Mestre e Padrinho, Antero Schabino, empreendi no Palco, como Encenador, durante muitos anos. De modo que agora, debilitado pela idade e fustigado pela doença, este Simpósio é a última esperança que me resta de cumprir o voto formulado na juventude.

Aqui tentarei acolher, no Palco, a tragédia e a farsa do Mundo. E, com isso, talvez o que minha vida teve, e tem, de morno, de incaracterístico, de errado e de feio possa terminar cicatrizado, quem sabe até perdoado, graças ao iluminoso claro-escuro do conjunto.

No entanto, é indispensável que Vocês entendam: além do Anfiteatro d'*A Ilumiara Jaúna* — com seu *Riacho do Elo* — este Circo-Teatro representa a *Estrada de Matacavalos*, que, passando pela Ilumiara, unia Taperoá à Fazenda *Saco da Onça*; e, estando eu no Palco, é por aquela Estrada que convido todos a enveredar, na Viagem-de-Circo que aqui começa.

Aliás, é o fato de *"ter um Circo"* — este Circo — que me singulariza entre os demais Narradores, Poetas, Encenadores e Profetas do nosso Mundo literário. É o Circo que me permite armar aqui nossa Empanada, para que o Espetáculo seja *exemplar*, no sentido de que, partindo do Eu-individual do Narrador, exiba e alcance todos os Personagens — ricos e poderosos, ou pobres e desvalidos d'*O Grande Teatro do Mundo*; e lance uma luz (ainda que, algumas vezes, sinistra) sobre todo o universo que configura.

Albano Cervonegro

Aqui, mora a Coral negra e vermelha, a Serpente assassina do Rebanho. Mas o Cantar sagrado do meu Sangue, aponta para o Sol de um céu estranho, e ao Gavião em cujo olhar reluzem o Leopardo e a Estrela-do-Castanho.

Carlos de Souza Lima

Mestre, permita que eu faça, logo aqui, uma intervenção: alguns participantes do Simpósio estão querendo transformar em Entrevista os trechos que cada um julgue serem os mais significativos de seu Depoimento. O senhor concorda com isso?

Dom Pantero

Em princípio, sim; mas somente em princípio! O que me inclina a concordar é que li, certa vez, num Jornal, uma observação maldosa sobre os Escritores brasileiros: dizia-se ali que todos eles são muito mais brilhantes nas Entrevistas que concedem do que em seus Romances, Poemas ou Peças-de-Teatro, *"provavelmente porque, no caso das Entrevistas, as palavras são escritas por outras pessoas".*

Ora, comparando-me com meus irmãos Auro e Adriel, meu Tio, Padrinho e Mestre, Antero Schabino, sempre me desconsiderava. Dizia que, como Escritor, nunca eu poderia igualar-me a eles, motivo pelo qual não me permitia colaborar na versão literária d'A Onça Malhada, que seria sua Obra definitiva e final — A Divina Viagem; levando em conta que minha letra era mais legível e eu era o Encenador dos espetáculos montados no Teatro Antônio Conselheiro, da Ilha de Deus, reservava-me apenas as tarefas menores de copista de seus Ensaios e organizador de suas famosas Conferências Quase-Literárias.

Assim, caso este Simpósio venha a assumir o espírito e a forma dialogal da Entrevista, poderá também sanar minhas deficiências de Escritor por meio de minhas habilidades de Encenador, propiciando-me a oportunidade não só de igualar-me a meus irmãos mas até de ultrapassá-los, uma vez que nenhum deles se lembrou de realizar suas obras em forma de Entrevista.

No entanto, faço outra avaliação que me leva a hesitar sobre o pedido: é que, nas Entrevistas, além das falsidades e loucuras que nos atribuem — na maioria dos casos colocando-as entre aspas, como se as tivéssemos dito —, só nos fazem perguntas óbvias, estapafúrdias, inconvenientes ou repetitivas (o que nos força a dar, também, respostas repetitivas, óbvias, inconvenientes e estapafúrdias).

Então, vamos ver que rumo vai tomar a conversa. O Simpósio foi o caminho que encontrei para transformar em teatro, música, dança, cinema e vídeo o Ensaio A Onça Malhada, de meu Tio Antero Schabino, o romance de Auro, as peças de Adriel, a poesia de Altino e os espetáculos que, com coreografia de nossa irmã Afra Cantapedra, encenávamos na Favela-Consagrada da Ilha de Deus a partir de folhetos da Literatura de Cordel — o que fazíamos tendo Adriel como Apresentador.

  Por isso, só concordarei com a Entrevista se notar que as perguntas (e as respostas delas resultantes) podem se integrar no Circo-e-Castelo formado pelos dois Programas semanais que mantenho aqui, sob o comando de William Costa e Vera Ferraz: o Almanaque Viajoso, publicado na Sibila, e O Canto da Casa Sonhosa, exibido pela TV Ilumiara. Lembro que, além dos especialistas, pessoas comuns tomam assento na Plateia, com direito a fazer-me perguntas. Ora, eu divido a Humanidade em duas categorias: a dos que gostam dos Savedras e conosco concordam, e a dos equivocados (aliás divididos em dois outros grupos — o dos ressentidos e o dos equivocados propriamente ditos). Assim, minha autorização é condicional: caso eu goste dos termos em que o Diálogo for conduzido, ela será dada. Se não gostar, não.

  Outra coisa: para evitar familiaridades excessivas, só admitirei um tratamento por parte dos Entrevistadores — o de Mestre, que Carlos de Souza Lima empregou há pouco, quando a mim se dirigiu. Se a exigência não for atendida, continuarei a dar meu Depoimento, mas a Entrevista será imediatamente cancelada.

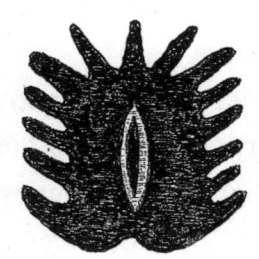

  Tomo estas precauções porque na Plateia estão presentes alguns daqueles equivocados — indivíduos invejosos e ressentidos pelo anonimato a que vivem relegados pelo Povo brasileiro. Cuidei então de aí colocar também algumas pessoas amigas que, neutralizando as hostis, podem encaminhar este Simpósio a um ambiente menos desfavorável "*ao clã oligárquico, feudal e arcaico dos Savedras*" (como dizem os equivocados).

Rosette Fonseca dos Santos

A meu ver, Mestre, suas preocupações demonstram um pouco de exagero, porque todas as pessoas que aqui estão podem ser consideradas como *schabinólogos*.

Dom Pantero

Mas nem todos são *savedristas*! Um savedrista é um schabinólogo que, além de conhecer e admirar, sem qualquer restrição, todas as obras deixadas por Schabinos, Savedras e Jaúnas, concorda com tudo o que eles diziam e faziam. Se manifestar uma discordância — uma só, e insignificante como seja! — é demitido imediatamente de seu honroso cargo e passa a integrar o detestável rebanho dos equivocados.

Notem que eu já dei uma demonstração incomum de tolerância ao admitir que participem do Simpósio pessoas da mais diversa procedência. Não digo nem Portugueses, Espanhóis, Galegos, Sicilianos, Bascos, Catalães, Corsos, Gregos ou Provençais que, em sua condição de filhos quase-legítimos da Rainha do Meio-Dia, são quase-compatriotas dos Brasileiros (compatriotas de verdade são os outros Latino-Americanos, os Árabes e os Africanos). Mas minha generosidade é tão grande que permiti viesse para o Simpósio até mesmo uma pessoa que mora nos Estados Unidos; o que causa surpresa no sobrinho, afilhado e discípulo de um Homem que escreveu:

Antero Schabino

"No curso da História é frequente a aparição de dois Impérios antagônicos — um de Direita, como Roma, outro de Esquerda, como Cartago. Hoje, o Império de-direita é liderado pelos Estados Unidos. O de-esquerda é a Iarandara, a Rainha do Meio-Dia, integrada pelos Povos pobres da Terra; Povos insulados e marginais, pertencentes que somos à Raça bruna, malhada e parda-escura do Mundo; Povos que, dentro de sua pobreza e de seu abandono, têm, contudo, na sua imaginação, na sua arte, na sua festa, uma energia, um impulso, uma alegria, uma beleza que os ricos não mais possuem."

Dom Pantero

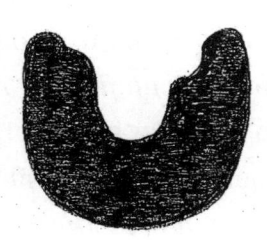

Como se pode entender por estas palavras, escritas por meu Tio e Mestre Antero Schabino em seu Diálogo d'A Onça Malhada e a Ilha Brasil, eu só permiti que a notável Maria McBride comparecesse ao Simpósio porque ela, apesar do sobrenome arrevesado, pertence ao contingente de fala hispânica dos Estados Unidos — aquele Império plutocrático que atualmente é o campeão mundial do Capitalismo (e, consequentemente, também da injustiça, da vulgaridade, da arte de mau gosto, da violência, da hipocrisia, da impostura, das drogas e da brutalidade). É o Quarto Império de Direita, contra o qual o Profeta Daniel anuncia o Quinto — o nosso, o de Esquerda e da Iarandara: este que o Brasil, sobrepondo-se aos traidores que pretendem vendê-lo e aviltá-lo, poderá um dia revelar ao Mundo.

Eleuda de Carvalho

Bem, Mestre, posso lhe garantir: pelo menos no que se refere a nós, todos os seus Entrevistadores estão animados pelos sentimentos mais amistosos do Mundo em relação aos Savedras!

Luzia Limeira de Carvalho

E existe, ainda, um outro assunto de que lhe devo falar, Mestre, em minha condição de organizadora do Simpósio. Estive lendo, ontem, um artigo no qual o musicólogo francês André Tubeuf chama o compositor brasileiro Heitor Villa-Lobos de *"estranho gênio plantador, inicial e unificador"*. Tubeuf comenta o fato de ter Villa-Lobos criado suas Bachianas Brasileiras fazendo ressoar e elevar-se do chão selvagem do Brasil *"a grande voz de Bach"*. E continua: *"Bach é o pai comum da Música, seu cume e seu centro.*

É uma espécie de Goethe. Ou melhor, é aquele Deus-de-legenda que, brincando com as esferas, fez a música do Mundo."

Maria Lopes

Além disso, Mestre, conversando ontem com Luzia a respeito de Goethe e do Simpósio, disse-lhe eu que li, outro dia, uma notícia que me deixou impressionada: um Encenador alemão vai montar o Fausto inteiro, num Espetáculo que terá 17 horas de duração!

Luzia Limeira de Carvalho

A partir desses dois fatos, sugiro que as sessões do nosso Colóquio sejam chamadas de Goethianas Brasileiras. Com tal nome, prestaremos a Goethe homenagem parecida com a de Villa-Lobos a Bach; e, ao mesmo tempo, o senhor enveredará por um dos poucos caminhos capazes de aproximar um Escritor brasileiro dos intelectuais do Primeiro Mundo.

Dom Pantero

Discordo, tanto do nome quanto das justificativas apresentadas para ele! Em primeiro lugar, quem lhe disse que eu quero me aproximar *"dos intelectuais do Primeiro Mundo"*?

Depois, não posso admitir que o título de *"deus da Literatura"* seja atribuído por Tubeuf a Goethe, e não a Aribál

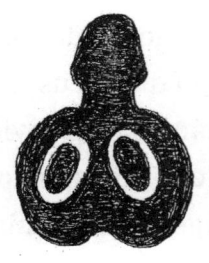

Saldanha, Auro Schabino, Adriel Soares ou Altino Sotero — este apesar de ter vivido na fronteira entre a lucidez e a demência.

Finalmente, acho que, antes de Vocês estarem querendo prestar a Goethe a homenagem descabida que imaginaram, deveriam se lembrar de que o Fausto é plagiado de 3 peças de Calderón de la Barca — O Mágico Prodigioso, A Vida é Sonho e O Grande Teatro do Mundo.

Digo-lhe então, Luzia, que, se Tubeuf tivesse dado o título de *"deus da Literatura"* a Calderón, eu ainda aceitaria — se bem que com restrições, para não ser injusto com a Quaterna formada pelos maiores Escritores da nossa Família. A Goethe, nunca!

Quanto ao Encenador de quem Vocês falaram, ele também não perde por esperar: já combinei com Romero de Souza Lima, José Antunes e Fernando Carvalho que, se conseguirmos realizar A Iluminara por meio do Simpósio, eles recriarão a Obra inteira num grande Espetáculo, misto de Teatro, Vídeo e Cinema, e que terá não apenas 17, mas 21 horas de duração! Ele será exibido em 7 dias — o mesmo tempo que Deus levou para criar o Mundo e descansar. Isto é: o Espetáculo será dividido em 7 Episódios, e, por isso, bafejado pelos 7 dons do Espírito Santo; e cada Episódio durará 3 horas, em homenagem à Santíssima Trindade.

SOCORRO TORQUATO

Mestre, e se, por acaso, misturando-se aos 7 dons do Espírito Santo, os 7 pecados-capitais também vierem a aparecer por aqui, para bafejar o Simpósio?

DOM PANTERO

Não haverá qualquer problema, porque A Divina Viagem foi imaginada por meu Tio e Mestre em dois grandes planos — O Espelho dos Encobertos e O Palco dos Pecadores. Assim, aqui no Simpósio, o Espelho refletirá a luz dos 7 Dons, e o Palco a sombra dos 7 Pecados. Não sei se Vocês já repararam, mas os grandes personagens de Teatro são, todos, grandes Pecadores: a tal ponto que, se, um dia, acabar o Pecado (conforme nos foi prometido por São Paulo), acabará também o Teatro.

Então, Luzia, como bem se pode deduzir por minhas palavras, não existe a menor possibilidade de eu aceitar o título de Goethianas Brasileiras, que Você sugeriu para as sessões do Simpósio.

DONA CLARABELA

Muito bem, a sugestão de Luzia não foi aceita! Assim, tomo a liberdade de lembrar que a Tese com a qual obtive meu grau de Doutora em Filosofia intitula-se HEGEL — Palavra Fundadora, Visão Dialética e Poiesis do Filosofema. E sugiro que as sessões do

Simpósio sejam chamadas de Hegelianas Brasileiras. Como a música de Bach, o pensamento de Hegel é uma Catedral majestosa, e o nome que proponho é mais do que apto a satisfazer opiniões tão singulares e exigências tão rigorosas quanto as do nosso Mestre!

Dom Paribo Sallemas

A segunda sugestão é pior do que a primeira! Para nós, Catedral é a de Antônio Conselheiro, e não a de Hegel! E depois, como se não bastasse, Dona Clarabela ainda nos vem com "*Filosofema*"! Filosofema, meu Deus! Só mesmo da cabeça de um Alemão é que poderia sair um troço feio como esse! Rima com "*Postema*", de modo que, no mínimo, Filosofema deve ser alguma espécie de "*Tumor filosófico*"!

Dom Pancrácio Cavalcanti

Além disso, Clarabela, Você foi discípula e amante de Antero Schabino, Tio, Mestre e Padrinho de Dom Pantero e que, em sua dupla figuração de Máscara — Aribál Saldanha e Ademar Sallinas —, está conosco, aqui no Teatro. Então, se foi aluna dele, deveria saber que todos os Filósofos dialéticos anteriores a Antero Schabino pecaram de modo grave contra a própria essência da Dialética, porque se mantiveram na crença dogmática e fechada da Tríade — tese, antítese, síntese; crença na qual se endureceram e mecanizaram, numa interpretação extraviada e errônea da visão de Frei Joaquim de Flora — Reino do Pai, Reino do Filho, Reino do Espírito Santo.

Dom Porfírio de Albuquerque

Foi o caso de Comte, com o *"Estado teológico"*, reino do Pai; *"Estado metafísico"*, reino do Filho; e *"Estado científico"*, reino do Espírito Santo. Foi o caso de Marx, neopositivista, com o *"Feudalismo"*, reino do Pai, Estado teológico; *"Capitalismo"*, reino do Filho, Estado metafísico; e *"Socialismo"*, reino do Espírito Santo, Estado científico: não foi por acaso que Marx e Engels opuseram ao *"Socialismo utópico"* seu autoproclamado *"Socialismo científico"*.

Dom Paribo Sallemas

Mas, infelizmente, esse foi também o caso do melhor dos Pensadores dialéticos modernos, Hegel, que nos apresenta a Arte, a Religião e a Filosofia como *"as 3 etapas fundamentais do Ser-humano em seu caminho para o Absoluto"*. A Arte, tese, introduz a Ideia na matéria, espiritualizando o Real. A Religião, antítese, capta a Ideia no Real já espiritualizado pela Arte para apossar-se dela no interior da consciência. À Filosofia, síntese, cabe fundir o Real-espiritualizado da Arte com a interioridade iluminada que a Religião nos propicia na mais profunda morada do Castelo que é a consciência humana.

DOM PANTERO

Como todos puderam ver, nem mesmo Hegel escapou ao imobilismo da tríade, profeticamente anunciada por Frei Joaquim de Flora mas que o Filósofo alemão não teve gênio suficiente para ultrapassar.

Por isso, Clarabela, recuso também o nome de Hegelianas Brasileiras, que Você sugeriu para as sessões do Simpósio.

NELLY CARVALHO

E na obra de seu Tio, Mestre, existe alguma ideia que nos afaste dos erros de Comte, Hegel e Marx?

DOM PANTERO

É claro que sim! Aribál Saldanha chegou à solução daquele problema numa espécie de revelação, de iluminação. No começo de tudo, o Ser é afirmado diante da anátese inicial. Daí em diante, caminha ele por um processo dialético, que não se baseia numa Tríade, mas sim numa Quaterna.

DOM PANCRÁCIO CAVALCANTI

É daí, aliás, que procede o nome do nosso Simpósio; por outro lado, ele foi escolhido por causa das 4 Obras principais que nele serão analisadas: A Onça Malhada, tese, O Pasto Incendiado, antítese, o Auto d'A Misericordiosa, contrátese, e o Romance d'A Pedra do Reino, síntese.

Dom Porfírio de Albuquerque

Como se vê, em relação à Tríade, a Quaterna possui um termo a mais, e é ele que garante a mobilidade, a pulsação, a fluidez permanente do Ser. Desdobra-se a Quaterna em tese, antítese, contrátese e, somente então, síntese — que é o termo final da proposição colocada e, ao mesmo tempo, o inicial da seguinte: intuição genial que não ocorreu nem mesmo a Hegel, o primeiro, e maior, dos seguidores modernos de Frei Joaquim de Flora.

Auro Schabino

É por isso que, no caso de Deus, Trindade significa, de fato, Unidade-na-Multiplicidade. A Santíssima Trindade, una, tem 4, 5, 6, 12 ou mais Pessoas, conforme o ângulo pelo qual, como cegos, tentemos vislumbrar sua Santa Face.

Adriel Soares

É também por isso que nos opomos a qualquer visão imobilista do Ser-de-Deus; acho que o nome mais inapropriado e feio que já se pensou em dar a Ele foi o imaginado por Aristóteles — Primeiro Motor Imóvel. Que coisa horrorosa! Deus é uma Pulsação e é, sobretudo, a Fonte sagrada, pura, misteriosa e bela de toda e qualquer pulsação. Quando penso n'Ele, vejo o Pai como tese, Lúcifer como a orgulhosa tentativa de antítese que pretendeu ser, e o Filho como contrátese. O Espírito Santo — cuja Face feminina e materna é a Santa Sabedoria, a Coroada, a Misericordiosa — é a síntese, que se consuma, na Eternidade, entre o Passado mais remoto e a presentificação escatológica do Futuro, com a redenção final do Encourado — salvação levada finalmente a cabo pelo Cordeiro, a pedido d'A Misericordiosa a seu Filho.

Dom Pajutero

Sendo assim, Clarabela, vou aproveitar as sugestões de Vocês no sentido de dar nome às sessões do Simpósio. Mas vou fazer isso, em primeiro lugar, buscando um nome que aluda à sua natureza musical; e, em segundo lugar, procurando prestar uma homenagem ao grande Filósofo brasileiro Mathias Aires, que publicou sua obra principal em 1752, e cuja visão-de-mundo, antecipando-se à de Kant e à de Hegel, lhe dá o direito de integrar uma Quaterna constituída por Parmênides, Tese, Heráclito, antítese, Anaximandro, contrátese, e Mathias Aires, síntese:

Mathias Aires de Savedra

"O verdadeiro ser das coisas não depende da aprovação do nosso gosto. Mas as coisas parece que recebem mais da Forma que se lhes dá que da natureza que têm; parece que se espiritualizam para se entregarem a nós assim que as imaginamos. E o Homem não vem ao Mundo mostrar o que é, mas o que parece. Não vem feito, vem fazer-se."

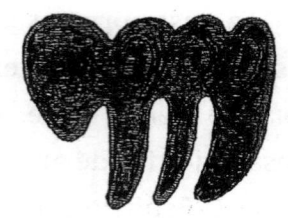

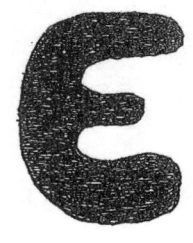

ℵ ω Ǝ

Dom Paribo Sallemas

Estas afirmações de Mathias Aires foram importantíssimas para a criação de Dom Pantero; porque, entre outras coisas, foi depois de lê-las que Antero Mariano Savedra Jaúna se animou a transformar sua pessoa no Personagem que, ao entrar no Palco, termina por *ser*, de tanto que passou a *parecer* com ele, por meio de seu colar, de seu medalhão e de suas roupas — cada uma das quais tem um significado alegórico especial.

E Mathias Aires revelava ainda uma argúcia "*poiética e profética*" verdadeiramente admirável ao configurar uma noção de Beleza que, somando-se à do negro africano Plotino, legitima a Arte praticada pelos Povos escuros da Rainha do Meio-Dia:

Mathias Aires de Savedra

"*A Beleza até se sabe introduzir na Fealdade, no horror, no espanto. A Arte leva consigo uma espécie de rudeza. Do fugir das proporções e das medidas, resulta muitas vezes uma fantasia tosca e impolida mas brilhante e forte.*"

Dom Paribo Sallemas

Esta visão de Mathias Aires é profundamente revolucionária: diferentemente do Belo clássico, a Beleza — como nós, filhos da Iarandara, a entendemos — inclui até a Arte ligada ao crime, ao feio e à loucura: a Arte do irregular, do obsceno, do cômico, do

MARÍ

grotesco, do horrível e do monstruoso. Assim, a visão que dela tem Mathias Aires permite incluir no campo da Beleza obras como a do Aleijadinho, a de Euclydes da Cunha e a de Augusto dos Anjos (para ficar somente nesses 3 Artistas brasileiros de gênio). Euclydes da Cunha, Prosador, era possuído por um Dáimone sertanejo, pardo, espinhento, pedregoso, pessimista, fúnebre e ensolarado. O Dáimone que perturbava o sono e os sonhos de Augusto dos Anjos, Poeta, era também pessimista e fúnebre; mas não ensolarado e pardo, e sim lodoso, purulento e esverdeado — o que talvez se devesse às próprias diferenças que existem entre "*o eldorado do Sertão*" e "*o jardim do Éden*" da Zona da Mata.

ARIBÁL SALDANHA

Mathias Aires, portanto, constatava a realidade do Ser. Mas também a do Vir-a-Ser, que resulta da porção de Nada dialeticamente introduzida na enigmática natureza do Ser. E era por causa disso que às vezes lhe queimava o sangue uma contida mas desesperada ponderação, composta em Dó-Sustenido Maior e que parecia soprada a ele pelo hálito-de-fogo daquele grave Pensador que foi Heráclito:

MATHIAS AIRES DE SAVEDRA

"*A natureza de cada coisa também se compõe de seu defeito (isto é, de seu contrário; e é por isso que, no interior do Ser, a Pulsação resulta da oposição entre o Ser e seu defeito, o Nada). Nas coisas, é trânsito (e ruína, e mudança, e metamorfose) aquilo que nos parece permanência. De sorte que, propriamente, só podemos dizer que as coisas vão surgindo e se acabando, e não que estão sendo."*

DONA CLARABELA

A meu ver, esse aforismo constitui o próprio núcleo da Weltanschauung airesiana.

DOM PANTERO

Talvez seja mesmo, se bem que eu não veja necessidade de se usar uma palavra tão horrorosa quanto Weltanschauung em relação a um Escritor da raça e da garra de Mathias Aires; principalmente no curso deste Simpósio, no qual procuramos fundir o sonho de justiça do Futuro com o prazer libertário do Presente, fundamentado na fruição da ardente alegria brasileira do Espetáculo e da Festa.

Mas vamos deixar isso de lado, porque há pouco, Clarabela, Você acabou me dando o nome que estávamos procurando para batizar as sessões do Simpósio. Airesiana lembra Arlesiana, e, consequentemente, Arles, a Provença, a Música e, através de Van Gogh, a Pintura.

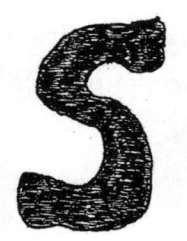

Ora, quando terminar o Simpósio e eu, cumprindo a recomendação de meu Mestre, começar a reconstituir A Divina Viagem a partir de seus Anais, a Obra será um Marco; um Circo; um Castelo construído ao galope e ao embalo épico da Arquitetura, da Pintura e da Escultura, assim como ao ritmo plástico do Teatro, do Cinema e `da Dança. Mas, sobretudo, terá sua Fonte mais secreta naquilo que o Mestre Vitalino chamava a Cadência e que é o impulso dançarino, "*poiético*" e fogoso que se encontra nas raízes da criação em todas as Artes (principalmente a Música e a Literatura), a Poesia:

Mestre Vitalino
"Eu criava pela Cadência, tirando tudo do meu juízo. Fazia o que via, mas também o que nunca tinha visto: criava pela Cadência."

Dom Pantero
Por isso, deixando de lado as sugestões que Vocês me apresentaram, vou chamar de Airesianas Brasileiras as Cartas que, depois de encerrado o Simpósio, darão origem ao Castelo-Epistolar que será A Divina Viagem.

Sônia Prieto
Mas, Mestre, se o senhor esperar pelo fim do Simpósio, A Divina Viagem vai demorar muito a sair! Seus inimigos já andam murmurando pelas esquinas que o senhor jamais concluirá o Livro que seu Tio lhe encomendou. O senhor não se preocupa com isso, não?

Dom Pantero

Eu? Pelo contrário! Por mim, mesmo que o Simpósio se conclua antes, só entre 8 de Março de 2014 e 23 de Abril de 2016 é que começarei a publicar as Cartas planejadas por Tio Antero e que deverão configurar o Romance que ele me mandou fazer como se fosse uma verdadeira Missão, a mim confiada em seu leito de morte. Pensei, inclusive, em adiar este Simpósio, inaugurando-o somente em 19 de Janeiro de 2005!

Elizabeth Marinheiro

Por que exatamente nesta data, Mestre?

Dom Pantero

Primeiro, porque foi em 19 de Janeiro de 1886 que nasceu o Cavaleiro. Depois, porque em 19 de Janeiro de 2005 estarão se completando 400 anos da publicação do Dom Quixote, uma das obras-padroeiras deste Simpósio, e eu queria, com esta gloriosa Festa, prestar também a minha homenagem a Cervantes.

Ivan Nieves Pedrosa

Meu caro Antero Savedra, tendo sido seu contemporâneo na Universidade, peço-lhe que me permita dispensar o tratamento de Mestre que Você exigiu dos outros, sem que, por isso, eu seja incluído "*no detestável rebanho dos equivocados*".

Mas, a propósito de suas últimas palavras, quero dizer-lhe que andei fazendo algumas pesquisas sobre o assunto e verifiquei que realmente o Dom Quixote foi publicado em Janeiro de 1605. Mas não precisamente no dia 19, como Você disse.

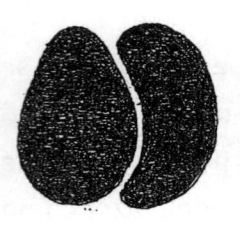

Dom Pajutero

Minhas pesquisas foram mais rigorosas do que as suas, meu caro Ivan! Estude mais o assunto e verá que, na verdade, a primeira parte do Dom Quixote foi publicada no dia 19 de Janeiro de 1605. E veja que coincidência curiosa: no século seguinte, o grande Dramaturgo brasileiro Antônio José da Silva, O Judeu (outro Patrono do nosso Simpósio), encenou, com Atores e Bonecos, no Teatro do Bairro Alto, em Lisboa, sua Vida do Grande Dom Quixote de la Mancha, o que, segundo vagamente se informa, aconteceu "*em Outubro de 1773*".

Como Você, fiz pesquisas sobre o assunto e descobri que a extraordinária Peça do nosso compatriota subiu ao Palco pela primeira vez em 9 de Outubro de 1773 — o que representou outro motivo para abrirmos hoje o Simpósio Quaterna, pois a vida do Cavaleiro durou apenas 44 anos, de 19 de Janeiro de 1886 a 9 de Outubro de 1930.

Diego Maynar Bostezo

Senhor Antero Savedra, não faço parte do "privilegiado" grupo de seus Entrevistadores, de modo que, como Ivan Neves Pedrosa (mas numa direção bastante diferente dele), não me julgo obrigado a essa ridicularia do tratamento de Mestre que o senhor exigiu há pouco.

Quero então dizer-lhe — e, mais até, aos participantes que vieram de fora para o Simpósio: é por causa dessa e de outras invenções semelhantes, que Antero Savedra, digno sobrinho e discípulo de Antero Mitoma, é tantas vezes acusado, no Recife, de ser mentiroso.

Dom Pantero

Senhor Diego Maynar Bostezo, não me espantam suas expressões nem a hostilidade que elas encerram, porque o senhor é, aqui, uma espécie de Corifeu e líder do Coro dos Equivocados (assim como Ascenso Café desempenha o mesmo papel em relação ao Coro dos Ressentidos).

Mas, para credibilidade deste Simpósio e de seu principal Depoente, quero garantir, principalmente "*aos participantes de fora*": o que vem de baixo não me atinge! Nossos adversários são de uma incompetência fora-do-comum, nem a insultar-nos acertam! Ao chamar-me de Mariano Beato — e a meu Tio (e Mestre) de Antero Megalo e Antero Mitoma — não se lembram de que, como disse Oscar Wilde, "*a caricatura é o tributo com o qual mais comumente a mediocridade costuma homenagear o gênio*"; o que digo, evidentemente, pensando em Tio Antero e em meus 3 irmãos que eram Escritores — Altino, Adriel e Auro; não em mim, Artista menor, que nem de longe ousaria me comparar a qualquer um deles.

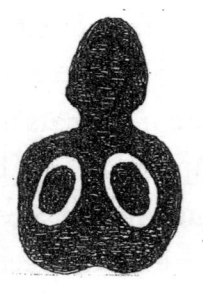

Aqueles medíocres que, no Recife, chamavam meu Tio e Mestre de Antero Megalo, estavam esquecidos de que todo Escritor de gênio é megalomaníaco, porque a própria grandeza, a própria originalidade da sua visão-fundadora o faz assim!

Chamavam-no também de Antero Mitoma; e, como se eu tivesse *"puxado à bênção"* de meu Padrinho, afirmavam e afirmam (como acaba de dizer Diego Maynar Bostezo) que, quando me convém, eu minto descaradamente.

Se eu fosse um gênio, como meu Tio e meus irmãos, lembraria a nossos equivocados detratores que absolutamente não seria de estranhar que vivesse enredado na teia dos Mitos mais obsedantes que se possam imaginar: o Mito é o único e verdadeiro chão sagrado do qual podem brotar os sonhos, as quimeras e as visões de um grande Poeta! Ou de um Poieta — título que, por ser mais amplo, muito agradava àquele espantoso gênio criador que foi meu Tio, Mestre e Padrinho, Antero Schabino.

Entretanto, como não sou um gênio comparável a meu Tio e a meus irmãos, digo a todos, aqui: não sou um mentiroso comum, como Diego Maynar Bostezo pretende fazer acreditar. As obras deixadas por meu Tio e meus irmãos eram, de fato, povoadas de mitos, sonhos, alegorias e quimeras, o que se devia à sua própria grandeza. Eu, por causa de minhas limitações, fui e sou forçado a observar em minhas Narrativas-Espetaculosas o mais estrito e rigoroso realismo.

Com isso quero dizer que, naquilo considerado como mentira por Diego Maynar Bostezo, vejo apenas os reflexos do espelho sagrado das Artes.

Assim peço ao Ator que, no Simpósio, representa o Cego Oliveira, para recitar as palavras pronunciadas por aquele grande Músico e Rapsodo sertanejo, cuja voz sempre me pareceu semelhante à do outro grande Cego que foi Homero. São palavras que tiveram influência fundamental no destino a mim traçado, não como pessoa, mas como máscara-e-persona da *"Figura"* de Dom Pantero:

Cego Oliveira

"Quando moço, eu era bom demais. Hoje estou velho e vou ficando meio distraído das coisas. Já esqueci muitos versos, mas ainda toco e canto nas Romarias.

"Acredito na vida do outro Mundo, mas ninguém sabe como ela é.

"Uma vez, na hora de esbarrar o Toque, cantei uma Despedida tão bonita que uma Mulher disse: 'Faz pena um Homem desse ter que morrer um dia.'

"Mas eu não tenho medo da Morte: minha Rabeca é tocada conforme o tom da Sabedoria."

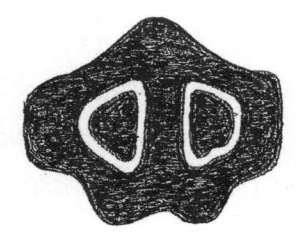

Dom Pantero

Confesso, então: ao resolver levar este Simpósio adiante, um de meus sonhos era (e é) ver no final dele pelo menos uma das Mulheres que estão na Plateia fazer declaração parecida, senão para Antero Savedra, pelo menos para Dom Pantero; porque, como a do Cego, minha Rabeca também é tocada conforme o tom da Sofia, da Misericordiosa, da Coroada, da Sabedoria.

Albano Cervonegro

Gestos de amor, de sangue e de ouro puro, perdidos nesta riba da Vertente. Caminhos, gerações, ecos e vozes, deitados pela terra seca e ardente. O Esverdeado e a Pedra consagrada; o Jaguar e a peçonha da Serpente.

Dom Pantero

Juntas, as palavras de Albano, do Cego e de Altino configuram o enigma do Mundo, da Vida e da Morte; e, ao mesmo tempo, mostram que, em nosso caso, aquilo que Diego Maynar Bostezo chama de mentira é, na verdade, *"a rabeca da Sabedoria"*; uma Arte estreitamente ligada ao papel que a Misericordiosa desempenha na doida história do Homem e é a única Arma de que dispomos para enfrentar nossos erros e pecados, assim como *"os enigmas, as danações, as injustiças e os desconcertos do Mundo".*

Assim, sabendo que para mim — como para os outros filhos do Cavaleiro — isso é também um dever irrenunciável que assumimos com orgulho, eu, seguindo o exemplo do meu Pai, procuro me manter na Estrada montando sempre o cavalo da Verdade. Mas, em meu caso, este Cavalo chama-se Graciano. É castanho, alado e mantém as patas traseiras entre chamas de fogo, enquanto as dianteiras se elevam no ar, no salto para Deus e para o Sol. De tal modo é também o cavalo da Beleza e do Sonho, tão ligado à Sabedoria quanto o da Verdade.

É por isso que, depois da Manhã e dos cochilos do Meio-Dia, eu me escancho nele e, ainda no pino do Sol, saio a galopar pelos campos da Tarde, do Crepúsculo e da Noite, em busca de uma Verdade que talvez não exista ainda mas que se revelará um dia, pela Beleza.

Eu e Graciano somos assim. Assim era o Cego Oliveira. Parentes próximos, vivia ele e vivo eu sabendo que a Vida é uma Viagem empreendida pela Estrada poeirosa e parda-vermelha do Mundo, tendo por luzeiro o Sol de Deus e como guia o estranho Cego-terrestre que nasceu para sonho e tormento do Gado

Gravuras do Livro Negro do Cotidiano

humano. O Mundo no qual brotou a Vida é tropa de burlas, cavalo de devaneios, carruagem de dementes, cortejo de maltrapilhos, vereda de cegos, desfile de foragidos e palco para insensatos. Mas é exatamente por isso que, neste Palco, eu canto, e falo, e toco, e danço: porque — repito — minha Rabeca, como a do Cego Oliveira, "*é tocada conforme o tom da Sabedoria*"; e é com ela que eu enfrento a Vida, dançando, jubiloso, por todas as estradas-de-matacavalos do Mundo, ao mesmo tempo em que caminho para os braços da Moça Caetana: pois acho que, apesar de todas as resoluções e precauções que tenho tomado contra ela, talvez um dia também eu termine por ir "*ao encontro da Morte, que me imortalizará*".

Lígia Vassalo

Mestre, perdoe-me, mas esta digressão vai um tanto longa e desejo fazer-lhe uma pergunta mais objetiva. Não sei se o senhor chegou a ver isso; mas recentemente, a propósito da chegada do século XXI, foi feita uma consulta a vários intelectuais para se eleger *"o maior escritor do Segundo Milênio"*. De acordo com a matéria que li, o escolhido foi Shakespeare. O senhor concorda com isso?

Dom Pantero

De modo nenhum! Prefiro Cervantes, e Dostoiévski era da mesma opinião que eu! Mas quero deixar claro: qualquer um dos dois que seja o preferido, este é mais um motivo para eu só publicar minhas Cartas de 2014 em diante, já no Terceiro Milênio e portanto a salvo de qualquer comparação com as obras daqueles dois Escritores.

Astier Basílio

Mestre, Gilberto Freyre declarou uma vez que, ao concluir Casa Grande & Senzala, dissera a si mesmo: *"O homem que escreveu este Livro, ou é um idiota ou é um gênio."* E acrescentou que só depois percebeu a verdadeira dimensão da Obra, passando então "*a inclinar-se mais para a segunda hipótese*". O senhor tem opinião parecida sobre A Divina Viagem?

Dom Pantero

Não, absolutamente não! Gilberto Freyre falou assim apenas por modéstia! Quanto a mim, não tenho dúvida alguma sobre as dimensões da Obra que será A Divina Viagem e sobre o gênio de seu Autor, que (preciso lembrar de novo) não sou eu: é, sim, meu Tio, Mestre e Padrinho, Antero Schabino, coadjuvado por Altino, Auro, Adriel e Eliza de Andrade.

Dom Paribo Sallemas

E, por favor, se no meio dos Entrevistadores existe alguém que hesita em aceitar tudo aquilo que Dom Pantero acaba de afirmar, renuncie imediatamente a seu honroso posto de savedrista.

Dom Pancrácio Cavalcanti

Entre, de vez, no antipático rebanho dos equivocados e dê lugar a outro schwbinólogo mais fiel — alguém que saiba avaliar a Obra deixada pelos Savedras em sua verdadeira dimensão.

Dom Porfírio de Albuquerque

Outra coisa: Dom Pantero (tomando uma decisão herdada daquele seu Virgílio-Sancho que foi Quaderna) não pretende morrer. Mas se, um dia, por algum acaso funesto, for inesperadamente obrigado a recuar de sua resolução, ele — por motivos que nunca revelou quais são — pede toda noite a Deus que a Moça Caetana só consiga lhe dar o golpe fatal em 23 de Abril de 2016.

Dom Pantero

E é por isso que quando eu for escrever as Epístolas que vão construir A Ilumiara pretendo fazê-las entre 8 de Março de 2014 e 23 de Abril de 2016 — data que marquei para a minha morte.

TXEOS

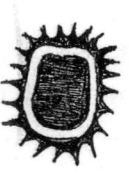

Catarina Sant'Anna

Mestre, eu não penso assim: mas há quem diga que Personagens como o Fabiano, de *Vidas Secas*, ou o Severino, de *Morte e Vida Severina*, em seu mutismo, sua secura e sua sobriedade, são muito mais verdadeiros, como expressões "*do Povo pobre do Brasil real*", do que "*os loquazes e irresponsáveis falastrões que aparecem nas peças de Adriel Soares e no Romance d'A Pedra do Reino de Auro Schabino*".

Não estou de acordo com essa opinião nem sou nenhuma equivocada — tanto assim que já escrevi sobre a obra dos Savedras um Ensaio intitulado *O Riso a Cavalo e o Galope do Sonho*. Mas gostaria de saber o que o senhor tem a dizer sobre aquela opinião dos ressentidos.

Dom Pantero

Fabiano e Severino não são sertanejos "*mais verdadeiros*", são apenas mais parecidos com aqueles Sertanejos pelos quais os grandes Escritores que os criaram se interessavam (por serem, como eles, "*secos, tristes, sóbrios e despojados*"). Mas, no meio desse mesmo "*Povo pobre do Brasil real*", existem — no Sertão, na Mata, no Litoral, na Cidade — pessoas tão "verdadeiras" quanto Fabiano e Severino mas muito diferentes deles. São Capitães-de-Cavalo-Marinho, como Antônio Pereira; Velhos-de-Pastoril, como Faceta; Rabequeiros, como O Cego Oliveira; Mamulengueiros, como Chico Daniel; ou Mestres-de-Maracatu-Rural como Manuel Salustiano.

Todos eles passaram pelas mesmas dificuldades enfrentadas por Fabiano e Severino. Mas, sobrepondo-se a elas, não se tornaram mudos, secos e amargos: criaram uma Arte enérgica e vibrante que se transformou em arma deles, inclusive para a luta e o protesto, e que, como expressão do Povo brasileiro, é tão legítima quanto o mutismo e a sobriedade de Fabiano e Severino.

É por isso que Auro em seu Romance, Adriel em seu Teatro e até eu mesmo, aqui no Simpósio, nos demos o direito de apresentar esses Personagens que consideramos dotados de coragem e generosidade, mas que *"os descarnados"* acham que são *"irresponsáveis, festeiros e falastrões"*.

Cláudia Leitão

Mestre, juntamente com Rosette Fonseca, estou pensando em realizar, em Campina Grande, um Simpósio semelhante a este. De modo que venho pedir-lhe para nos adiantar alguma coisa sobre a linha e os objetivos do Simpósio Quaterna, pois achamos, eu e ela, que isso poderia ser útil para a estrutura do nosso.

Dom Paribo Sallemas

Por sugestão de Clarabela, o Simpósio tem como objetivo principal fazer-se uma *"re-leitura paralela"* de 4 Obras: o Diálogo d'A Onça Malhada e a Ilha Brasil, ensaio de Aribál Saldanha;

O *Pasto Incendiado*, livro de poemas de Albano Cervonegro; o *Auto d'A Misericordiosa*, peça de teatro de Adriel Soares; e o *Romance d'A Pedra do Reino*, de Auro Schabino.

Por outro lado, a "*re-leitura paralela*" será também "*re-criadora*", e se, a critério do Corpo de Jurados, obtiver o êxito que todos nós esperamos, abrirá caminho para um fato da maior importância: concluído o Simpósio, Aribál Saldanha passará a ser, no gênero Ensaio, o único detentor, no Mundo, do Prêmio Xerassunha Carnovantes de Literatura; Altino Sotero ganhará o de Poesia; Adriel Soares, o de Teatro; Auro Schabino, o de Romance; e — seguindo-se, para isso, uma aguda observação de Iris Gomes da Costa — a Academia Taperoaense de Poesia oficializará, aqui no Palco, o título de Imperador da Pedra do Reino, que foi outorgado a Dom Pantero, primeiro em Belmonte, pelo Reisado de Mestre João Cícero, e depois aqui em Taperoá, pela Tribo Negra Cambindas Nova, por sugestão de Edízio Carvalho, Ernesto Manoel do Nascimento e Eduardo Caetano.

DOM PANTERO

Aliás, tudo isto só se tornou possível depois do meu encontro com Dom Pancrácio e Dom Porfírio, em Ingá, e com

Quaderna, na Ilumiara. E a oficialização, aqui, indicará que, além de Imperador da Pedra do Reino, eu serei, ao mesmo tempo, Imperador da Língua Portuguesa e Imperador das Línguas-de--Fogo-de-Pentecostes, passando de Acadêmico comum a Emérito, na Academia Taperoaense de Poesia, Cadeira nº 7; o que, sendo esta a dos 7 dons do Espírito Santo, significará mais um passo que darei em meu caminho para a imortalidade.

Gustavo Paso

Mestre, perdoe minha ignorância, mas nunca ouvi falar nesse Prêmio ao qual Dom Paribo Sallemas acaba de se referir. De onde vem ele e qual seu verdadeiro significado?

Dom Pantero

Meu caro Gustavo, não fale assim de um Prêmio literário que, para os verdadeiros Críticos do mundo inteiro, é hoje considerado mais honroso do que o Nobel! Seu nome, pelas letras X, E e R, que o iniciam, alude a Dom Garci Ferrandes Xerena de Cordobal, o grande Poeta galego do século XIV; A, S e S, referem-se a Machado de Assis; U, N, H e A, a Euclydes da Cunha; C, A, M e O, a Camões; e, finalmente, V, A, N, T, E e S, a Cervantes. Note, então: dois grandes Brasileiros, um Português, um Galego e um Espanhol; o que torna o Prêmio ainda mais significativo, porque a Cultura brasileira, a portuguesa, a galega e a espanhola são as melhores e mais importantes do Mundo!

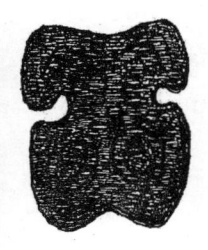

Diego Maynar Bostezo

Senhores participantes do Simpósio Quaterna, Vocês sabem que Antero Schabino, tio e mestre de Antero Savedra, era homem de uma vaidade doentia, que chegava às raias da loucura. O sobrinho e discípulo é do mesmo jeito, mas com uma agravante: o Tio era um vaidoso assumido e sincero; o discípulo e afilhado é um falso-modesto vaidoso e hipócrita, que vive tentando se passar por humilde e discreto, referindo-se de instante em instante a suas muitas e variadas "*limitações*".

Mas a verdade tem muita força e, de vez em quando, a vaidade arrebenta a máscara de modéstia com a qual Antero Savedra se disfarça. Então ele aparece como verdadeiramente é. Foi o que aconteceu agora com a enumeração desses títulos insanos e a referência a esse Prêmio ridículo. É por isso que, "*modesto e limitado*" como se diz, ele está exigindo que seus Entrevistadores só se dirijam a ele chamando-o de "*Mestre*".

Dom Pantero

Você está redondamente enganado, meu caro! Explico: como "*pessoa civil*" estou sinceramente convencido de que sou um homem comum, modesto e cheio de limitações. Acontece que, agora, não é Antero Savedra e muito menos Mariano Jaúna quem está aqui no Palco, não. É Dom Pantero — e para ele eu sou forçado a exigir o tratamento de Mestre.

O que estou dizendo pode até parecer contraditório; mas só ousei conciliar a modéstia e as limitações de minha pessoa com a importância do Simpósio porque o Velho que assumo ao entrar no Palco é um Velho-de-Presépe, um Velho-de-Pastoril; e o Mestre que com ele se funde é um simples Mestre-e-Capitão-de--Cavalo-Marinho. Tenho direito a ambos os títulos por ser o Velho do grupo das jovens Pastoras que tomam parte nas minhas Aulas--Espetaculosas, à frente das quais se encontram Luziara, Lucinda e Maria Iluminada; e por ser o Mestre dos diversos Brincantes, Guerreiros e Folgazões que também comparecem ao Palco do Circo--Teatro Savedra.

Agora, estou ciente de que o grupo dos equivocados, ao qual Você pertence, discorda de tudo isso e vive falando mal não somente dos Savedras mas de todas as obras que eles nos legaram.

Por isso, tenho muitas queixas contra Vocês; queixas cívicas, se me permitem a expressão, porque falar mal da obra dos Savedras é o mesmo que falar mal do Brasil. E minhas queixas são perfeitamente justificadas porque é principalmente por influência dos equivocados que os grandes Jornais recifenses, numa sistemática campanha-de-silêncio muito bem organizada, omitem cuidadosamente qualquer referência ao teatro de Adriel, ao romance de Auro e à poesia de Altino.

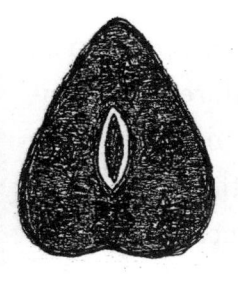

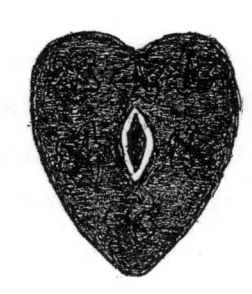

Consolo-me do desgosto que isso me causa lendo os jornais do interior do Nordeste — periódicos como a Vanguarda, de Caruaru; A Província, de Goiana; O Monitor, de Garanhuns; o Jornal da Paraíba e o Diário da Borborema, de Campina Grande; O Mossoroense e a Gazeta do Oeste, do Sertão norte-riograndense; a Gazeta do Agreste, de Gravatá; o Correio da Cidade e o Portal do Sertão, de Arcoverde; mas principalmente os mais importantes e imparciais de todos: a Gazeta do Cariry, de Taperoá, A Voz de Igarassu e O Regional, de São José do Belmonte.

    Nestes Jornais, pessoas muito mais argutas e bem informadas do que os profissionais da Imprensa recifense têm se manifestado sobre os Savedras de modo desvanecedor, mas sempre justo.

    E como em Portugal ocorre contra nós campanha parecida, este animoso e bem-humorado Velho que é Dom Pantero, para se compensar de tão injusto silêncio, de tão cruel indiferença (quando não declarada hostilidade), costuma ler e reler o que escreve sobre nós o mais agudo e generoso de todos os Críticos portugueses contemporâneos, José Cardoso Marques, intelectual que não se contenta em afirmar corajosamente suas opiniões: divulga também as de outros de suas relações, como Mário Martins e Gabriel Ferro, todos eles admiradores dos Savedras.

Diego Maynar Bostezo

Acontece que, no Recife, existe a suspeita de ser José Cardoso Marques um personagem fictício, um pseudônimo de Antero Savedra, que na verdade seria o autor real de todos os artigos elogiosos dados como dirigidos aos Savedras e atribuídos pelo irmão deles a José Cardoso Marques, Mário Martins, Gabriel Ferro e outros imaginários intelectuais portugueses!

Dom Pantero

Senhoras e senhores participantes do Simpósio, essa é uma versão maldosa dos nossos equivocados adversários; e Diego

Maynar só a menciona aqui porque descende de Espanhóis e escoceses, e, por isso, implica com Portugal. Como Vocês sabem, em Espanhol *bostezo* significa *bocejo*, e Diego descende do Fidalgo espanhol Dom Rodrigo Bostezo Garcia, assim chamado porque costumava bocejar de tédio nas reuniões do Conselho Real presidido por El-Rei Dom Fernando, O *Católico* (que foi quem, por isso, lhe colocou a alcunha de Rodrigo "Bostezo", depois incorporada ao nome de Dom Rodrigo Garcia).

Dom Rodrigo passou a Portugal, onde se casou com uma Dama ilustre, Dona Isabel Maynar, descendente de outro Fidalgo, este escocês, e que viera para a Península Ibérica no séquito da Rainha Dona Filipa de Lancastre, mulher de Dom João I. Entretanto, a velha hostilidade castelhana contra Portugal permanecia viva em Dom Rodrigo Bostezo Garcia — e ele a transmitiu a todos os seus descendentes.

Explicada, assim, a origem da implicância de Diego Maynar Bostezo com os intelectuais portugueses, quero esclarecer de uma vez por todas que José Cardoso Marques existe, mora em Fânzeres, perto do Porto, tem, como Gil Vicente, a bela e honrosa profissão de Ourives, e se não é Dramaturgo como o autor d'*A Barca do Inferno*, é um intelectual e amante da Literatura (que, sozinho, é mais inteligente e tem mais bom gosto do que todos os nossos equivocados adversários juntos).

Paulo Alexandre Esteves Borges

Mestre, eu vou viajar para Portugal dentro de poucos dias. O senhor pode me dar o endereço dele para que eu possa conhecê-lo?

Dom Pantero

Não, infelizmente não! Eu o tinha, anotado, mas perdi-o na cheia que, em 1975, inundou o Recife e na qual perdi livros e papéis preciosos. Nossa Casa recifense fica à beira do Rio Capibaribe e foi inteiramente alagada pela enchente.

Virgílio Maia

Mas não foi em 1970 que Você voltou aqui para Taperoá, Mestre?

Dom Pantero

Não, 1970 foi apenas a data em que vim aqui pela primeira vez depois da nossa mudança para o Recife. Minha volta definitiva aconteceu depois; e, mesmo assim, eu vim só, na frente: meus livros e papéis vieram posteriormente, após a morte misteriosa de Adriel, meu irmão, quando assumi Eliza e seus Filhos como a única Família que ainda tenho no Mundo — decisão que tomei depois de meu encontro com Quaderna, Clarabela, o Doutor Pedro Vandiwoyah e sua Mulher, Ashera Acken.

Guaraciaba Micheletti

Mestre, segundo afirmava Nietzsche, alguns dos maiores títulos de glória, algumas das melhores e mais consagradoras definições que recebemos são as alcunhas pretensamente infamantes que nossos inimigos nos colocam. Os apelidos postos em seu Tio pelos adversários de Vocês tinham alguma coisa a ver com isso?

Dom Pantero

Tinham, tinham tudo a ver! Tanto assim que ele ficou profundamente orgulhoso ao tomar conhecimento de que um intelectual do interior de Pernambuco, procurando caricaturar sua pessoa e sua linguagem dialética, publicara, no jornal Vanguarda, de Caruaru, um artigo no qual afirmava: "*Dos nordestinos arcaicos e nefastos ao Brasil já morreram Antônio Conselheiro, tese, Lampião, antítese, e Padre Cícero, contrátese; de modo que agora, para eliminar, de vez, a corja, só falta morrer a síntese de todos eles, Antero Schabino.*"

Vernaide Wanderley

Mestre, não leve a mal minha estranheza; mas é verdade que seu Tio ficou orgulhoso ao ler uma frase insultuosa como essa?

Dom Pantero

É claro que ficou, como eu também ficaria, se ela fosse pronunciada a meu respeito! Sendo Antônio Conselheiro, Lampião e Padre Cícero 3 grandes Mitos brasileiros — um Profeta, um Guerreiro e um Santo —, são Personagens somente comparáveis aos maiores da Literatura universal; e poderia haver, para nós, companhia mais honrosa do que a deles?

Mário Guidarini

Mestre, Você não acha que, em vez de honrosa, a frase tinha era alguma coisa a ver com aquelas alcunhas de Antero Mitoma e Antero Megalo que davam a seu Tio no Recife?

Dom Pantero

É verdade, como eu disse há pouco, de passagem; os equivocados chamavam meu Tio, Mestre e Padrinho por esses nomes, afirmando que, "além de megalomaníaco", ele era "um mentiroso, um mitomaníaco". Coitados, não percebiam que, ainda aqui, estavam mais uma vez homenageando Antero Schabino e nele reconhecendo as características de todo Poeta de gênio!

ÂNGELA BEZERRA DE CASTRO

Mestre, ao que sabemos, todas as obras publicadas por seu Tio foram escritas em prosa. Por que, pois, o senhor o considera como um Poeta, e, ainda mais, de gênio?

DOM PANTERO

Minha filha, tenha cuidado com suas perguntas para depois não aparecer mal em folha impressa, caso eu venha, mesmo, a concordar com a Entrevista que Vocês solicitaram! Primeiro, quero lembrar que, se A Onça Malhada e O Desejado foram obras escritas em prosa, meu Tio concebera A Divina Viagem como um misto de Poema e Novela-Épica, composto em verso e prosa ao mesmo tempo. Para realizar a obra, ele já vinha se preparando cuidadosamente há bastante tempo: entre outras coisas, comprou um Dicionário de Rimas e aprendeu a metrificar, com Auro e Adriel.

Infelizmente, antes de levar seu plano a cabo, deixou-se surpreender pela Morte. Mas quero deixar claro que ele tomava aquelas providências apenas por precaução e para não oferecer flanco desprotegido a nenhum ataque dos equivocados.

Falo assim porque, mesmo que só tivesse publicado aquelas duas obras, não haveria nada de estranho em ser meu Tio considerado um Poeta — e de gênio! Como falei há pouco respondendo às injustas ponderações do equivocado Diego Maynar Bostezo, chamavam meu Tio e Mestre de megalomaníaco, e ele respondia, com razão, que todo grande Escritor é assim porque "*a própria vertiginosa possessão do gênio o leva a isso*".

Entretanto, escreva em prosa ou em verso, o Gênio é, antes de tudo, um grande criador, e portanto um Poieta — um Poeta! Dos antecessores do genial criador que concebeu A Divina Viagem, Dante, que escreveu em verso, é o grande Poeta-nacional da Itália. Mas Cervantes, que escreveu em prosa, é o da Espanha. Vejo sempre o Dom Quixote como um grande Poema épico-humorístico — e não só por causa da grande quantidade de Sonetos, Redondilhas e Romances que povoam os Castelos, estradas e hospedarias por onde erram Sancho e o Cavaleiro da Triste Figura: é o universo inteiro da grande Novela que se plasma ao impulso e ao ritmo poético de uma Prosa de gênio.

Fato semelhante ocorria com A Onça Malhada, de Antero Schabino, e com o Romance d'A Pedra do Reino, de meu irmão Auro: em ambos esses Livros — e como acontece também com a Divina Comédia e o Dom Quixote — uma espécie de ritmo musical e dançarino é imposto pelo Poieta a todo o universo plástico e literário da obra. É algo semelhante ao que sucedia com a tragédia de Ésquilo e a comédia de Aristófanes, onde o Coro canta, recita, toca e dança, e a Música é o grande impulso que, do subterrâneo, impregna todo o chão poético em que se movem seus criadores e seus Personagens.

Era daí, portanto, que se originava aquilo que, em meu Tio, se considerava como megalomania. Quanto à outra acusação — a de ser ele também um mitomaníaco —, não viam aqueles medíocres ressentidos recifenses que tal palavra vem de mito, e o Mito é o outro chão sagrado, a única Fonte da qual podiam brotar os sonhos, as quimeras e as visões de um Poieta como Antero Schabino.

Geraldo da Costa Matos

Mas A Divina Viagem não chegou a ser escrita, Mestre! Assim, peço-lhe que faça do Romance d'A Pedra do Reino o centro da Entrevista que o senhor nos está concedendo; por dois motivos: primeiro, porque já foi publicado; e, segundo, porque é o Romance escolhido para ser objeto de uma releitura, aqui no Simpósio!

Dom Pajtero

Alto lá, a Entrevista ainda não está sendo concedida! Por enquanto estou alinhando minhas palavras apenas numa espécie de Aula-Espetaculosa em ponto grande! Só concordarei em transformá-la numa Entrevista se notar que posso fazer desta uma Narrativa, como A Odisseia ou O Asno de Ouro, e ao mesmo tempo um Diálogo, como Fedro e O Banquete. E aviso logo: se vier a ser concluída, A Divina Viagem será composta de várias partes independentes; partes que podem ser lidas separadamente mas que integram um conjunto de unidade perfeita, assim como, na Santíssima Trindade, as diversas Pessoas são distintas mas unidas em uma só Natureza.

Diego Maynar Bostezo

Senhor Antero Savedra, seu Tio era conhecido pelo hábito, saudável, mas não propriamente modesto, de, a qualquer propósito — ou mesmo a propósito de coisa nenhuma —, viver se comparando a Escritores que são dos maiores que a Humanidade já conheceu. Hoje, porém, o senhor (que vive afirmando ser um homem modesto e cheio de limitações) está indo mais longe do que ele, porque é à própria Santíssima Trindade que recorre, para fazer suas comparações; o que, sendo o senhor católico, é uma atitude até sacrílega! Então eu lhe pergunto: será que pessoas tão "ilustres" e obras tão "importantes" quanto as dos Savedras cabem nos estreitos limites de uma Entrevista?

Dom Pantero

E quem lhe disse que a Entrevista é um gênero limitado e menor? Dependendo de quem pergunte, de quem responda e de quem transcreva, a Entrevista pode alcançar a maior qualidade possível a uma obra literária! Não sei como não ocorreu ainda a Vocês que A Divina Comédia, por exemplo, é uma espécie de Diálogo neoplatônico no qual Dante, fazendo o papel de Platão — isto é, o de jovem Discípulo —, entrevista Virgílio, que desempenha o de Sócrates, o Mestre.

Tal fato eleva o Diálogo (e consequentemente a Entrevista) à altura dos maiores gênios e gêneros literários; e Vocês, "*jornalistas e intelectuais pós-modernos*", Vocês, que seriam os grandes interessados em divulgá-lo, não o percebem! É preciso que fale dele um "*arcaico*" como eu para que o notem pela primeira vez!

Mas não sabe o que é isso não, meu caro? É porque, arcaico como fosse, aquele era o nível, o clima, a altura em que se movia Antero Schabino, Elo nº 7 de uma Áurea-Catena cujos anéis anteriores são Homero, Plauto, Apuleio, Dante, Calderón e Cervantes — um grego, um latino, um norte-africano, um florentino e dois iberíadas (no caso, espanhóis). Como sempre acontece em tais Catenas, nesta existe uma Quaterna-de-Ouro, e a daqui é composta pel'A Divina Comédia, tese, Dom Quixote, antítese, O Grande Teatro do Mundo, contrátese, e A Divina Viagem, síntese, por ser a consumação de tudo aquilo que as 3 Obras anteriores apenas anunciavam.

Daniela de Lacerda

Naquelas palavras que pronunciou há pouco respondendo a Diego Maynar, Mestre, existe um ponto que para mim não ficou muito claro: o senhor acha, mesmo, que A Divina Comédia é um Diálogo, semelhante aos de Platão?

Dom Pantero

Tenho plena certeza disso! Não é por acaso que o amor de Dante por Beatriz é considerado como o protótipo da paixão idealizada e platônica. Note que estou dizendo idealizada, e não espiritualizada! Espiritualizada era a paixão que unia Santa Clara a São Francisco de Assis, Santa Teresa a São João da Cruz, Santa

Joana de Chantal a São Vicente de Paulo e Santa Maria Vilanova a Santo Antônio Conselheiro. A de Dante por Beatriz era apenas idealizada.

Marieta Severo

E quando estiver pronta, Mestre, A Divina Viagem terá alguma coisa a ver com os Diálogos, de Platão, e A Divina Comédia, de Dante?

Dom Paribo Sallemas

Alguma coisa, não, terá tudo a ver! Mesmo não estando pronta, esse parentesco é mais do que evidente! Veja, como prova, esse fato: n'A Divina Comédia, o Narrador e personagem-central, Dante, desce aos Infernos — o que, antes, já sucedera a Ulisses, n'A Odisseia, e a Eneias, n'A Eneida; e fato semelhante ocorre a Dom Pantero em sua incursão pelo Reino Perigoso do Ladrido.

Dom Pantero

Mas existe outra relação entre as duas obras: logo no primeiro Canto de seu Poema, Dante — é verdade que sem muito entender o que dizia — faz referência a um certo e misterioso Veltro que, oposto à Loba, é uma espécie de anúncio incompleto, vago e imperfeito d'O Encoberto (núcleo e obsessão da obra dos Savedras). Fala Virgílio a seu jovem Discípulo:

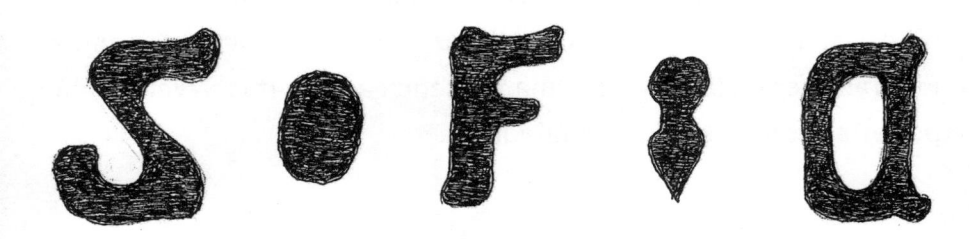

SoFia

Virgílio Cristiano Martins Savedra

"A Loba horrível que está te assustando não abre pra ninguém a sua Estrada, e a quem encontra nela vai matando.

"De natureza fera e desgarrada, alimento nenhum pode saciá-la: quanto mais come, mais esfomeada.

"Com Bestas numerosas se acasala cada vez mais, até que, no final, o Veltro surge, para aniquilá-la."

Dom Pajtero

Com exceção dos equivocados, todos, aqui, devem ter entendido que a Loba é uma recriação florentina da Esfinge edipiana e grega. Mas Dante apenas balbucia aquilo que, n'A Divina Viagem, aparecerá claro e iluminado. Inclusive, ele comete um erro em que os Savedras — fiéis admiradores e paladinos das Mulheres — jamais incorreriam: apresenta o Veltro, macho, como símbolo do Bem, e a Loba, fêmea, como o do Mal. Qualquer um dos Savedras desdobraria logo esses 2 em 4 — o Veltro e a Veltra, o Lobo e a Loba.

Mas temos que desculpar Dante, porque, sendo apenas um filho quase-legítimo da Rainha do Meio-Dia, jamais poderia ter olhos capazes de enxergar O Encoberto e A Encoberta — aquelas Figuras sacratíssimas sem cuja presença a obra dos Savedras não poderia sequer ter sido imaginada.

José Vidal

Mestre, não se ofenda com o que eu vou dizer, mas, para nós, é estranho que o senhor coloque ao lado d'A Divina Comédia uma obra que, como A Divina Viagem, nem sequer foi escrita ainda!

Dom Pantero

É uma questão de parentesco. Guardadas as devidas proporções — e qualquer que seja a importância de cada uma dessas obras quando consideradas separadamente —, elas se filiam à mesma linhagem.

Kilma de Barros Pinheiro

Suas palavras, Mestre, do jeito como foram formuladas, parecem ambíguas! O senhor diz *"guardadas as devidas proporções"*, mas, para nós, não fica bem claro qual das duas obras, na sua opinião, é a mais importante.

Dom Pantero

Então vocês se limitem a transcrever o que eu disse com a maior exatidão, sem avançar qualquer *"esclarecimento"* ou interpretação não autorizada das minhas palavras.

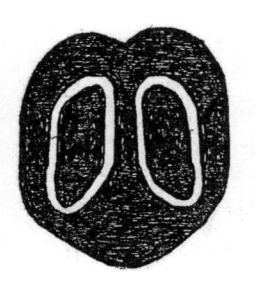

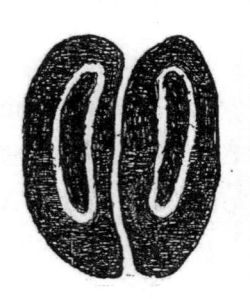

VILMA BARBOSA DIAS

Mestre, não leve a mal o que eu vou perguntar, mas nunca lhe ocorreu que podem cair mal, para a Obra que seu Tio projetava escrever, as insistentes aproximações com o imortal Poema composto por Dante? Lembro, primeiro, que o grande Poeta florentino chamou modestamente seu Poema de A Comédia: Boccaccio foi quem, depois, acrescentou ao título a qualificação de Divina, que a posteridade definitivamente incorporou à obra.

Além disso, até os dois títulos, parece que de propósito, se assemelham — A Divina Comédia, A Divina Viagem! Este paralelo não o incomoda?

DOM PANTERO

Incomoda, sim: o título d'A Divina Viagem foi escolhido por meu Tio, que, às vezes, era um tanto pretensioso. Por isso, estou inclinado a mudá-lo para outro que, na linha de Machado de Assis, Graciliano Ramos e João Cabral de Melo Neto, é bem mais simples, seco, sóbrio e despojado — A Iluminara. Note bem: não A Divina Iluminara; pura e simplesmente A Iluminara. Como A Odisseia! Ou como A Orestíada, que também é uma obra musical, dançarina e teatral, *"uma Tragédia composta segundo o espírito da Música"*. Mas penso também em colocar-lhe o título de Dom Pantero (ou o de Romance de Dom Pantero no Palco dos Pecadores).

Entretanto, mesmo que eu mantenha o título dado por Tio Antero ou que A Ilumiara não chegue a ser concluída, a aproximação da obra dos Savedras com o Poema imortal de Dante não seria descabida. Quero lembrar que A Pedra do Reino, Romance escrito por meu irmão Auro (e obra muito menos importante e abrangente do que A Ilumiara), foi comparado — e não por mim! — com A Divina Comédia. Ouça a referência que, sobre isso, foi publicada n'O Regional, de São José do Belmonte, pelo admirável Hermírio de Carvalho:

Hermírio Savedra de Carvalho Filho

"O Romance d'A Pedra do Reino é um Livro extraordinário, como criação, recriação, fabulação, linguagem, tipos, diálogos, atmosfera mágica, comicidade, erotismo, epopeia. Não sou lá muito de comparações, mas se me perguntassem com que livro eu o compararia, não teria hesitação: com A Divina Comédia. É o mesmo 'passeio' do Personagem por um mundo enigmático, que é, ao mesmo tempo, o Mundo, Deus e seu dilacerado mundo interior; são os mesmos pecados, a mesma pequenez e a mesma grandeza humanas. É, também, dentro das paixões que se chocam, a serenidade: de um lado, a serenidade do irremediável; do outro, a da Divindade, que parece ter uma certa predileção por esse mundo de cactos, pedras, cabras, onças, cavalos pequenos e velozes, homens duros.

"Tudo isto se movimenta numa atmosfera que não é a da realidade e não é a do sonho: Auro Schabino 'criou' uma realidade; e, criando-a, permite-se, com toda propriedade poética, jogar com os elementos mais fantásticos de sua imaginação.

"Eis aqui, parece-me, a recriação mais fascinante que já me foi dado observar em nossa Literatura de um elemento popular, no caso a Literatura de Cordel. O clima é o mesmo, a arbitrariedade e o embalo poético também. Tudo isto, numa imensa 'Plataforma' tão cara às Peças de Teatro de seu irmão Adriel Soares e da qual o *Romance d'A Pedra do Reino* não fugiu: a do palco do Mundo, a do picadeiro do Circo — herança mediterrânea de Calderón de la Barca e que se transforma no Romance, colocando-nos na posição privilegiada de sermos, ao mesmo tempo, espectadores e Atores.

Está aí, talvez, a maior mágica d'*A Pedra do Reino*: Auro Schabino fez um Romance 'circular', de arena, envolvendo na mesma ação personagens e leitores. Repetindo a comparação que fiz a princípio, lembro que *A Divina Comédia* também é um Livro 'circular'.

"O livro de Auro Schabino é um Romance com princípio, meio e fim; que conta uma história 'real' e 'fantástica'; em que, de repente, surgem umas surpresas doidas; em que os homens não são totalmente perfeitos; em que a Divindade de vez em quando dá seus palpites; em que os amores ora são cândidos ora são lascivos; em que se ri e em que se chora.

"Isto como tem acontecido desde o Teatro grego. É tal o entrosamento de Auro Schabino com as fontes mais puras do popular brasileiro que, criando dentro dele ou recriando sobre ele, inventando ou reinventando, compõe uma Obra lírica e trágica ao mesmo tempo.

"Para terminar, digo que, há 12 anos passados, quando Auro Schabino partiu para escrever o *Romance d'A Pedra do Reino*, eu sabia que ele iria escrever 'um Livro-maior'. Valeu a pena esperar. Seu Romance será lido e relido por mim no mesmo pé de igualdade com *Almas Mortas*, de Gógol, *Os Demônios*, de Dostoiévski, *Dom Quixote*, de Cervantes, e as *Confissões*, de Santo Agostinho."

Paulo Roberto Guapiassu

Mestre, nunca ouvi falar no autor desse artigo; mas gostaria muito de citá-lo no texto que, por acaso, venha a escrever sobre o Simpósio. O senhor tem o recorte d'O *Regional* em que ele foi publicado?

Dom Pantero

Não. Eu o tinha, mas perdi-o também, na cheia de 1975.

Maria Zélia de Lucena Nunes

E Cervantes, Mestre? Por que o senhor coloca seu Tio entre ele e Dante, dizendo até que A Iluminara representará a consumação daquilo que seus antecessores apenas anunciavam?

Dom Pantero

É que Cervantes é outro Poieta, outro Escritor de gênio que, ao empreender sua Narrativa, faz com que o Cavaleiro da Triste Figura, como um Ulisses ou um Eneias demente, desça àquele misto de Selva-selvagem e Hades-ibérico que é a Cova de Montesinos.

Rivaldete Oliveira da Silva

Mestre, lembro ao senhor que nunca Dom Quixote delirou e mentiu mais do que ao contar aquela descida!

Dom Pajtero

Por mais que o fizesse, não delirou nem mentiu mais do que Dante ao narrar sua incursão ao Inferno: o que mostra, mais uma vez, que as mentiras e os delírios de meu Tio e Mestre eram apenas provas de seu gênio (resultante da fusão do hemisfério Rei, dantesco, com o hemisfério Palhaço, cervantino).

Além disso, o Dom Quixote é também um enorme Diálogo, uma Divina Comédia que, sendo cavaleiresca como A Demanda do Santo Graal ou Tirante, O Branco, é, ainda, picaresca e milésica, como O Asno de Ouro (e é em homenagem a Apuleio que talvez a primeira parte d'A Ilumiara venha a se chamar O Jumento Sedutor). O casto Cavaleiro que é Dom Quixote é um Galaaz insano, montado em Rocinante; ou um Dante-envelhecido nunca montado — a não ser alegoricamente, platonicamente — em sua Beatriz, Dulcineia. Cervantes fez assim para que seu Dante-Cavaleiro fosse procurar Virgílio, o Mestre, e, ao invés dele, terminasse por encontrar aquela fusão de Lúcio-apuleico e Lazarilho-tormesino que longamente o entrevista na pessoa de Sancho.

Martim Simões

Mestre, peço desculpas por aquilo que pode até parecer uma impertinência minha; mas suas ideias são de tal modo *"originais"* que eu gostaria que o senhor as esclarecesse mais detalhadamente.

Dom Pantero

Julgo notar um leve tom de ironia seu ao falar da "originalidade" de minhas ideias! Ou será que estou enganado?

Martim Simões

Completamente enganado, Mestre! Deus me livre! Queria pedir apenas que o senhor fosse mais claro sobre esse parentesco entre A Iluminara e o Dom Quixote, assim como sobre a natureza musical da obra de Cervantes (já que A Iluminara não está pronta ainda).

Dom Pantero

Vou começar pelo fim, porque não gostei de sua insistência em acentuar que A Iluminara não é, ainda, uma Obra acabada. Já disse, há pouco, que, enquanto ela não se põe de pé, terá, para falar por ela, o Romance d'A Pedra do Reino, de meu irmão Auro, que morreu sem terminá-lo. É como se a tradição de minha Família fosse nunca fechar suas Obras, que, no entanto, receberam a maior compreensão, quanto ao inacabamento, por parte daquele extraordinário escritor que foi Gabriel Ferro. Ele assim falou do romance de Auro no jornal O Monitor, de Garanhuns:

Gabriel Schabino Ferro

"O Portugal verdadeiro só pode ser encontrado hoje num Brasil mais lusíada do que o Portugal remanescente do seu fracasso histórico. Aqui, sobretudo no Nordeste, existe a Pedra do Reino

(como existe, ainda, a recordação do Arraial de Canudos). Antônio Conselheiro, o Profeta rústico do Sertão nordestino, é como um novo Encoberto. E, no Recife, Auro Schabino escreve o seu Romance d'A Pedra do Reino, uma Obra de gênio, sem igual em nossa língua: é, ainda e sempre, a mesma Pedra que, na profecia de Daniel, se transforma numa montanha e enche a Terra inteira, e que é o Quinto Império, o Império de Deus. E, ainda que tenha ficado incompleto, aquele Romance é como as Capelas Imperfeitas do Mosteiro da Batalha, as quais, mesmo inacabadas, constituem uma Obra de gênio criada por um Povo de língua portuguesa; e que, portanto, no campo da Arquitetura, significam o mesmo que o Romance d'A Pedra do Reino no da Literatura.

"O que Auro Schabino fez foi realizar, prodigiosamente, em Romance, na dupla dimensão do histórico-existencial e do mítico--popular, algo de equivalente a uma maravilhosa Viagem onírica, na descoberta do inconsciente coletivo ou arcaico — Viagem que remonta a todo o passado próximo e longínquo da Humanidade; algo que transcende a esfera do individual e que, afinal, é o registro orgânico e ativo, embora secreto, da memória mítica e simbólica, herdada das gerações anteriores; tudo convergindo, porém, no seu gênio de escritor.

"Auro Schabino só pode ser valorativamente apreciado na altíssima perspectiva dos grandes criadores literários, junto daqueles que realmente ultrapassaram as 'escolas', as 'correntes', as 'modas', para ascender — através da verdadeira 'escada de Jacob' que é o

concreto de sua identidade pessoal inserta na identidade coletiva e, por assim dizer, metafísica de seu Povo — até ao que realmente é o universal.

"Mas a interpretação da obra de Auro Schabino ficaria incompleta se não apontássemos e entendêssemos o elemento picaresco, nele sempre complementar do dramático e do épico-mítico. É o humor amargo, quando não trágico, nas linhas convergentes do épico e do picaresco, linhas convergentes da matriz camoniana e sebástica (o *Rei*), cervantina e quixotesca (o *Palhaço*).

"O mesmo é apontar que, por obra e graça de um grande Escritor de língua portuguesa, Dom Sebastião e Dom Quixote se reencontram agora no Sertão nordestino — eles que são os dois arquétipos mais profundos e poderosos da intra-história ibérica, o anverso e o reverso da moeda de ouro peninsular.

"O protagonista do romance de Auro Schabino é um misto de manhoso e positivo Sancho e de Quixote sonhador. No fundo de sua alma é apaixonadamente crente no mito do Encoberto, que um dia virá, no seu Cavalo branco, para elevar o Brasil ao plano de Nação messiânica e redentora: é sempre o paradoxo do picaresco e do épico, trazendo ao espesso da terra e ao grotesco dos homens todo o onírico, o axiológico e mesmo o escatológico que um dia encarnaram num mito ibérico e que reencarnaram na riquíssima Mitogenia brasileira que Auro Schabino exprimiu e assumiu, com a paixão e a graça de seu gênio."

Dom Pajueiro

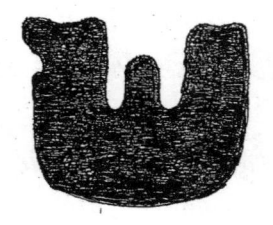

Quanto à outra questão levantada por Martim Simões, volto à observação que fiz quando disse que A Iluminara há de ser a fusão de uma Farsa com "*uma Tragédia composta segundo o espírito da Música*". Falei, também, na importância que tiveram as Variações musicais para a concepção deste Simpósio — que, como todos já puderam ver, é um Espetáculo musical, dançarino, literário, mímico, teatral e vídeo-cinematográfico.

Pois bem: não sei se Vocês sabem que Pabst fez uma versão cinematográfica do Dom Quixote; que Nureiev fez, dele, um Balé, com música de Ludwig Minkus e inspirado na coreografia de Mário Petipa; que Ricardo Strauss compôs as Fantásticas Variações Dom Quixote, para Violino, Viola, Violoncelo e Orquestra; e Manuel de Falla o Retábulo de Mestre Pedro, com um grande barítono espanhol no papel de Dom Quixote.

Ora, sempre achei que, sendo o soprano das cordas, o Violino é fêmea e deveria chamar-se a Violina (e não o Violino). Já a Viola, tenor, é macho, e deveria se chamar o Violo. O Violoncelo, barítono, também é macho e deve permanecer com o nome que sempre foi o seu.

Por isso, se um dia eu me resolver a encenar o Dom Quixote brasileiro, vou fazer dele um misto de Ópera, Teatro, Mamulengo, Balé e Cinema, usando as Variações de Ricardo Strauss como trilha sonora e com Dulcineia falando pela voz da Violina; Sancho pelo Violo; e Dom Quixote pelo Violoncelo.

Agora, confesso que fiquei com medo de que, no futuro, Músicos, Cineastas e Coreógrafos não se lembrassem de fazer com A Ilumiara o mesmo que Pabst, Nureiev, Minkus, Strauss e Manuel de Falla fizeram com o livro de Cervantes. E foi por isso que tratei logo de convocar, para este Simpósio, Músicos como Antonio Madureira; Coreógrafas como Heloísa Duque, Maria Paula Costa Rego e Marisa Queiroga; Dançarinos como Ana Paula e Gilson Santana, Rosane Almeida, Antonio Nóbrega, Pedro Salustiano, Jáflis Nascimento, Bruno Alves dos Santos e Natércio Santana; Cantadores e Cantadeiras como Renata Máttar, Isaar França, Renata Rosa, Oliveira de Panelas, Virgínia Cavalcanti e Edinaldo Cosmo de Santana; tocadores de Flauta, Violino e Violoncelo, como Eltony Nascimento, Sérgio Ferraz e Sebastian Poch; Encenadores, Cenógrafos e Pintores como Romero de Souza Lima, Luiz Carlos Vasconcelos, José Antunes, Manuel Savedra Jaúna e Eveline Borges; e Cineastas como Luiz Fernando Carvalho, Marcus Vilar, Claudio Brito, Douglas Machado, Rosemberg Cariry, Alexandre Montoro e Vladimir Carvalho: eu não queria que, sob nenhum aspecto, a grande Obra sonhada por meu Tio, Mestre e Padrinho ficasse como que ofuscada pelo Dom Quixote (que, recordo, só teve esse caráter de Espetáculo depois, por obra de outros Artistas, e não pelo Autor, no momento mesmo de sua criação, como está acontecendo com A Ilumiara no Palco deste Circo-Teatro Savedra, a partir desta data, sangrenta mas sagrada, que é 9 de Outubro de 2000 — ou melhor, sagrada por ter sido sangrenta a de 1930).

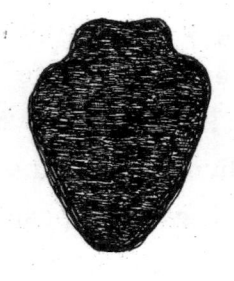

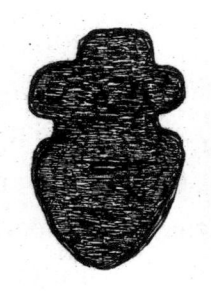

Benedito Nunes

Meu caro Antero Savedra, por motivos parecidos com os de Ivan Neves Pedrosa, também me julgo dispensado do tratamento de Mestre exigido por Você para Dom Pantero. Por outro lado, como Catarina Sant'Anna, não sou nenhum equivocado, e dediquei um ensaio ao *Romance d'A Pedra do Reino*, de Auro Schabino — ensaio no qual destacava o caráter mítico daquela obra. Mas, sobre a relação desse Romance com o *Dom Quixote*, gostaria realmente que Você fosse mais claro.

Dom Pantero

Quanto à dispensa do tratamento de Mestre, estou de acordo, se bem que esteja também com medo de que, de exceção em exceção, a prática se generalize: com as que concedi a Você e a Ivan são duas — e basta!

Agora, a respeito de seu outro pedido, na verdade só tratei aqui mais detidamente das semelhanças entre *A Divina Comédia* e o *Romance dos Encobertos* (que, aliás, se dividiria em 3 partes, das quais Auro só publicou uma — *A Pedra do Reino*).

O Personagem principal da Trilogia era o Narrador, Quaderna, que, na *Guerra da Coluna*, tentando se passar por um novo Dom Sebastião, se apresenta sob o nome falso de Dom Sebastião Pereira. Outros Personagens importantes eram João Tinoque (pai de João Grilo) e Chico Furiba (pai de Chicó). Depois de ver a morte de João Tinoque e Chico Furiba em Piancó — e sobretudo depois de ver a chacina ali levada a efeito por integrantes da Coluna Prestes nas pessoas do Padre Aristides Ferreira e de seus companheiros —, o Narrador deserta, levando consigo os dois Meninos, Chicó e João Grilo. Sua fuga, até Taperoá, seria, no romance de Auro, uma nova Demanda do Santo Graal, realizada no sentido de aquele novo (e falso) Dom Sebastião alçar-se a uma altura maior do que a real, dele — o que aconteceria pela busca do Cálice, capaz de promover sua transfiguração na figura do Encoberto.

Mas, para esclarecer melhor o que estou dizendo, vamos ouvir Maria McBride, que, dotada de inteligência brilhante, revela excepcional bom gosto na escolha dos textos aos quais se dedica. Dei a ela o manuscrito das partes não publicadas do livro de Auro, e é com grande alegria que lhe passo a palavra para apresentar aqui um resumo do artigo que escreveu sobre o Romance e que eu, por intermédio de José Américo de Lima, publiquei n'O Correio do Sertão, de Petrolina — Cidade situada às margens do São Francisco, o Rio mais sagrado do Brasil.

Maria Savedra McBride

"Apesar de publicado em Folhetos e Encartes da Gazeta do Cariry, de Taperoá, interior da Paraíba, o Romance d'A Pedra do Reino, de Auro Schabino, causou, no Sertão, impacto semelhante ao provocado pela encenação do Auto d'A Misericordiosa e o

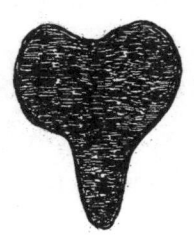

Quengo Astucioso, peça teatral de seu irmão Adriel Soares, encenada em 1956, num Teatro situado em Campina Grande.

"O Personagem principal do Romance é Quaderna, um desertor da *Coluna Prestes*, que foge de Piancó levando consigo dois Meninos, Chicó e João Grilo, filhos de dois integrantes da Coluna, mortos em combate — João Tinoque e Chico Furiba.

"E como, ao relembrar o Pai, Chicó, na medida em que envelhece, vai também com ele se identificando, tanto sua história quanto a de Quaderna vão assumindo, como Narração, o caráter e a forma de uma outra *Demanda do Santo Graal*."

MÁRCIO RODRIGO

Aqui peço licença a Maria McBride, não para contestá-la, mas para dizer que no próprio autor d'*A Pedra do Reino* havia essa tentativa de se identificar com o Pai, que ela acaba de apontar no personagem do Romance.

"Filho do prefeito de Assunção, João Canuto Schabino de Savedra Jaúna, assassinado em decorrência da sangrenta luta política que se desencadeou na Paraíba às vésperas da Revolução de 1930, Auro Schabino procurava reproduzir na área cultural e na Literatura o mesmo caminho do Pai na Política. *Preferia morrer a manchar-se*, a abrir mão de suas convicções e de seus ideais — fato raro em um mundo marcado pela maleabilidade.

"Auro Schabino acreditava fielmente que o Sertão era o Mundo. Costumava lembrar um trecho escrito por seu amigo Alceu Amoroso Lima sobre aquele tema tão caro a ele: 'Do Nordeste para Minas corre um eixo que, não por acaso, segue o curso do *São Francisco* — o rio da unidade nacional. A este eixo o Brasil tem que voltar de vez em quando, para não se esquecer de que é Brasil'.

"O curso do Rio São Francisco exercia uma fascinação tão grande em Auro Schabino que ele decidiu eleger dois Marcos artísticos, unindo as extremidades do eixo entre Minas e o Nordeste. Elegeu o Santuário do Bom Jesus de Matosinhos, em Congonhas, com os 12 profetas do Aleijadinho, como o extremo mineiro. E, com ajuda do grande Escultor popular Arnaldo Barbosa, começou a construir em São José do Belmonte, junto às Pedras do Reino, um novo Santuário.

"No total, são 16 gigantescas Esculturas de pedra, dispostas num círculo, no qual, segundo o idealizador, um semicírculo representaria 'o Sagrado' e o outro 'o Profano'.

"A ideia, vista à distância, poderia parecer um delírio de Auro Schabino. E era. Definitivamente, ele não se incomodava com os comentários que o comparavam ao personagem máximo de Cervantes: 'Dom Quixote só poderia se considerar derrotado se não lutasse', afirmava ele, que não se importava se muitos julgavam perdida sua batalha em defesa da Cultura brasileira. 'A Cultura é a sede da alma e da honra do nosso País', observava ele.

"Gostasse ou não gostasse, quem quisesse, de tais ideias, Auro Schabino, 'o fidalgo do Sertão', vivia convencido de que sua luta não era travada contra os moinhos de vento quixotescos."

Diana Moura

Acho curioso que Márcio Rodrigo fale assim, porque uma vez fiz a dois professores de Literatura uma só e mesma pergunta sobre Quaderna e Dom Quixote — e ambos responderam de um modo que a meu ver lança luz sobre o assunto.

A pergunta nasceu do fato de que a história de um Cavaleiro, utopicamente empenhado em mudar o Mundo para melhor, descreve bem o personagem Dom Quixote, de Cervantes. Mas encaixa-se também em Quaderna. Na minha opinião, mesmo um leitor pouco atento não tem dificuldade para identificar tais aproximações entre Dom Quixote e Quaderna, que, em certos momentos, chegam quase a travar um diálogo.

Então, fiz a Carlos de Souza Lima e Anco Márcio Tenório Vieira a mesma pergunta: "Que semelhanças existem entre Dom Pedro Dinis Quaderna e Dom Quixote?"

Carlos de Souza Lima respondeu: *"Ambos são apaixonados pelos livros. Mas, quando têm que escolher, Dom Quixote decide por mudar o Mundo pelas armas, enquanto Quaderna opta pela Literatura: ele acredita que será capaz de escrever um grande Livro, o maior de todos, capaz de fazer enxergar o Mundo com outros olhos."*

Já Anco Márcio Tenório Vieira respondeu de um modo que se aproxima das palavras que Márcio Rodrigo acaba de pronunciar aqui. Disse ele: *"Todos nós sabemos que a luta de Dom Quixote era inglória; todos somos Cavaleiros da Triste Figura, Cavaleiros que, de uma forma ou de outra, somos sempre derrotados. Mas Dom Quixote também encerra em si a luta dos pequenos e fracos contra os grandes e fortes, a luta de Davi contra Golias. Dom Quixote era a possibilidade de que Davi pudesse vencer, era o sonho de um Mundo diferente, a aposta na Vida. Em Dom Pedro Dinis Ferreira Quaderna havia muito de Dom Quixote e do seu espírito. Mais do que quixotesco, porém, ele era um 'personagem' picaresco. Neste ponto, acho que Auro Schabino era um 'personagem' muito mais quixotesco do que Quaderna. A luta dele por suas ideias — por maiores que sejam as discordâncias que eu tinha e tenho em relação a elas — era*

digna de louvor. Num Mundo em que as pessoas trocam de ideias como quem troca de camisa, Auro Schabino se firmava por sua obstinação e por sua estatura moral — o que, por si só, já era digno de respeito e admiração."

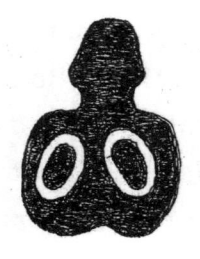

Dom Pantero

Agradeço, aos dois, suas palavras, assim como agradeço a Diana Moura, lembrado que estou da bela matéria que, no Jornal de Arcoverde, ela publicou sobre as litografias, porcelanas e esculturas de Eliza de Andrade, minha mestra de Gravura; assim como de outra sobre meu sobrinho e filho-adotivo, Manuel Savedra Jaúna.

Rosette Fonseca dos Santos

Mas agora vamos passar a palavra a Maria Odília Leal, para que ela apresente seu brilhante Comunicado, que também se liga ao assunto que estamos discutindo.

Maria Odília Leal

"A Demanda é a Aventura culminante que dá forma ao gênero da Novela. Tem 3 Etapas principais: a da Viagem-perigosa, 'Agon', a da Batalha-central, 'Pathos', e a da Exaltação-do-Herói, 'Anagnorisis'.

"No romance (ou Novela) de Auro Schabino está presente 'A Viagem Perigosa' na árdua Jornada que Quaderna empreende a cavalo, por Estradas e descaminhos, atravessando a Caatinga espinhenta e pedregosa até chegar à Pedra do Reino.

"A segunda etapa, 'Pathos', aparece quando ele, a pé, sobe a Serra do Reino e entra em conflito com alguns membros de uma Família inimiga: o significado da subida é óbvio e também faz parte da prova do Cavaleiro; trata-se de uma Ladeira íngreme, cercada de Mato espinhoso. O Sol e o calor agravam o esforço da subida. O Herói acha que não poderá suportar a prova e chega a pressentir a Morte iminente. Mas consegue chegar ao cume da Serra, e coroar sua 'batalha' contra a Família inimiga matando uma Onça, o que, para ele, assume as proporções heroicas de um combate mortal.

"Finalmente, a terceira etapa da Demanda, a da 'exaltação do Herói', acontece quando o Personagem se coroa e se consagra a si mesmo como 'Rei e Profeta do Quinto Império do Brasil'.

"Entretanto, a característica caleidoscópica, a contínua transformação da Narrativa, faz com que, ao lado desta versão idealizada e cavaleiresca da Demanda, apareça uma outra, realista, irônica e picaresca.

"Olhadas dessa perspectiva realista, as Aventuras que acabaram de consagrar o Personagem como Cavaleiro são bem semelhantes às de Dom Quixote, constituindo também uma paródia da Novela de Cavalaria, pois, em sua função de Narrador, o Herói, como um verdadeiro Pícaro, revela, realística e despudoradamente, todos os truques de que se serviu para projetar sua imagem heroica. Neste sentido, o Personagem — que, primeiro, como Dom Quixote, é apresentado como um *'alazon'* — agora desempenha uma função semelhante à de Sancho Pança, *'eiron'*.

"Os termos 'alazon' e 'eiron' foram primeiro usados por Aristóteles. 'Alazon' é o Personagem que tem ilusões sobre si mesmo, que se acredita superior ao que realmente é. 'Eiron' designa o Personagem que se deprecia, se menospreza.

"O Romance d'A Pedra do Reino pode, realmente, ser olhado como uma Aprendizagem que toma um Pícaro, 'Eiron', e o transforma num Cavaleiro, 'Alazon'. Aí, segue evolução oposta à da obra-prima de Cervantes, que termina com Dom Quixote chegando à evidência de que não há futuro para o heroísmo, que ele é um Homem comum, ordinário, e não um ser superior, um Herói semelhante aos da Novela de Cavalaria.

"Em suma: ao contrário de Dom Quixote, Quaderna parte da realidade para terminar no idealismo; começa com uma Narrativa irônica e termina com uma visão idealizada do Mundo. O gênio de Auro Schabino se revela no acerto dos meios de que se utiliza para unificar tantos e tão diversos elementos num todo orgânico."

Dom Pajtero

Como se vê por aí, esta Mulher admirável que é Odília Leal, não somente considera meu irmão Auro Schabino *"um gênio"*, mas concorda com o que aqui se vinha dizendo sobre as semelhanças entre o Dom Quixote e o Romance d'A Pedra do Reino — o que, sem dúvida, é um dos maiores elogios que a este se podem fazer.

Ascenso Café

Pois, a meu ver, o Comunicado feito por Odília Leal contém uma crítica violentamente contrária ao romance de Auro Schabino e é um desmentido frontal às palavras de Antero Savedra sobre as supostas semelhanças entre A Pedra do Reino e o Dom Quixote — obras que, segundo a própria Odília Leal, caminham em direções opostas: na de Cervantes, Dom Quixote *"aprende que não existe futuro para o heroísmo e que ele próprio é um homem comum"*; no romance de Auro Schabino acontece o contrário com o ridículo *"Dom Pedro Dinis Quaderna, O Decifrador"*. E eu gostaria de saber o que é que o *"iluminado"* Antero Savedra tem a dizer sobre isso.

Dom Pantero

Aquilo que Você chama de *"crítica violentamente contrária"* é um dos maiores elogios já feitos ao Romance d'A Pedra do Reino. Primeiro, porque mostra que o livro de Auro não é uma imitação rasteira da genial Novela de Cavalaria escrita por Cervantes. Depois porque a diferença apontada por Odília Leal termina assinalando o único pecado, a única mancha do Cavaleiro da Triste Figura. Na minha opinião, a única derrota verdadeira sofrida por Dom Quixote acontece quando, no fim do Romance imortal, ele chega à conclusão de que seu generoso Sonho era uma quimera grotesca, fantástica, ridícula, vã.

Mas mesmo que assim aconteça, isso não impede que nós, como Sancho, admiremos e amemos o Cavaleiro; nem nos impede de ver que Dom Quixote, por dentro e em alguns casos de sofrimento maior, tinha consciência de sua terrível sorte.

Na verdade, é profundamente simpática e tocante a avaliação que faz Sancho sobre seu senhor:

Sancho Schabino de Saavedra

"Sou fiel a Dom Quixote. Somos do mesmo lugar, comi seu pão, quero-lhe bem. Ele é agradecido e generoso, e já agora é impossível que nos separe outro acontecimento que não seja o de jogarem algumas pás de terra em cima de qualquer um de nós dois."

Dom Pantero

E não posso ouvir sem profunda piedade a dolorosa apóstrofe em que Dom Quixote mostra como, mesmo enredado nas teias da demência, enxerga a desventura de sua condição:

Dom Quixote Schabino de Saavedra

"Nasci para ser exemplo dos desditosos e alvo das flechas da má-fortuna. Sou o mais desgraçado de todos os Homens."

Dom Pantero

Nisto o Romance d'A Pedra do Reino tem um parentesco de linhagem com o Dom Quixote; e afasta-se do imortal Romance escrito por Cervantes porque, nele, Quaderna mantém aceso até o fim, pela Arte, o fogo de seu Sonho.

E o que digo do Personagem pode-se aplicar também a seu criador: não importa que Auro Schabino (como nosso Pai e Adriel) tenha sido assassinado pelos inimigos de seu generoso Sonho; do tacanho e rasteiro ponto de vista dos ricos, dos poderosos e das "*pessoas sensatas*", o Cristo também morreu derrotado — o que somente aconteceria, porém, se Ele se resignasse a abandonar sua Missão, concordando em passar de "*Alazon*" a "*Eiron*".

Consuelo Pondé

Mestre, uma vez ouvi Wellington Aguiar falar muito mal dos Savedras. Além de ser contrário a "*todas as ideias arcaicas, ultrapassadas e oligárquicas que os Savedras sustentam desde 1930*", ele não perdoa o fato de que Vocês, ainda hoje, teimam em não aceitar a mudança do nome da Cidade da Paraíba para João Pessoa.

Dom Pantero

Querida Consuelo, entre os Paraibanos ilustres, dou importância a Augusto dos Anjos por ter escrito o Eu; a José Américo de Almeida, por A Bagaceira; e a José Lins do Rego por causa de Meus Verdes Anos, Banguê, Fogo Morto, Pedra Bonita e Cangaceiros.

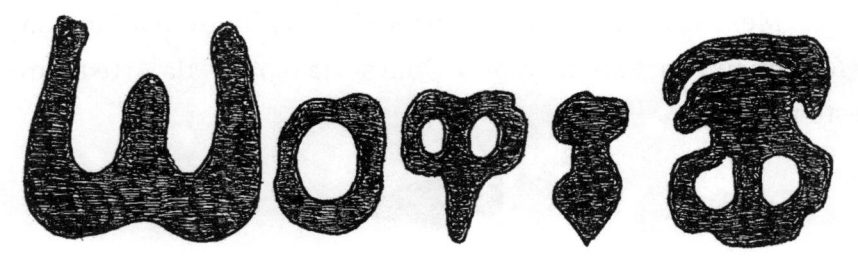

João Pessoa e Wellington Aguiar são, sem dúvida, paraibanos ilustres. Mas não me parece que tenham escrito obras da mesma importância que aquelas. Ainda assim, caso a cidade natal de Wellington Aguiar invente de mudar seu nome para Wellington Aguiar, não estarei de acordo, mas não moverei uma palha para evitar isso, porque acho que "*cada Cidade tem o nome que merece*".

Luiz Fernando Carvalho

Mestre, Altino, Auro e Adriel viam o Mundo e a Vida como se fossem um Pasto incendiado. Qual seria o papel da Arte no meio deste incêndio?

Dom Pantero

Salvar da cinza e das chamas algo de belo e imperecível que nos afirmasse e consolasse diante do fogo, do mal, do feio e do sofrimento. Quanto a mim, minha alma só arde quando, no Palco, por meio do "Riso a cavalo" e do "galope do Sonho", consigo vencer a tristeza, as humilhações, o desordenado e as injustiças do Mundo, armando-me como Cavaleiro capaz de criar a Beleza e, ao mesmo tempo, de lutar, com as armas de que disponho, em favor dos desvalidos e infortunados desta Vida.

Niède Guidon

Mestre, não vou me pronunciar sobre as concordâncias, ou discordâncias, que mantenho em relação a tudo o que Você fala sobre a Arte rupestre. O que tenho a perguntar é mais grave, porque a indagação questiona o próprio processo de criação do Livro que Você pretende fazer com fundamento nos debates do

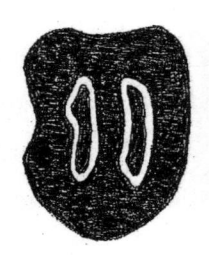

Simpósio. Você não tem medo de que o processo dialogal — que vai adotar por causa da Entrevista — acabe com aquela espécie de encantação que nos causa a leitura dos grandes Romances?

Dom Pantero

Não, não tenho! E, feliz de estar falando com a grande Mulher que revelou para o Mundo a beleza e a importância desse inestimável patrimônio da Arte brasileira que é a Serra da Capivara, digo-lhe que não tenho medo, porque o tipo de encantação que haverá n'A Ilumiara é diferente, mas não menos intenso, do que o de Romances como Almas Mortas, Crime e Castigo ou Os Demônios. Lembro a Você que, como Hamlet e Orestes, Auro — principal responsável pelo que A Ilumiara terá de Romance — era filho de um Rei assassinado; mas, ao assumir o papel profético (e falhado) que foi o dele na Favela-Consagrada da Ilha de Deus, Auro se viu transformado numa espécie de Misantropo e *"palmatória do Mundo"*, de convivência tão incômoda e desagradável quanto o imortal personagem de Molière; ou quanto aquele outro imortal Personagem que é o Antônio Conselheiro que aparece n'Os Sertões — obra que lemos com encantação igual àquela que experimentamos lendo A Orestíada, Quincas Borba ou Os Irmãos Karamázov.

Lembro ainda que o Filósofo do romance de Machado de Assis é também incômodo, inconveniente e insano; assim como é inconveniente, insano, incômodo e ridículo o quase-profeta Policarpo Quaresma, de Lima Barreto (que, porém, no fim, assume proporções trágicas).

Por isso, não tenho medo de que falte encantação à leitura de uma Obra resultante da fusão do espírito e da forma do Eu, do Hamlet, d'O Misantropo, d'Os Sertões, de Quincas Borba e do Triste Fim de Policarpo Quaresma. Principalmente porque em tudo o que escrevo sob forma dialogal — seja, ou não, o texto destinado ao Teatro — tenho sempre presentes as palavras de Antônio Vieyra, que escreveu, um dia:

Antônio Schabino Vieyra

"O primor e a sutileza da Arte cênica consiste na suspensão do entendimento e no enleio dos sentidos com que o Enredo nos vai levando após si, encobrindo-se o fim da história sem que se possa entender onde irá parar senão quando o mesmo fim vai chegando e se revela de súbito, entre a expectação e o aplauso do Público."

Dom Pantero

De tal modo (não sendo megalomaníaco e vaidoso como Quaderna ou como meu Tio, Padrinho e Mestre, Antero Schabino), sei que jamais alcançarei aquela forma de encantação que existe na leitura de Scaramouche, d'Os Maias, d'O Guarani ou d'O Conde de Monte Cristo. Mas *"a suspensão do entendimento e o enleio dos*

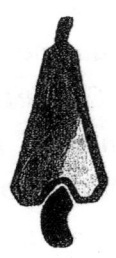

sentidos" presentes em obras como O Misantropo, Édipo Rei, Os Demônios, Almas Mortas ou Dom Quixote, estes sim, tenho plena convicção de que A Ilumiara os alcançará.

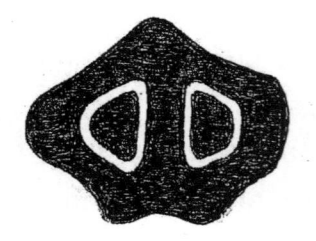

Gabriela Martin

Mestre, quanto ao rigor ou não rigor científico de suas opiniões sobre a Arte rupestre, faço minhas as palavras de Nièdé Guidon. Mas meus temores sobre a sorte e a qualidade literária da Obra a ser feita a partir deste Simpósio nascem de uma dúvida ainda mais grave do que a dela. Gira sobre a Política, assunto que de vez em quando aparece em sua fala e que, se o senhor não tomar cuidado, vai manchar de forma irreparável a Obra que seu Tio e Mestre lhe confiou em momento tão grave. A meu ver, a Política, num Romance, pode destruir exatamente a "*suspensão do entendimento*", o "*enleio dos sentidos*" que, segundo Antônio Vieyra, constitui o maior encanto da Arte. Não se esqueça daquilo que Stendhal afirmou:

Henrique Beyle Stendhal Savedra

"*No meio dos interesses da imaginação a Política é como um tiro de Pistola no meio de um Concerto. Não se harmoniza com o som de nenhum instrumento musical. E, qualquer que seja aquela que venha a aparecer no Romance, irá ofender mortalmente metade das pessoas e aborrecer a outra metade.*"

Dom Pantero

Antes de mais nada, deixe-me também prestar minhas homenagens a essa outra grande Mulher que, além de revelar ao Povo brasileiro o patrimônio da Arte rupestre do Seridó, foi quem me colocou nas mãos o Diário manuscrito de meu Tio João Soares Sotero Veiga Schabino de Savedra, o famoso Livro Negro do Cotidiano; roubado pela Polícia em 1930, foi localizado por Gabriela Martin, que assim contribuiu, de modo incomparável, para os fundamentos gráficos e literários mais importantes entre os que, um dia, possibilitarão a feitura d'A Ilumiara.

Dito isto, devo explicar que Auro tinha, em relação à Política, as mesmas preocupações que Você revelou, Gabriela. Ia mais longe, até: dizia que a atividade política só é necessária porque os Seres-humanos ainda estão a-caminho e muito distantes daquele Absoluto libertário e justo para o qual, segundo Hegel, nos dirigimos.

Quanto às palavras de Stendhal, quero lembrar que elas foram incluídas no texto de O Vermelho e o Negro, um dos Romances mais decididamônte políticos entre todos os que já foram escritos — afirmação que se pode fazer, também, a respeito de Os Demônios, de Dostoiévski.

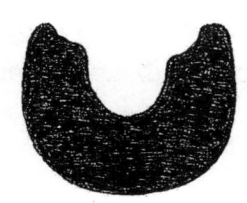

Mas Stendhal tem razão quando afirma que, num Romance, a Política pode ofender ou aborrecer mortalmente seus leitores: é o que acontece, por exemplo, com os Marxistas em relação a Dostoiévski, o único Escritor que se emparelha com Shakespeare e com Cervantes, mas a quem, por aversão política, Lênine, Trótski e Stáline detestavam; o que não significa que eu deseje ver o Brasil se assemelhar àquela Rússia tirânica, "ortodoxa" e fanática que Dostoiévski amava. Mas não desejo, também, vê-lo submetido aos horrores opressivos e brutais do "centralismo democrático" e da "ditadura do Proletariado".

De qualquer maneira, atento a tudo isso, resolvi que, no universo d'A Ilumiara, a mancha da Política seria reparada pela Poesia, por obra e graça dos versos de Albano Cervonegro e de outros Poetas — entre os quais Augusto dos Anjos —, o que poderá corrigir "*o deserto das ideias*" (inclusive políticas), nem que seja "*pelo magnetismo misterioso do desespero endêmico do Inferno*":

Albano Cervonegro

Saturno esverdeado, Mangue turvo, o limiar da Morte, a Flecha e o Dardo. O Medo. A verde treva da Serpente. O sofrimento mudo e o Desbarato. N'água salobra e infecta dorme a Cobra. E o Corvo azul persegue o Gato-pardo.

Wilson Martins Savedra

"*Diante de tudo o que aqui se vai dizendo, ocorre-me fazer uma indagação, uma pergunta: quais são os grandes Romances que apareceram no Brasil depois do Grande Sertão: Veredas, de João Guimarães Rosa?*

"Posso estar cometendo alguma injustiça, mas neste momento só vejo A Pedra do Reino, de Auro Schabino. Guimarães Rosa colocou o Romance brasileiro contra a parede: é muito difícil ir além dele e é impossível recuar. Terá que aparecer um Gênio que consiga restaurar ou revitalizar o gênero, como fez Guimarães Rosa com sua obra em relação ao Romance nordestino.

"Esse Romance dos anos 30 e 40 era de natureza substancialmente sociológica e política. Vindo em seguida, Rosa representou uma reação mais esteticista, de criação literária mais exacerbada, inclusive nos aspectos linguísticos. É possível que, com o esgotamento dessa inspiração, alguma coisa nova apareça. E será, em termos hegelianos, uma síntese dessas duas tendências, a que não escapamos."

Braulio Schabino Tavares

"A opção de Auro Schabino pelo Romance pode ter sofrido influência indireta do lançamento do Grande Sertão: Veredas, que fez emergir uma camada oculta do Brasil, da qual só se conhecia uma face superficial — o Romance sertanejo — e que Guimarães Rosa foi buscar nos níveis mais profundos da universalidade literária.

"Auro Schabino vinha tentando há anos escrever uma biografia de seu Pai. Era um tema difícil e doloroso, e o texto, muitas vezes recomeçado, não avançava. O impacto do Sertão literário de Guimarães Rosa pode ter produzido nele a mais saudável das influências. Não a de quem, impressionado com a obra alheia, tenta imitar-lhe as técnicas ou adotar-lhe os temas, mas a de quem percebe de que maneira aquele autor soube criar um território próprio, em que história, ambiente, memória pessoal e voz narrativa se fundem para produzir um texto; só que desta vez tudo visto por quem tinha tanto a dimensão do cômico quanto a do trágico, e utilizando um instrumento, o Romance, capaz de comportar todos os ângulos de sua Visão."

Wilson Martins Savedra

"Realmente *A Pedra do Reino* é um Romance extraordinário, com uma técnica inteiramente nova em sua Narrativa. Não é um Romance regionalista. Auro Schabino criou um estilo metafórico para descrever fatos reais num plano altamente literário. Integrou um realismo mágico ao realismo propriamente dito, o Sertão a uma *ideia* de Sertão. O milagre — se é que é milagre — é que tenha conseguido homogeneizar tantas coisas diferentes num texto único, coerente e de grande equilíbrio interno."

Dom Pantero

Profundamente comovido, em nome de meu irmão Auro agradeço as intervenções de Wilson Martins e Braulio Tavares. Mas atrevo-me a pedir aos dois que esperem A Ilumiara: acredito que, depois de sua leitura, ambos vão ter que acrescentar alguma coisa a suas brilhantes e generosas palavras; inclusive no que diz respeito àquele "*Gênio*" que, segundo Wilson Martins, iria aparecer para destruir a parede contra a qual João Guimarães Rosa teria encostado o Romance brasileiro.

Gerson Camarotti

Mestre, gostaria que o senhor nos falasse sobre as acusações que às vezes lhe são feitas de ser "*um Dom Quixote arcaico*". O que o senhor tem a dizer a respeito disso?

Dom Pantero

Não perca tempo com essa gente não, meu caro Gerson! Esses "*equivocados*" são um bando de incompetentes, nem a

Gravuras do Livro Negro do Cotidiano

insultar-me acertam! Julgam que me ofendem, e o que fazem é deixar-me orgulhoso ao me comparar com o Personagem que mais admiro no Mundo!

Carlos Humberto Carneiro da Cunha

Meu caro Antero Savedra, já que Gerson falou em Dom Quixote, quero lembrar-lhe: uma vez, conversando com Você sobre o curso da História ocidental, disse-lhe que, na minha opinião, a principal característica dos Portugueses e Espanhóis era uma certa *"inoportunidade épica"*, uma *"extemporaneidade heroica"*. Você acha que Dom Sebastião e Dom Quixote são dois exemplos típicos dessa característica que apontei?

Dom Pantero

Acho, e quero felicitá-lo pela agudeza de sua observação! No entanto, com toda a simpatia que tenho pelos dois, devo dizer-lhe, primeiro, que no belo delírio, no sonho generoso de Dom Sebastião, existe uma mancha, que marca todo o resto e que só lhe perdoamos por sua coragem e por sua morte, pois *"a Morte em sangue sagra a vida inteira"*. Essa mancha veio do fato de ele ter atacado os Árabes e Negros-muçulmanos, nossos irmãos (por serem, como nós, filhos da Rainha do Meio-Dia). De qualquer modo, foi um Cavaleiro e não pode ser comparado aos covardes ingleses, americanos ou franceses que, armados com artefatos poderosos, se escondem nos seus Gabinetes e de lá, protegidos, assassinam as populações indefesas do Oriente Médio ou do norte da África.

Paulo Vanzolini
E quanto a Dom Quixote? O que pensa a respeito dele?

Dom Pantero
Glosando palavras suas sobre Napoleão Bonaparte, quero lhe dizer que, quando estou na Estrada e no Palco, "*pondo a modéstia de parte, é Dom Quixote e eu*"; pois ambos sabemos: o que importa é o Sonho, o delírio, a generosa loucura que nos impele para frente.

Talvez pelo fato de ser um Ator e Encenador (que em tal condição tem levado seus Músicos, Cantores e Bailarinos por muitas cidades do Sertão), ou talvez por causa do fascínio que "*a Estrada e o Palco*" sempre exerceram sobre mim, no Dom Quixote dois dos meus Episódios prediletos são aqueles em que Sancho e o Cavaleiro encontram, numa Estrada, uma Trupe-teatral ambulante; e, numa Hospedaria, o Teatro-de-bonecos de Mestre Pedro, que, num Palco improvisado, encena o Retábulo, depois genialmente musicado por Manuel de Falla.

Levando em consideração esta importância que o Palco e a Estrada têm para mim (mas também, com todo respeito, a discordância que sempre mantive em relação ao fim destinado por Cervantes ao Cavaleiro da Triste Figura), assim eu ousaria refazer o final do Dom Quixote:

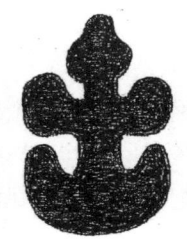

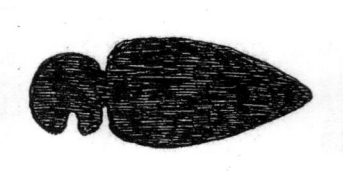

Antero Miguel de Cervantes Savedra

"Como as coisas humanas não são eternas e vão sempre em declinação desde o princípio até seu último fim, especialmente a vida humana; e como a de Dom Quixote não tivesse privilégio do Céu para deixar de seguir o seu termo e acabamento, veio-lhe uma febre que o teve seis dias de cama, sendo visitado muitas vezes pelo Cura, pelo Bacharel e pelo Barbeiro, seus amigos, sem se lhe tirar da cabeceira o seu bom Escudeiro, Sancho Pança.

"Ao anoitecer do sexto para o sétimo dia de sua doença, seus amigos chamaram o Médico; tomou-lhe este o pulso e disse-lhe que, pelo sim, pelo não, cuidasse da salvação da sua alma porque a do corpo corria perigo.

"Ouviu-o Dom Quixote, que logo se confessou com o Cura, o que fez de ânimo sossegado; mas não se portaram da mesma forma a Sobrinha e Sancho, que principiaram a chorar ternamente, como se já o tivessem morto diante de si.

"Dom Quixote pediu que o deixassem só, porque queria dormir um pouco naquele começo de noite. Obedeceram-lhe e saíram, fechando a porta. Mas ele, assim que se viu só, levantou-se com dificuldade, tomou a Armadura e a Lança, pulou a janela, vestiu a primeira, empunhou a segunda e, arrastando-se, conseguiu chegar à Estrebaria, onde Rocinante cochilava.

"Arreou o Cavalo, montou-o e, andando a passo, chegou à Estrada, onde estacou, de Lança em riste, esperando que lhe aparecesse algum Gigante a enfrentar, alguma injustiça contra a qual *lutasse, para levar até o fim a generosa e bela Empresa à qual dedicara toda a sua vida.*

"*Ali, ao amanhecer, Sancho, com seus preocupados parentes e amigos, foi encontrá-lo morto, montado, de Lança em punho, com os primeiros raios do Sol a lhe iluminarem o rosto magro por 'uma estranha luz de devaneio' — como chegou a dizer o Cura, afastando-se, por um instante, de seu tacanho bom senso habitual, o que somente fora possível graças à indômita coragem do Cavaleiro, fiel a seu insano mas generoso Sonho até diante da Morte.*"

Aderbal Freire Filho

Mestre, segundo Jorge Luis Borges, o que falta a Quevedo para gozar da fama de Cervantes é uma grande Obra (como o Dom Quixote). Sem querer exagerar e duplicar esse valor cervantino da obra dos Savedras, é possível dizer que o Romance d'A Pedra do Reino é uma grande Obra, cada vez mais lida e reconhecida como um marco da Literatura brasileira.

Com esta observação sobre a grande Obra, não quero diminuir o valor das "Comédias exemplares", como, ainda num paralelo com Cervantes, podem ser chamadas as peças de Adriel Soares, cujo Auto d'A Misericordiosa é hoje um clássico do Teatro brasileiro.

Dom Pantero

Você não avalia a importância que para mim têm suas luminosas palavras, que agradeço de todo o coração, meu caro Aderbal!

Para que todos os nobres Cavaleiros e belas Damas aqui presentes entendam seu alcance e a verdadeira significação que elas assumem para mim, devo confessar que somente agora, ao ouvi-las, entendi o que deveria fazer para o Simpósio Quaterna finalmente realizar a Obra que o Brasil e os Savedras merecem.

Para isso, em primeiro lugar, não devo esquecer que, como Encenador e herdeiro de Auro e Adriel, passei a ser, no mínimo, coautor da *"grande Obra"* e das *"Comédias exemplares"*, escritas por eles.

Quanto a estas, poderei até reformulá-las como *"Novelas exemplares"*, a fim de tornar ainda mais justas as generosas palavras de Aderbal Freire Filho. Não tenho qualquer dúvida sobre sua qualidade, porque Ricardo Schöpke escreveu, n'O Regional de Belmonte:

Ricardo Schabino Schöpke

"A França tem Molière. O Brasil felizmente tem Adriel Soares — mestre que soube retratar as principais características do comportamento humano."

Dom Pantero

Quanto ao Romance d'A Pedra do Reino, o que vou fazer é considerá-lo como uma Airesiana Brasileira em Fá-Maior, uma introdução ao Romance de Dom Pantero no Palco dos Pecadores; assim, fica ele incluído n'A Ilumiara (a qual, por sua vez, fundindo uma lírica poderosa, como a do Eu, ao épico de Os Sertões e ao humorístico de Quincas Borba e do Triste Fim de Policarpo Quaresma, passará a significar para o Brasil o mesmo que o Dom Quixote para a Espanha). Lembro-me de Balzac: quando, pela primeira vez, lhe ocorreu a ideia de juntar tudo o que fizera e viria a fazer num conjunto grandioso, A Comédia Humana, ele já publicara dois ou três Romances que hoje integram a grande Obra. Então, fez neles pequenas modificações que os introduzissem no todo. E, concluído esse trabalho, entrou, deslumbrado, na casa da irmã, gritando-lhe, com o estardalhaço que lhe era habitual: *"Curve-se diante de mim. Estou a caminho de me tornar um Gênio."*

Coisa semelhante pretendo fazer com A Iluminara, para, nela, fundir uma Divina Comédia (o Rei) com uma Comédia Humana (O Palhaço).

Maria Lopes

Mestre, já que Você entrou por aí, vou passar a palavra a Salete Catão Grisi, que tem algo a dizer sobre o assunto.

Salete Catão Grisi

"Achei excelente essa ideia que teve nosso Mestre de, pela 'Polifonia inversa' de Constâncio Porta, tentar reunir, num conjunto orgânico, as vozes mais diferentes. É como se a Literatura fosse

um espaço homogêneo onde as particularidades individuais e as características cronológicas tendessem a desaparecer — o que nos conduz ao conceito de 'Literatura universal', no sentido de abranger uma vasta criação em que todos os Escritores seriam um ponto de encontro, encarnando uma espécie de Espírito-intemporal.

"Segundo esta visão, poderíamos considerar todas as obras da Literatura como obras de um Autor único, no qual seria possível 'reconhecer' outras vozes, outros textos de várias Literaturas e épocas diferentes — o que determinaria o destino de imortalidade da Obra, estando ela sempre a renascer no Tempo, mesmo que pereçam as pessoas que escreveram e as Línguas em que foram escritas.

"Ponderações como estas nos incitam a perceber nas entrelinhas de Proust um rastro baudelairiano, às vezes beirando a Paráfrase, como é o caso do Poema *A une passante*, que se acha transformado em Prosa em um dos volumes de *Em Busca do Tempo Perdido*. Fica evidente, ali, que Proust está ludicamente dialogando com o repertório literário de seu Leitor-virtual e demonstrando sua admiração por Baudelaire. Também Chateaubriand e Flaubert são convocados para fazer da intertextualidade um traço decididamente moderno e frequente em Marcel Proust.

"Esse Diálogo entre épocas, autores e gêneros não deixa indiferentes os Leitores, sobretudo os inveterados, aqueles que não conseguem parar de ler. E é na qualidade de Leitora inveterada que, partindo da visão do Autor-universal confluente, relaciono dois Escritores de épocas e Países distintos — Marcel Proust e Auro Schabino.

"Começaríamos por mediar a distância que os separa cronológica e geograficamente através do tratamento idêntico que ambos dão à realidade. Tanto *Em Busca do Tempo Perdido* como *A Pedra do Reino* são Romances em que a realidade está sempre se refazendo através de experiências e relatos anteriores ou posteriores ao acontecimento narrado, de forma a obter uma realidade menos infiel, mas sempre incompleta.

"O Narrador proustiano conta-nos, por exemplo, quantas vezes se perdeu em devaneios sobre a praia de *Balbec*, com sua Igreja banhada pelas águas do Mar. Esta imagem idílica sofre uma amarga desilusão quando da sua ida ao lugar: ele constata que a Igreja e a Praia são bem distantes uma da outra.

"Por sua vez, em Auro Schabino, no capítulo em que o Narrador fala sobre as Pedras do Reino ele adianta, de forma idêntica à de Proust, que, de acordo com as leituras feitas sobre o assunto, sempre tivera daquelas Pedras uma visão encantada, pois a descrição dava conta de que uma das Pedras era incrustada por uma espécie de chuvisco prateado, e isto o levava a compará-la com um Tesouro. Qual nada! Ao vê-las, a decepção não poderia ser maior. O brilho de que falavam nada mais era do que 'as manchas ferrujosas de líquenes secos, que nós chamamos, aqui no Sertão, de *mijo-de-mocó*'.

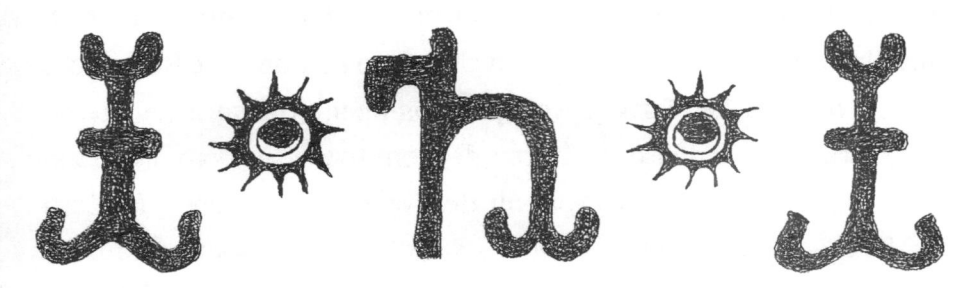

"Essa realidade decepcionantemente redutora seria o traço comum entre Proust e Auro Schabino. Até nas palavras utilizadas eles são, por momentos, idênticos. Em ambos esses grandes Escritores, a realidade decepciona porque difere da Imagem projetada, que se situa numa dimensão maior. O encanto do real estaria justamente naquilo que lhe é acrescido pela imaginação. É como se as coisas e as pessoas parecessem belas de longe, revelando-se sem beleza, ou melhor, sem mistério, quando próximas. A nós, receptores de uma imensa Herança coletiva feita de memória ou de pura invenção, resta — ainda bem! — o mundo da desmedida, do real ultrarrepresentado, que a Literatura (essa incrível Arma de mobilidade no repouso) nos possibilita."

Dom Pantero

Muito lhe agradeço por esse Comunicado, tão brilhante, justo e compreensivo quanto sua própria Autora! Aliás, com o assunto e *"os dois grandes Escritores"* que Você escolheu, Salete, seria quase impossível o Comunicado não ser brilhante! E quero até acrescentar, aqui, uma reflexão que acaba de me ocorrer ao ouvi-la. Muitas vezes já pensei em chamar o conjunto de Romances que formam A Iluniara (e dos quais os primeiros serão A Pedra do Reino e O Jumento Sedutor) de Romance de Dom Mariano no Espelho dos Encobertos; ou de Romance de Dom Pantero no Palco dos Pecadores; ou, mais simplesmente, apenas de Dom

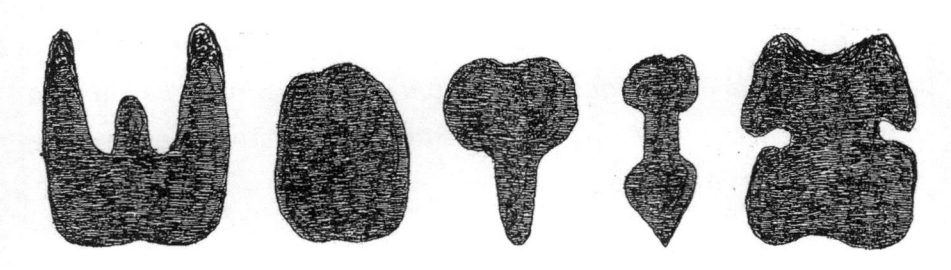

Pantero: pois, assim como Dom Quixote foi a última e maior de todas as Novelas de Cavalaria já escritas (e o primeiro e maior dos Romances modernos, aquele com o qual somente Os Demônios e Os Irmãos Karamázov se equiparam), assim também A Ilumiara será o último dos grandes Romances *"feitos a mão"* e ao mesmo tempo o primeiro dos grandes romances do Terceiro Milênio; aquele que, como certa vez afirmou Wilson Madeira Filho, *"por ser lavrado com uma paixão artesanal fornece o símile da paixão pelo ofício, criando uma produção sui generis, Obras-de-arte feitas a mão e expostas em Molduras, nas casas dos amigos, em museus, casas-de-cultura etc., e criando, com isso, uma Literatura cuja leitura só se torna possível pela prática itinerante de seus possíveis Leitores. Auro Schabino não precisava utilizar o Computador porque, de certa forma, inventara seu próprio Computador. Assim, em busca de um tempo de Esclarecimento e recuperando, pela metáfora, o Sangue derramado do Pai, com a Literatura como Palco-de-resgate de um Trono político, Auro Schabino estaria a relatar, alegoricamente, sua própria biografia. Numa contemporaneidade pretensamente globalizada, num universo de desconstrução do Sujeito, a técnica do fragmentário (sem deletar, do Jogo, o Acaso) estará também, e com toda certeza, preparando o ressurgimento de um Desejado, talvez já um Encoberto — o Virtual";* isto é, acrescento eu, A Ilumiara será o grande Romance que, transcrito para o Computador e incluindo Discos vídeo-cinematográficos, inaugura triunfalmente a Arte "*do Terceiro Milênio*", ao mesmo tempo em que conclui, também triunfalmente, a do Primeiro e a do Segundo.

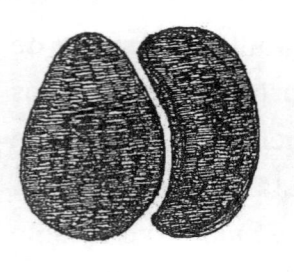

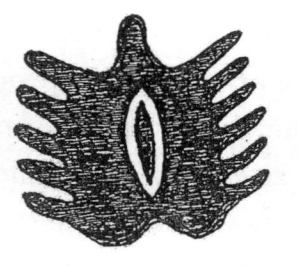

Mas agora, ouvindo o magnífico Comunicado de Salete Catão Grisi, vejo que, n'A Ilumiara, também poderia ser colocado o título de Em Busca da Inocência Perdida; ou o de Em Busca do Pai Perdido; ou, finalmente, Em Busca da Infância Perdida, uma vez que a morte sangrenta do Pai marcou para sempre a nossa infância, aquela época em que, nas fases melhores do Sertão, víamos o Mundo inteiro como um Paraíso no qual, inocentes, vagávamos entre as águas dos Riachos, os topes vermelhos das Coroas-de--Frade, as Cabras, os Cavalos, as Pedras — tudo brilhando, recoberto que estava o nosso universo por "*um Chuvisco prateado*" que dava às coisas, às pessoas, às casas, à vida, "*um selo de Eternidade*".

José Laurenio de Melo

"*Coisas da mão esquerda. Um Homem, sentado na amurada do Cais, não pensa. Absorve, sem pesar nem relacionar. Tudo ficou por fazer. A poesia, nenhuma. As palavras não me configuram. Abandono-me a elas, para continuar o mínimo de mim mesmo. A pena, o silêncio, a agonia e algo que, não pressentido, desvaira em secreta solidão. É claro que já não estou na amurada. E que importa que esteja em algum lugar? Sei que estou vivo. A mão que escreve me prova isto, me consola e me diverte.*"

Samarone Lima de Savedra

"Dou voltas ao Avesso, tocando o dorso da mesma Cicatriz. Como um Cego no sereno, teimo em ver minha semelhança onde já não existe Espelho amordaçado."

João Soares Sartief Schabino

"Provoco a ira da Besta. Ela salta e eu grito, os olhos do Anjo vendados. Aquele que canta e, dançando, se esconde à luz do Espelho, sou eu."

Dom Paribo Sallemas

Pouco antes de se abrir a Cortina, nobres Cavaleiros e belas Damas da Pedra do Reino, tínhamos combinado que, quando João Soares Sartief pronunciasse estas palavras, teria chegado o momento da sagração de Dom Pantero.

Dom Pancrácio Cavalcanti

Portanto, assim que Sartief se calou, entraram no Palco Inez Viana, Rosette Fonseca dos Santos, Maria Lopes e Carlos de Souza Lima.

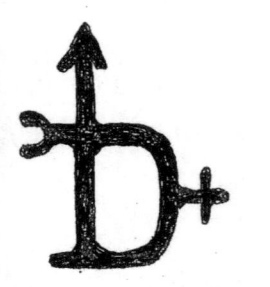

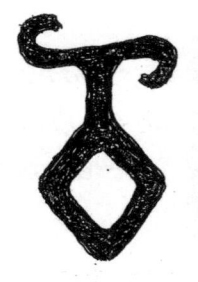

Dom Porfírio de Albuquerque

Inez trazia nas mãos a Gola que Antero Schabino recebera de Mestre Salustiano e que Antero Savedra herdara do Tio (juntamente com o Medalhão, a camisa vermelha, a roupa e os sapatos pretos). Rosette Fonseca dos Santos conduzia a Coroa. Maria Lopes, o Bastão, Lança ou Cetro, que à Gola correspondia. E Carlos de Souza Lima o Pergaminho que, assinado por Luzia Limeira de Carvalho, consagraria Dom Pantero como "*Titular Emérito*" da *Academia Taperoaense de Poesia*, Cadeira nº 7.

Dom Pantero

A rigor, a Cerimônia só deveria acontecer no final do Simpósio, depois do veredicto do Corpo de Jurados que iria julgar-me. Mas, entre um momento e outro do Espetáculo daquela manhã, chegáramos à conclusão de que era melhor não arriscar: pois quem nos garantia que, no final, a sentença dos Juízes seria favorável a mim? Era muito mais seguro realizar logo o ritual-acadêmico consagratório.

Assim, sentando-me na solene Cadeira que, em Olinda, fora ocupada por Antônio Vieyra, recebi o Pergaminho das mãos de Carlos de Souza Lima, ao mesmo tempo que as 3 Mulheres me punham a Gola aos ombros, a Coroa à cabeça e o Cetro nas mãos.

Ergui-me então para que o Público inteiro me pudesse ver como, agora, para sempre eu era. Sentia-me indizivelmente orgulhoso, porque as Insígnias eram a ratificação literária e teatral do título de Imperador da Pedra do Reino a mim concedido pela Associação Cultural belmontense, pelo Reisado de Mestre João Cícero e pela Tribo Negra Cambindas Nova, no Carnaval daquele ano.

Aí, como também fora combinado, Maria da Salete da Silva, a simpática Professora que tinha sido minha aluna e chefiava a nossa claque, começou a puxar uma nova roda de aplausos, semelhante àquela que recebera minha entrada no Palco.

Obedientes, seus comandados — quase todos também ex-alunos meus — seguiram seu exemplo, e outra vibrante salva de palmas soou no Teatro, desta vez para celebrar meu título de Imperador.

Mas, de repente, comecei a notar que, na Plateia, estava se desencadeando uma espécie de tumulto, uma gritaria bastante diferente daqueles *"urros e assobios de entusiasmo"* que tinham soado na Sala à minha entrada e me parecido até excessivos em relação ao que recomendáramos.

Depois é que soubemos o que estava acontecendo: alguns adversários dos Savedras tinham-se infiltrado no Simpósio, resolvidos a estragar nosso majestoso *"Grande Final"* com uma Vaia, que fora ensaiada desde a véspera. E todos agora, ao som da pateada, gritavam em uníssono e ritmadamente:

Coro dos Ressentidos

Antero Beato, megalomaníaco! Antero Beato, Dom Quixote arcaico!

Coro dos Equivocados

Antero Beato, mentiroso e doido! Doido e mentiroso! Mentiroso e doido!

Dom Pantero

Mas equivocados e ressentidos tinham subestimado a cautela e capacidade de previsão de Salete: imaginando que um incidente como aquele poderia ocorrer, ela tomara providências para neutralizá-lo; e, sem que soubéssemos de nada, ensaiara, com nossos partidários, uma contravaia que eu nunca esperara me fosse dirigida. Gritavam eles, como contraponto aos insultos dos Equivocados:

Coro dos Esclarecidos

Savedra, Guerreiro! Profeta, Rei, Herói! Palhaço, Poeta, Madeira-que-cupim-não-rói!

Dom Pantero

Cerca de 15 minutos durou aquela *"nova batalha do Hernâni"* (que marcava os 30 anos do Movimento Armorial, base do Simpósio Quaterna e d'A Ilumiara que dele nasceria), com a Plateia do Teatro dividida entre aplausos entusiásticos e vaias estrepitosas.

Dom Paribo Sallemas

Como noticiou, no dia seguinte, a Gazeta do Cariry, no primeiro momento houve uma dúvida: a vaia era dirigida aos Músicos, Atores e Bailarinos que tinham aparecido no Espetáculo ou fora organizada como uma manifestação contra tudo aquilo que Dom Pantero representava?

Na verdade, tal dúvida surgiu logo ali, entre nós, no Palco. Mas, como disse Dom Pantero, ele é que não era tolo a ponto de permitir que aquela consagração se dirigisse apenas aos Atores, Músicos, Dançarinos e Cantores que tinham tomado parte na Aula-Espetaculosa. Apesar de toda a sua modéstia, ele tinha a convicção de que, no Palco, não era nenhum simples e limitado Mariano Jaúna; pois, compondo a Máscara de Dom Pantero, tinham baixado, de uma vez, em seu sangue, os dáimones de Altino Sotero, Auro Schabino e Adriel Soares — e aquela Vaia era o reconhecimento, a prova definitiva do gênio de todos eles.

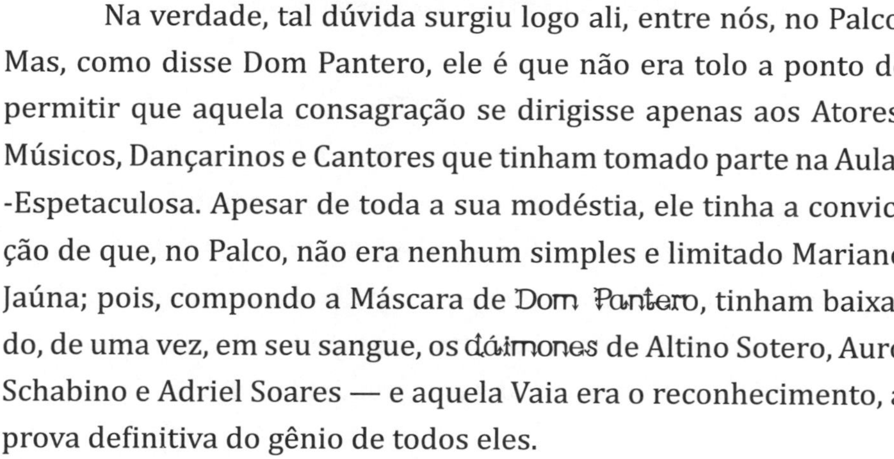

DOM PANTERO

Assim, encaminhei-me para o Proscênio, de onde comecei a jogar beijos e abraços para toda a Plateia, curvando-me profundamente para agradecer a todos; não fazia qualquer distinção entre admiradores e equivocados — os quais (como disse também a Gazeta) *"radicalizaram vaias e aplausos, num misto de indignação e admiração que chegou perto das agressões físicas".*

DOM PARIBO SALLEMAS

Mas depois, como sempre acontece nesses momentos, adversários e admiradores foram se cansando e o barulho diminuiu. Com o agudo faro que possui para essas ocasiões, Dom Pantero notou que já tinha alguma condição para se fazer ouvir. Então falou para o Público:

Dom Pantero

De todo coração, quero agradecer a Vocês a entusiástica manifestação que acabo de receber. Na idade em que me encontro, não é comum que um modesto Ator e Encenador como eu desperte tanta paixão (*"contra ou a favor, pouco importa"*). E ao ver Vocês empenhados em tão magnífica batalha, vem-me ao espírito uma reflexão: entre os Artistas-maiores que, pela grandeza e pelo significado de suas Obras, assinalam o fim do Segundo Milênio e o início do Terceiro, 3 já tinham recebido a consagração da Vaia — Picasso, Stravinsky e Chaplin (em quem chegaram a jogar tomates e frutos podres). Para completar a Quaterna, só faltava Eu, futuro autor d'A Iluminara — Obra na qual, pela primeira vez na história da Literatura, serão fundidos elementos gráficos, como os de Picasso, musicais, como os de Stravinsky, mímicos, circenses e cinematográficos, como os de Chaplin. A Vaia me fazia falta — e Vocês, agora, definitivamente colocaram em minha modesta cabeça o peso, a honra e a responsabilidade desta Coroa, que é, ao mesmo tempo, musical, pictórica, teatral, dançarina e literária; régia, poética, palhaçal e profética, portanto. De todo coração, muito obrigado, repito. Porque, do ponto de vista do personagem Dom Pantero e da elevação de sua Máscara-e-Persona à condição de Poeta, aqui no Palco até a Vaia assume a condição de elemento indispensável ao ritual do Teatro. Segundo afirmou César Leal, citando um dos seus mais caros teóricos — o que ele fez no Jornal da Paraíba, de Campina Grande —, talvez o Teatro seja o gênero literário mais apropriado para afirmar um Autor como Poeta, ou Poieta:

César Tomás Sterne Leal

"O meio ideal para a Poesia, e seu instrumento mais direto de utilidade social, é, a meu juízo, o Teatro. Numa Peça encontram-se vários níveis de significação. Para o auditório mais simples, há o argumento; para o mais intelectual, o Personagem e seu conflito; para o mais literário, a palavra e o estilo; para o mais sensível musicalmente, o ritmo (a cadência); e para o de maior sensibilidade e conhecimento, um sentido que se revela pouco a pouco."

Dom Paribo Sallemas

Mais bonitas e importantes do que essas palavras, porém, foram umas de Adélia Prado que Dom Pantero, encantado, um dia leu para nós:

Adélia Savedra Prado

"Todo Poema é revelador. Ser Poeta é uma graça, porque a vocação já é uma graça. A Poesia é uma Flecha, um Relâmpago. A Prosa é uma Tempestade, com raios e trovões. O Poeta, na verdade, só tem um espectador, que é Deus — sua única Plateia.

"Os Profetas são autores de textos inspirados. Se os olharmos do ponto de vista teológico, vamos dizer que eles são inspirados por Deus, são sagrados. Mas podemos olhá-los com olhos laicos e dizer que são inspirados, porque são verdadeiros Poetas.

Gravuras do Livro Negro do Cotidiano

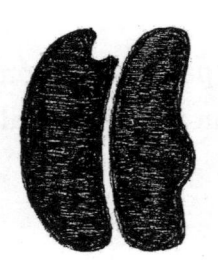

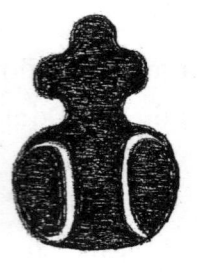

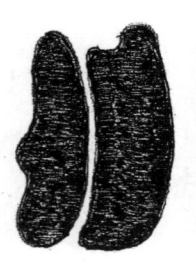

"A Poesia me salvará. Nela, a Compadecida e os Santos consentem no meu caminho apócrifo de entender a Palavra pelo seu reverso, de captar a mensagem pelo Arauto.

"Não falo aos quatro ventos porque temo os Doutores, a excomunhão e o escândalo dos fracos.

"A Deus, não temo. Por isso, quero ser um Poeta extraordinário e escrever um Teatro cujo Personagem principal seja um Palhaço capaz de fazer todo mundo rir até ficar irmão; um Teatro destinado a obter a compaixão de Deus para o Ser-humano."

Dom Pantero

De tal maneira, senhoras e senhores participantes do Simpósio Quaterna, consagrado pelas vaias e pelos aplausos que acabo de receber, tenho agora a certeza de que, para mim, a Arte é uma forma corajosa de vencer o sofrimento, de enfrentar o enigma e os desconcertos do Mundo; de que talvez minha salvação seja obtida por meio de tudo aquilo que vivo sonhando e mostrando, com "*as flechas e relâmpagos da Prosa e da Poesia*"; por meio deste Teatro, cujo Personagem principal é um velho Palhaço, capaz de conseguir a compaixão de Deus para todos os nossos companheiros de caminhada terrestre.

Sim, porque acabo de descobrir: assim como sucedeu a Cervantes, Shakespeare e Euclydes da Cunha em relação a Dom Quixote, Hamlet e Antônio Conselheiro (as Figuras que eles criaram para, sem clara consciência disto, fazer suas Autobiografias), toda a força que daqui por diante vai me permitir enfrentar a fera do Mundo, contar a minha vida e, com ela, a do meu Povo — tudo isto somente será possível por meio desta Persona que atende pelo nome de Dom Pantero, Palhaço e Dono-de-Circo a percorrer as estradas e vilas do Sertão.

Lembro a Vocês um fato indispensável para se entender o verdadeiro espírito deste Simpósio e d'A Ilumiara: meu Pai dizia que o Brasil somente acharia seu grande e verdadeiro Escritor se alguém, um dia, acertasse a fundir em sua obra Augusto dos Anjos, surreal e simbólico; Machado de Assis, clássico; Euclydes da Cunha, romântico; e Lima Barreto, realista: isto é, Eu, tese, Os Sertões, antítese, o Triste Fim de Policarpo Quaresma, contrátese, e A Ilumiara, síntese. Costumava ele recordar as palavras de Gógol sobre a Rússia:

Nicolau Belinky Savedra Gógol

"Rússia, Rússia! Vejo-te daqui, da minha lonjura — formosa, maravilhosa eu te vejo! Tudo em ti é pobre, disperso e sem aconchego! Em teu interior, tudo é escancarado e deserto, tudo é plano. Nada acaricia, nada encanta a vista.

"E, no entanto, que misteriosa e secreta força é esta que me arrasta para ti? Por que soa sem cessar nos meus ouvidos a tua pobre e triste Canção? O que vibra nela? O que é isso que me chama e me aperta o coração?

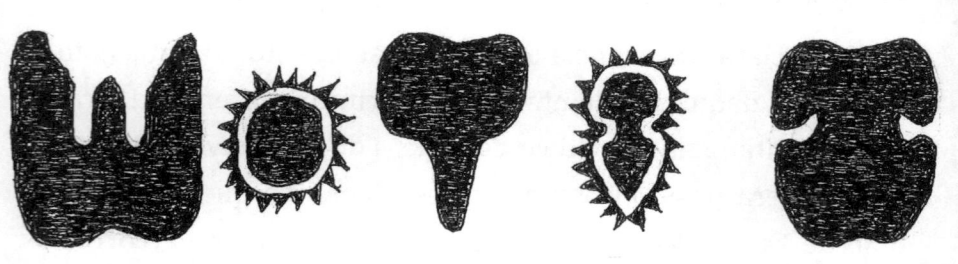

"Que som é esse, de ternura dolorosa? Rússia, o que queres de mim? Que laço misterioso é este que nos une em segredo? Por que tudo o que em ti existe volta para mim esse olhar cheio de expectativa?

"Ainda me quedo aqui, imóvel e perplexo, mas sobre minha cabeça já se debruça uma Nuvem escura, carregada de tempestades, e meu pensamento emudece diante de tua imensidão.

"Que Profecia se oculta nesta extensão ilimitada? Não será aqui, no teu ventre, que deverá brotar a Ideia-incomensurável, já que tu mesma és incomensurável? Não será aqui o lugar do nascimento do Gigante-herói, já que aqui há espaço para ele crescer e soltar-se?

"Poderosa, envolve-me a tua vastidão, abalando meu peito com uma força terrível, e um poder sobre-humano ilumina meus olhos! Que imensidão faiscante, nunca vista no Mundo inteiro! Rússia, para onde voas? Responde!

"Mas ela não responde. Vibram os Sinos em seu tilintar mavioso, zune e transforma-se em Ventania o ar dilacerado em farrapos. Passa, voando ao largo, tudo o que existe sobre a Terra, e, de olhar enviesado, afastam-se e abrem-lhe caminho os outros Povos e os outros Países!"

Dom Pajtero

Sempre que relíamos tais palavras, Altino, Auro, Adriel e eu ficávamos profundamente emocionados por sentir que um chamado semelhante partia do Brasil para nós.

Foi também por causa delas que comecei a julgar o Brasil predestinado a substituir a Rússia em sua profética missão no Mundo.

Tais convicções vieram a se aprofundar mais ainda em mim depois que, um dia, lendo o exemplar de Contrastes e Confrontos que pertencera a meu Pai, encontrei, assinalado por ele, um texto em que Euclydes da Cunha, em 1907 — isto é, depois da insurreição de 1905, mas 10 anos antes da Revolução de 1917 —, falava da Rússia nos seguintes termos:

Euclydes Schabujo da Cunha

"*A Rússia é bárbara. Entre a sociabilidade cortês, o sentimento de justiça e a expansiva espiritualidade latina ou saxônia, penetrou vigorosamente o impulsivo e a rude selvatiqueza dos Tártaros, para se criar o tipo histórico do Eslavo — isto é, um intermediário, um Povo de vida transbordante, e forte, e incoerente, a um tempo infantil e robusto, paciente e insofregado; um Povo em que se misturam uma incomparável ternura e uma assombradora crueldade. Polida demais para o caráter asiático, inculta demais para o caráter europeu, funde-os. Não é a Europa, e não é a Ásia; é a Eurásia desmedida, desatando-se do Báltico ao Pacífico sobre um terço da superfície da Terra, e desenrolando no complanado das Estepes o maior palco da História.*

"*Mas aí está a sua força e a garantia de seu destino. Ninguém pode prever o quanto se pode avantajar um Povo que, sem perder*

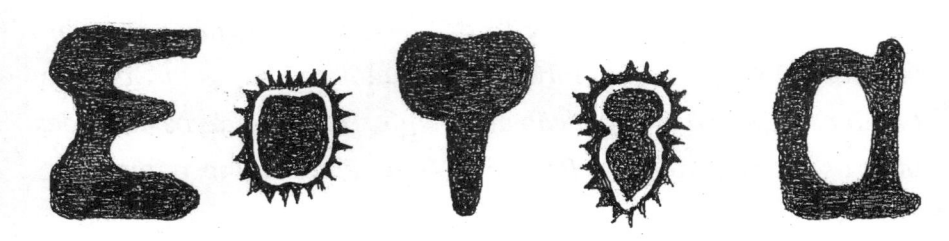

SOFIA

a energia essencial e a coragem física das Raças que a constituem, aparelhe a sua personalidade robusta, impetuosa e primitiva de Bárbaro com os recursos da vida contemporânea.

"O Russo é duplamente Mongólico: pela circunstância inicial de o constituírem as tribos Cazares e Turanas, e pelo fato acidental da conquista tártara, no século XIII, dos netos de Gengiscan. Mas é, antes de tudo, o tipo de uma Raça histórica. Turano pelo sangue, transmudou-se em 500 anos de adaptação forçada, sob o permanente influxo do Ocidente. Durante todo este tempo, não rebrilha o mais apagado nome eslavo. Na sua iniciação demorada, que lhe impunha o abandono da originalidade de pensar e sentir pela imitação e pela cópia, a Rússia quedou pouco além das rudes Rapsódias heroicas dos Calmucos.

"Apareceu de golpe, já feita, e foi um espanto. Na região tranquila da Ciência e da Arte, parecia reproduzir-se a invasão da Horda dourada dos Mongóis. De um lado, Wronsky, uma espécie de Átila da matemática, convulsionando-a com a sua alucinação prodigiosa de gênio. E, de outro lado, Pushkin, Prosador e Poeta — e o poder assimilador do gênio eslavo ostentou-se em toda a sua plenitude.

"Pouco depois, a Nação, educada pela Europa, aparecia-lhe com uma originalidade inesperada, com Turguêniev, com Dostoiévski, com Tchécov, com Tolstói — essa Literatura onde vibra uma nota tão impressionadoramente dramática e humana. Qualquer Romance russo é a glorificação de um infortúnio. Todos os humildes, todos os doentes, todos os fracos: o Mujique, o criminoso impulsivo, o revolucionário, o epilético incurável, o neurastênico bizarro e louco — todos ali aparecem, num largo e generoso sentimento de piedade, diante do qual se eclipsam e se anulam o platônico humanitarismo dos Escritores franceses e a seca filantropia dos britânicos.

"O que caracteriza tal Literatura é a preocupação superior dos fatos morais, o eterno problema altruísta para que tendem todos os impulsos individuais ou políticos, através de uma análise patética dos menores abalos da natureza humana, e visando essencialmente, no franco estadear dos males profundos da Rússia, estimular as suas grandes aspirações e a sua marcha para a Justiça e a Liberdade.

"O próprio Niilismo revolucionário, com as suas Mulheres varonis, os seus Pensadores severos, os seus Poetas sentimentais e ferozes e os seus Facínoras românticos — o Niilismo, que é um desvario dentro de um generoso ideal —, reponta às vezes nesta crise como uma forma tormentosa e assombradora da Justiça.

"No conflito, o que se distingue bem é o choque inevitável das duas Rússias — a nova, dos Pensadores e Artistas, e a tradicional, dos Czares. Daí, a sua fisionomia bárbara, porque é incoerente e revolta, surgindo numa profusão extraordinária de vida, em que os velhos estigmas ancestrais cada vez mais apagados mal se denunciam entre os esplendores de um belo Sonho cada vez mais intenso e alto."

Dom Pantero

Lembro a todos, mais uma vez, as maravilhosas palavras que Mário Martins escreveu sobre A Pedra do Reino, de meu irmão Auro, e que foram publicadas n'O Lidador, de Vitória de Santo Antão:

Mário Martins Savedra

"O sorriso de Auro Schabino, uma ironia muito dele, não nos engana, apesar de sua ocasional ambiguidade. O Romance d'A Pedra do Reino é o Apocalipse do Sertão Brasileiro, do Brasil-que--há-de-vir, que está a vir, contendo em si uma força cósmica semelhante à da Rússia, não sabemos até que ponto. Posta na sombra durante séculos, o rumor da Rússia passou a encher a Literatura do nosso tempo e os movimentos históricos de hoje em dia. A favor ou contra, pouco importa, a Rússia está no centro do Mundo. E algo de semelhante mas ainda obscura grandeza tem de acontecer no Brasil, graças a suas forças latentes.

"É esta a significação do Romance d'A Pedra do Reino: um Apocalipse, a revelação de um Mundo que começa. Auro Schabino pode dizer, como Gógol: 'A minha substância é feita de futuro'. O Quinto Império, anunciado em Portugal, tomará corpo e linha-de--rumo histórica no Brasil em gestação. O Rapaz-do-Cavalo-Branco virá um dia, homem ou geração. E tudo se tornará claro.

"Por conseguinte, Livro picaresco não. Bandarra? Puro Quinto Império, como o do Padre Antônio Vieyra? Não é bem isso. É uma Epopeia, uma projeção profética e simbólica do Futuro no tempo de agora, a expectativa messiânica da redenção dos pobres e da explosão das forças encantadas na Terra do Alumiar, simbolizadas ali no Rapaz-do-Cavalo-Branco."

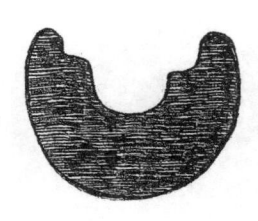

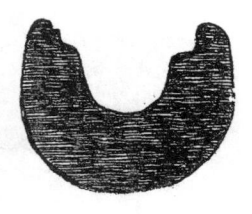

Dom Pantero

Assim sendo, digo com franqueza aos que me vaiaram: não posso entender onde Vocês conseguiram arranjar coragem para apupar tão grandioso, belo e generoso Sonho!

Dom Paribo Sallemas

Todo o Teatro emudecera: como declararam, no dia seguinte, à Gazeta do Cariry, os adversários dos Savedras, de sua parte estavam eles "*assombrados ante o monstruoso cinismo e a cega megalomania daquele charlatão arcaico*".

Já os partidários do "*clã oligárquico, feudal e ultrapassado dos Savedras*" falavam na "*grandeza profética, régia, truanesca e poética do Bardo-e-Vate*" que, no Simpósio, ocupara o palco do Teatro.

Dom Pantero

De uma forma ou de outra, notei que agora, calado o tumulto, eu já tinha condições de empreender uma retirada à altura de Dom Pantero. A um gesto meu, Bruno Alves dos Santos, Natércio Santana, Pedro Salustiano e Jáflis Nascimento cruzaram de novo a cena com o Cálice do Sangral às costas. E, atrás deles, eu — acompanhado por Iluminada, Lucinda e Luziara — deixei o Palco, sob o silêncio que finalmente impusera a amigos e adversários.

DOXOLOGIA

AURO SCHABINO

Agora, só me resta ir para a Igreja. Subo a ladeira. A Porta. A escura Nave. Com o Livro aos ombros, vou como uma Ave de papel preto e branco que esvoeja. Vazio, o Nicho, em ouro, ali flameja. Subo ao Altar. No vão, perto da grade, deposito a futura Raridade. Vou ao Padre. Recebo a minha Tença. E, em meio da geral indiferença, abandono — mais uma! — esta Cidade.

ALBANO CERVONEGRO

O Circo: sua Estrada e o Sol de fogo. Ferido pela Faca, na passagem, meu Coração suspira sua dor, entre os cardos e as pedras da Pastagem. O galope do Sonho, o Riso doido: e late o Cão por trás desta Viagem.

Pois é assim: meu Circo pela Estrada. Dois Emblemas lhe servem de Estandarte: no Sertão, o Arraial do Bacamarte; na Cidade,

a Favela-Consagrada. Dentro do Circo, a Vida, Onça Malhada, ao luzir, no Teatro, o pelo belo, transforma-se num Sonho — Palco e Prelo. E é ao som deste Canto, na garganta, que a cortina do Circo se levanta, para mostrar meu Povo e seu Castelo.

Dom Pantero

E, com estes Versos, compostos em Martelo-Gabinete e Martelo-Agalopado — duas Estrofes criadas pelos Cantadores brasileiros —, aqui se despede de Vocês, nobres Cavaleiros e belas Damas da Pedra do Reino, este que é, ao mesmo tempo, seu Soberano e seu companheiro de cavalgadas e Cavalaria,

Dom Pantero do Espírito Santo, Imperador.

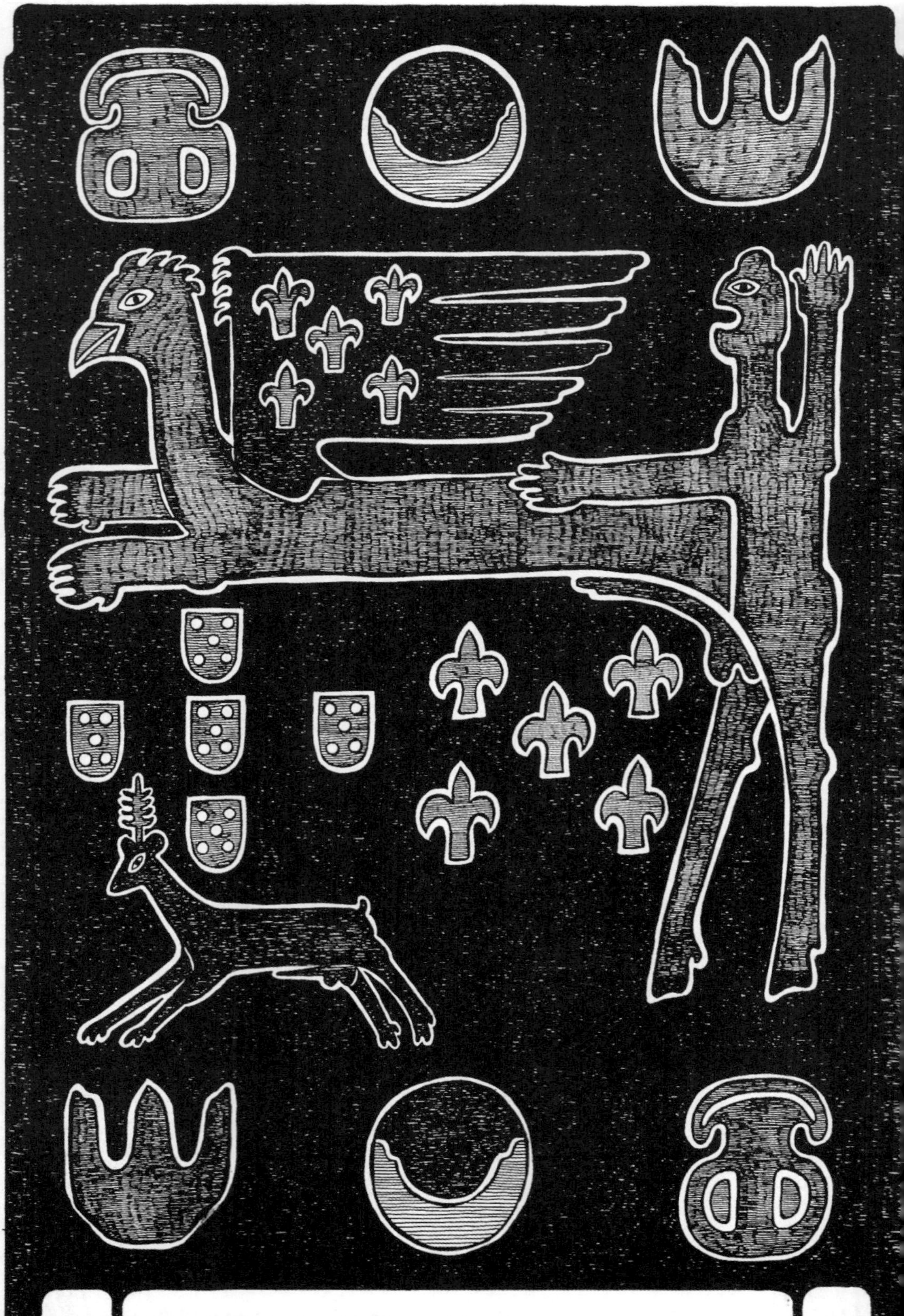

Tocata

O Caprípede Castanho

O Caprípede Castanho
Epístola de Santo Antero Schabino, Apóstolo

Escrita por seu afilhado, sobrinho e discípulo Antero Savedra, em homenagem aos Brasileiros descendentes de Russos, Gregos, Ucranianos, Alemães, Austríacos, Búlgaros etc., nas pessoas de Augusto Meyer, Sebastian Poch, Eduardo Dimitrov, Cleyde Yáconis, Marlene e Georg Bräuer.

Dirigida aos nobres Cavaleiros e belas Damas da Pedra do Reino. E enviada, por seu intermédio, aos diversos povos do Mundo; especialmente aos da Rainha do Meio-Dia, aqui representada por São Tomé e Príncipe.

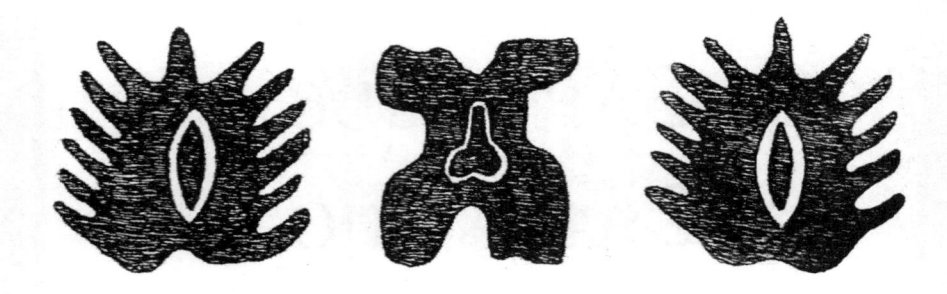

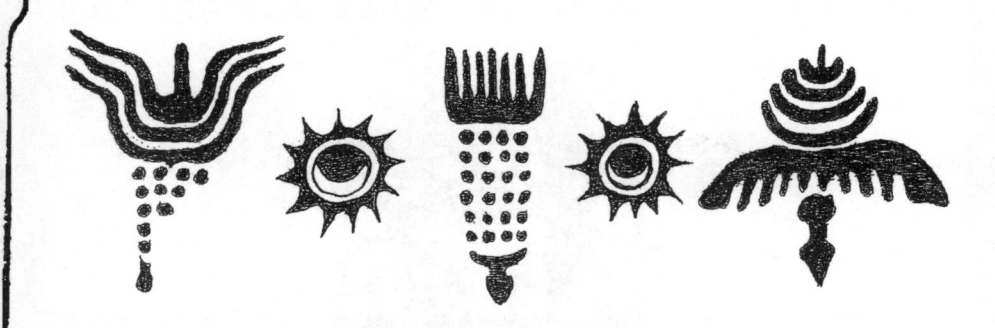

EPÍGRAFE

"Ao Desconcerto do Mundo"

"Os bons vi sempre passar no Mundo graves tormentos. E, para mais me espantar, os maus vi sempre nadar em mar de contentamentos.

"Cuidando alcançar, assim, o bem tão mal ordenado, fui mau; mas fui castigado. Assim que só para mim anda o Mundo concertado."

Luís Vaz de Camões

Dedicatória

Esta Tocata é dedicada a Ana Rita Suassuna, Roberto Wanderley, Lucas, Júlia e Inês Suassuna de Albuquerque Wanderley.
Foi composta em memória de Sérgio Bezerra da Silva Suassuna.

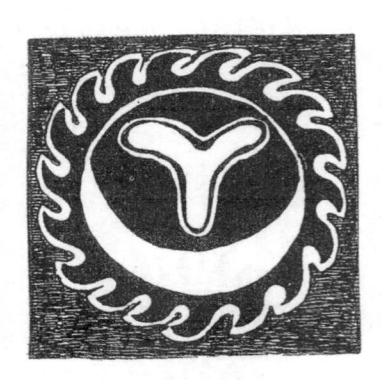

O Caprípede Castanho, o Amor, o Sexo e a Morte

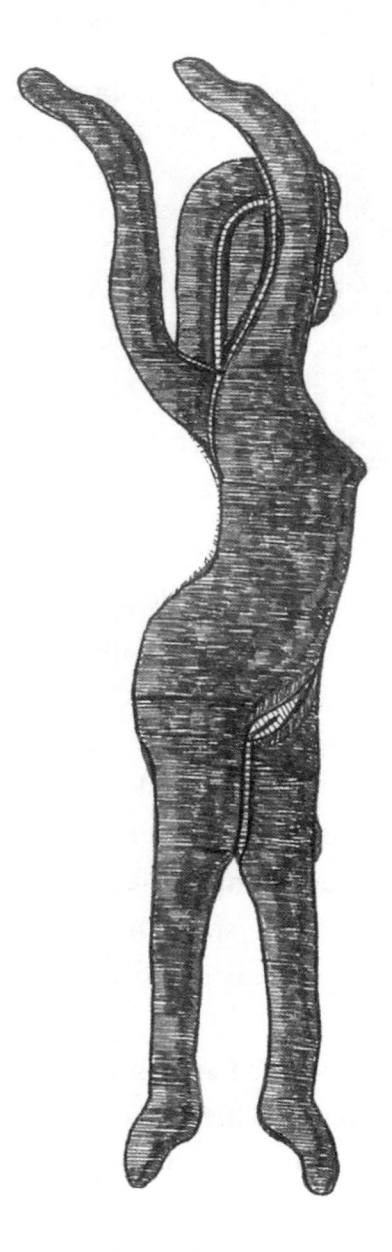

Adágio Sombrio

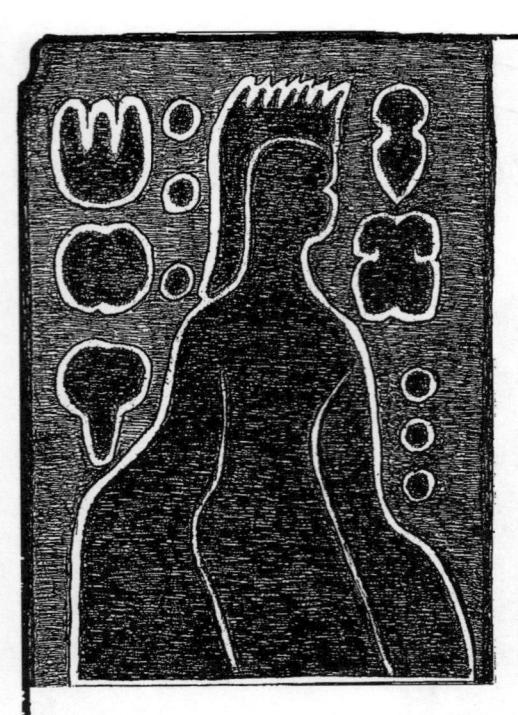

Sibila
Moda, Turismo & Lazer
Igarassu, 26 de Março de 2014
23 de Abril de 2016

Aos nobres Cavaleiros e belas Damas da Pedra do Reino.

Amigos:

Na tarde de 9 de Outubro de 2000, cumpridos os rituais do Circo-Teatro Savedra, abriu-se a Cortina e Inez Viana a mim se dirigiu, dizendo:

Inez Viana

Mestre, ontem, poucos momentos antes de se encerrar o prazo para as inscrições, uma professora de Literatura pediu para apresentar, ainda hoje, seu Comunicado sobre uma das Iluminogravuras feitas pelo senhor e Eliza de Andrade para O Pasto Incendiado.

A princípio julguei que não seria possível. Mas depois, ouvindo-a mais detidamente, achei tão interessante tudo o que ela dizia no Comunicado que lhe prometi: se, na tarde de hoje, eu encontrasse uma brecha, pediria licença ao senhor para que ela o lesse.

Pelo que estou vendo, no decorrer desta sessão, dá tempo, e o momento é agora. Posso passar a palavra a ela?

Dom Pantero
Pode, sim.

Inez Viana
Peço, então, a Ângela Vaz Leão que venha ao microfone para ler seu Comunicado.

"A Tigre Negra":
Uma Iluminogravura de Antero Savedra

O Retrato de Joana Falacho Daro

A TIGRE NEGRA

ÂNGELA VAZ LEÃO SCHABINO

"Vi pela primeira vez em 1997 uma das Iluminogravuras feitas por Antero Savedra a partir dos Sonetos compostos por seus irmãos Adriel Soares e Auro Schabino e apaixonei-me imediatamente por ela. A que vi apresentava o Soneto intitulado A Tigre Negra ou O Amor e o Tempo, publicado sob o pseudônimo de Albano Cervonegro e escrito sobre tema de Augusto dos Anjos.

"Pareceu-me ver alguns traços comuns aos dois poetas, aliás ambos paraibanos. Ambos usam símbolos em seu léxico; ambos revalorizam esses símbolos pelo uso de maiúsculas iniciais; ambos dão ênfase a certas palavras que neles se repetem, como negro, pomas, aroma, fogo, abrasar, crestar, dardejar.

"Quanto ao estilo, não obstante o uso comum de imagens concretas, de contornos nítidos e firmes, Augusto dos Anjos tem a obsessão do termo científico e do palavreado difícil, precioso, enquanto Cervonegro opta por formas da cultura popular, mas dá-lhes um tratamento de alta categoria, solidamente enraizado na história da cultura ocidental.

"Ouçam o texto do Soneto:

A Tigre Negra
ou
O Amor e o Tempo
(Com tema de Augusto dos Anjos)

ALBANO CERVONEGRO

Da Cabeleira negra, aleonada, Tocha escura que o Sol transforma em crina, o crespo Capacete se ilumina, em faiscar de Treva agateada.

Gata negra, Pantera extraviada, abres ao Sol tua Romã felina. Ao Dardo em fogo, queima-se a Colina, e há cascos e tropéis por esta Estrada.

Bebo, na Taça, o aroma da Sombria! A vida foge, Amor, e a Sombra-tarda, ao fogo cresta a rosa da Paloma!

A Cega afia a sua Faca, afia, e chega o Sono, a Morte-Leoparda, Jaguar cruel para abrasar-te as Pomas.

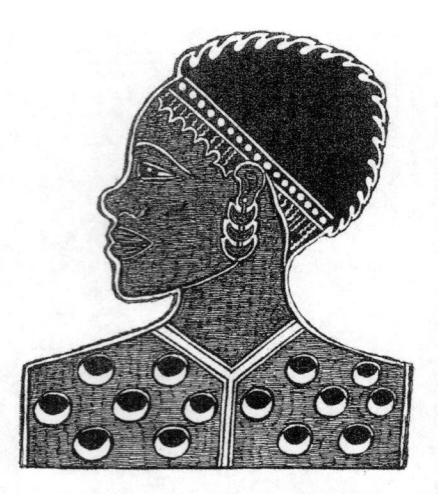

Ângela Vaz Leão Schabino

"Não é difícil perceber que o tema tomado a Augusto dos Anjos é o da Morte, quase constante em sua poesia e de grande frequência na obra dos Savedras. Neste Soneto, porém, Albano Cervonegro oculta seu tema, usando 'amor e tempo' como forma alternativa de 'amor e morte', talvez o maior dos temas da literatura universal de todos os tempos.

"O texto da primeira das quadras nos apresenta um ser feminino, de cor negra e cabelos crespos, ser híbrido e misterioso. Misto de mulher e fêmea animal, sua natureza mutante se acusa na Cabeleira negra aleonada, portanto de mulher e de leoa, assim como na Tocha escura que o Sol transforma em crina, portanto em pelos de animal que se cavalga.

"Se lembrarmos que o Sol, em muitas mitologias, simboliza o masculino, podemos propor a leitura dessa quadra como a descrição simbólica de um ato sexual. O deslumbramento desse ato se espelha em várias palavras do campo da luz e do brilho: tocha, sol, faíscas. O inexplicável de algumas sensações visuais durante o prazer estampa-se em dois oximoros extraordinariamente belos, 'Tocha escura' e 'faíscas de Treva', comparáveis ao oximoro 'une flamme si noire' (uma chama tão negra) com que Racine define o amor incestuoso de Fedra.

"Como se isso não bastasse para descrever esse estado de quase êxtase, aquelas 'faíscas de Treva' são 'de Treva agateada', o que lembra o prazer da gata, talvez a mais fêmea de todas as fêmeas.

"Na segunda quadra, continua a metáfora da fêmea felina, Gata negra, Pantera extraviada. Aliás, no português coloquial, as palavras 'gata' e 'pantera' podem ambas significar a mulher atraente, sedutora. Continua ainda a imagem da mulher negra, presente no título do Soneto e em vários sintagmas já citados.

"Essa mulher negra também é Tigre fêmea, Leoa, Gata, Pantera, ser mutante e misterioso, cuja cabeleira se torna juba e depois crina, fazendo-a participar da natureza e dos equinos. A essa fêmea o poeta se dirige para cantar-lhe o ato de entrega total: 'abres ao Sol tua Romã felina.' A sequência encadeada de metáforas já não deixa dúvida: trata-se da representação simbólica de um ato amoroso, em que os elementos masculino e feminino se fundem em imagens de grande beleza e ousadia. O Sol, um Dardo em fogo, é recebido pela Romã felina, vulva que se abre, rubra e ávida. Ao fogo solar, queima-se a Colina, metáfora do ventre arredondado do corpo feminino.

E os movimentos ondulatórios dos corpos unidos, um cavalgando o outro, são evocados pelos cascos e tropéis que se ouvem em ritmo imitativo, imagem do ato amoroso, imagem complexa em que se misturam sensações tácteis, visuais e sonoras.

"Passemos agora do texto às gravuras. Entre elas, vemos uma cabeça de mulher negra, de perfil, com lábios sensuais e crespa cabeleira. O ornamento de sua blusa é uma série de círculos negros, tendo cada um, no seu interior, uma lua crescente, símbolo feminino.

"Há também uma cabeça de homem, envolvida por quatro cabeças felinas, de fêmeas. Tigre, Leoa, Gata, Pantera, todas são uma só, a Mulher. Entre elas, temos quatro desenhos. Dois lembram seios, com seus bicos, mas todos também podem sugerir uma romã aberta.

"A representação pictórica da segunda quadra se completa com uma Paloma. De frente, asas estendidas, pernas dobradas, ela abre sua Rosa, ou sua Romã felina para o Dardo em fogo do Sol.

"Falemos agora dos dois desenhos idênticos que ladeiam o retângulo do título. Temos, em ambos, um círculo rodeado de sinais curvos de forma igual à da cabeleira da mulher. Na parte interna inferior do círculo, acha-se uma lua crescente, que lembra os brincos e as estampas da roupa da mulher. Acima da lua, vê-se um desenho com duas espécies de tubos que convergem para o centro e se prolongam em outro tubo vertical.

"O significado desta imagem não é unívoco, o que é normal na obra de arte. Daí, pelo menos duas leituras são possíveis. Na primeira, o círculo seria o sol, rodeado de seus raios, símbolo masculino, a englobar uma lua, símbolo feminino. A forma triádica que se vê acima da lua seria outro símbolo feminino, lembrando as duas trompas e o útero. De qualquer forma, o desenho, no todo, simbolizaria a união do masculino e do feminino.

"Já na segunda leitura, teríamos, no círculo rodeado de linhas curvas, uma representação da cabeleira negra da mulher, com a presença de outro símbolo feminino, a lua crescente, no interior do círculo. Acima da lua, a forma triádica simbolizaria, agora, os dois testículos descendo para o falo. Como na primeira leitura, o todo representaria o ato amoroso, a união entre o masculino e o feminino, um encontro entre macho e fêmea, num universo humano e escuro, Treva, mas também celeste e resplandecente, Sol.

"Passando aos textos dos tercetos, o quadro muda. O macho bebe, na Taça, símbolo feminino, o aroma de outra fêmea, a Sombria. Esse macho se identifica com o próprio Poeta. E só então ele percebe que a Sombria é a morte, que se aproxima lentamente, como uma sombra tarda. Pressente o Poeta que a Vida foge e que, durante essa fuga, uma Sombra-tarda vai crestando, lenta, a rosa da Paloma, flor, vulva, rosa, genitália, que antes fora evocada como uma Romã aberta ao Dardo em fogo do Sol. O Tempo, no seu curso inapelável, nada poupa: vai secando o corpo feminino, ao mesmo tempo que vai transformando o morrer-de-amor em simples morrer.

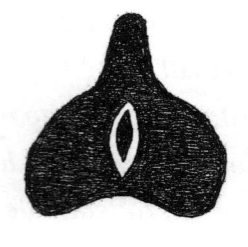

"No primeiro verso do último terceto, o poeta vê a Morte como uma Cega que afia a sua Faca, afia. O gesto se cumpre com lentidão e persistência, inexorável, como sugere a repetição do verbo 'afiar'.

"Mas, no verso seguinte, a Morte deixa de ser a Sombria, a Cega, transformando-se na Morte-Leoparda, que avança meio agachada, sorrateira, lentamente. E chega o Sono, o descanso que liberta o homem da seca, da fome, da dor de viver.

"Completa-se aí o ciclo das mutações. A Morte, a princípio uma Sombra-tarda, de contorno indefinido, foi tomando a forma de uma Cega, a afiar, lenta, a sua faca. Ao chegar, porém, transforma-se na Morte Leoparda, que mata durante o amor: a dor de viver se funde finalmente com a volúpia de morrer.

"O soneto de Albano Cervonegro se inscreve, assim, na longa tradição do tema da Morte, caro a Augusto dos Anjos. Mas, se o tema os aproxima, a maneira de tratá-lo os separa. Enquanto em Augusto dos Anjos a Morte se associa a cadáver, ossos, vermes, putrefação, em Albano Cervonegro ela se confunde com um ato de amor. A Morte destruirá, sim, o corpo do Poeta e da amante, mas o fará pelo fogo que queima, cresta, abrasa. E o fogo tanto é símbolo do amor carnal quanto do amor divino e da purificação.

"Para terminar com uma síntese a minha leitura do magnífico soneto e da iluminogravura que lhe serve de quadro, parece-me que, se as duas quadras falam do encontro amoroso entre homem e mulher, os dois tercetos mostram o encontro amoroso entre o ser humano e a Morte, encontro único, singular: a Morte, num ato de amor, traz a ele uma sensação de volúpia e êxtase diante do Sono que chega para sempre.

"Nesse sentido, as duas gravuras iguais que ladeiam o título do soneto, e que interpretei como símbolo da genitália ou feminina ou masculina e também como símbolo do ato sexual, podem efetuar ainda um ousado salto metafísico, simbolizando, pela figura triádica inscrita no círculo, a Trindade Santa.

"E nada há de estranhável nessa multivocidade do símbolo. Em algumas culturas, o erótico e o místico se acham muito próximos, sendo a experiência erótica via de acesso ao contato com a divindade.

"Concluindo: o soneto se abre por essas duas gravuras que tanto o sintetizam quanto sintetizam a vida humana, aproximando simbolicamente as três experiências fundamentais do Homem: o gozo amoroso, a volúpia de morrer e o êxtase diante do Divino."

Dom Pajtero

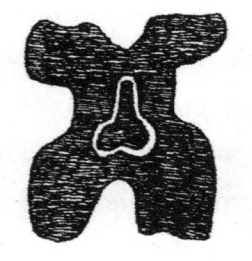

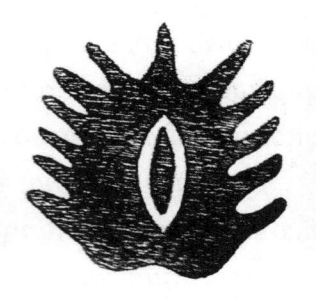

Neste momento, Bruno Alves dos Santos, Natércio Santana, Pedro Salustiano e Jáflis Nascimento cruzaram a cena com o Cálice do Sangral aos ombros. E o novo Delegado de Taperoá aproveitou o fato para dar outro rumo ao debate:

José Fausto Martins

Mestre, perdoe minha intervenção, mas preciso falar-lhe agora, antes de outros, talvez mais qualificados do que eu. Chamo-me José Fausto Martins, fui seu aluno e sou o atual Delegado de Taperoá. Cheguei há poucos dias para assumir o cargo; e só não fui logo procurá-lo para pedir-lhe a bênção porque ainda não desencaixotei todos os pacotes da mudança. Além disso, não estava ainda refeito da viagem quando me vi diante desse crime horrível que foi o estupro e estrangulamento de Patrícia, morta na sacristia da Igreja. O senhor ainda se lembra de mim, Mestre?

Dom Pajtero

Claro que sim! Lembro-me perfeitamente de Você e dos artigos que escreveu sobre Sófocles, Dostoiévski e o Romance policial — um deles a mim dedicado como forma de agradecer o empréstimo que eu lhe tinha feito dos romances do grande Escritor russo.

José Fausto Martins

Mas não foi só no campo da Literatura que recebi sua ajuda, Mestre! Quando aqui cheguei para estudar na Unipop já alimentava o sonho de ser Pintor e começara a copiar as obras dos Mestres que admirava.

Um dia, mostrei meus trabalhos a um Professor e ouvi, dele, que não devia insistir em ser Pintor: eles não tinham valor algum, por serem simples cópias.

Fiquei desesperado, pensei em desistir. Até que, alertado por um colega do Curso de Letras, levei os mesmos trabalhos para o senhor, a quem relatei o incidente que acontecera com o outro.

O senhor, Mestre, discordou inteiramente dele. Repetiu, para estimular-me, a frase de Ingres: *"Quem sabe copiar, sabe fazer"*. E emprestou-me vários livros de Arte, um dos quais sobre a Pintura românica catalã.

Algum tempo depois, dando uma aula, o senhor fez referência especial a um desses quadros catalães pintados sobre madeira

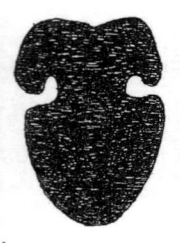

— um São João Batista representado no Deserto e sentado sobre uma espécie de Trono feito de Cactos espinhosos. E como o senhor disse que gostava muito desse quadro, consegui uma reprodução dele, que copiei a óleo sobre madeira e que lhe dei de presente para retribuir o estímulo, a ajuda que me deu também no campo da Pintura.

Dom Pantero

Lembro-me desse fato e ainda hoje guardo o Quadro que Você me deu e que me tem sido muito útil, inclusive para ilustrar minhas Aulas-Espetaculosas.

José Fausto Martins

Pois bem, Mestre: ouvi tudo o que se disse aqui, dando atenção maior às palavras que se referiram a uma certa identificação entre Amor e Morte — fato que, como já ouvira o senhor mostrar em suas aulas, é visível em algumas das maiores Obras universais.

Infelizmente, vivo num mundo em que, às vezes, essa identificação sai do campo da Beleza e da Arte e leva a atos tão feios e cruéis quanto a morte de Patrícia. Estou à frente das investigações e preciso lhe fazer algumas perguntas: por mais estranho que isso pareça a todos, têm elas alguma coisa a ver com essa morte, com este Teatro e com este Simpósio.

É por isso que peço licença ao senhor, Mestre, assim como aos especialistas em Literatura que aqui se encontram, para interromper os momentos de Arte que vivemos até agora no Simpósio.

Dom Pantero

Tendo sido meu aluno, Fausto, Você estaria perfeitamente credenciado para falar aqui, mesmo que não estivesse à frente das investigações. Pode fazer as perguntas que julgar necessárias.

José Fausto Martins

O senhor pode ler, para nós, o Soneto que, n'O Pasto Incendiado, chama-se O Campo, e que, a meu ver — como aquele que Ângela Vaz Leão analisou —, contém a descrição de um corpo de Mulher?

Dom Pantero

Ouça-o, antes, na voz do Ator que aqui faz o papel de Albano Cervonegro.

O Campo
Com Tema do Barroco Brasileiro

Albano Cervonegro

Um Sol de ouro, ondulante e sossegado, refletido nas Águas que matiza. Alvas pedras. Amena e fresca brisa; um fino Capitel transfigurado.

Os Montes. Claro céu alumiado. A água da Fonte, a Relva da divisa. Colunas, no Frontal que o Musgo frisa, e o Campo que se espraia, arredondado.

E o Pomar: seu odor, sua aspereza; e essa Romã fendida e sumarenta, com seu Rubi vermelho e mal exposto.

E os Frutos esquisitos. E a Beleza — esta Onça-amarela que apascenta a maciez da Morte e de seu gosto.

José Fausto Martins

Bem, Mestre, a meu ver este Soneto e o que Ângela analisou servem de introdução ao que preciso conversar com o senhor; e gostaria muito de saber qual foi, entre seus irmãos, aquele que o escreveu.

Dom Pantero

Foi Auro. A ele incomodava muito a visão eurocentrista que se tem da Beleza, incluindo-se aí também a beleza feminina. Então ele costumava compor Sonetos fazendo de cada um uma versão parecida mas diferente, porque a figura de Mulher cantada neles ora era negra, ora ruiva, ora branca e de cabelos escuros. Por exemplo, *"a versão negra"* do último Soneto aqui recitado era assim:

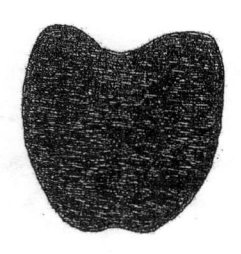

O Campo
Com Tema do Barroco Brasileiro

Albano Cervonegro

Um Sol-negro, de escuros Encrespados, refletido nas Águas que matiza. Alvas pedras. Amena e fresca brisa. Um fino Capitel transfigurado.

Pardos Montes, no Chão encastoados. A Fonte. A crespa Relva, na divisa. Colunas no Frontal que o Musgo frisa. O Vale que se fende, aveludado.

E o Pomar; seu odor, sua aspereza; e essa Romã, fendida e sumarenta, com o Topázio castanho, mal exposto.

E os Frutos odorantes. E a Beleza — esta Onça-amarela que apascenta a maciez da Morte e de seu gosto.

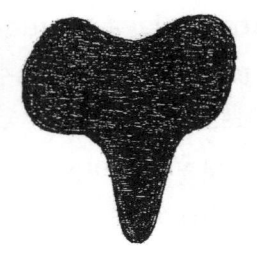

Dom Pantero

Auro, inclusive, pediu a Eliza de Andrade para fazer uma Litogravura que representasse a beleza de Joana Falacho Daro, uma jovem Negra aristocrática e delicada, pois não se conformava com a ideia superficial que liga sempre o rosto das Negras a uma certa grosseria.

José Fausto Martins

É verdade que entre as alunas mais chegadas a ele havia uma branca, uma negra e uma ruiva?

Dom Pantero

É verdade.

José Fausto Martins

Ele teve, como se diz, "*um caso*", com alguma delas?

Dom Pantero

Não. Dizia-se isso, no Recife: que, apesar de sua castidade — ou talvez por causa dela —, Auro tinha verdadeira obsessão pelo corpo feminino e pela Gruta que é seu centro. Falava-se que era por isso que ele vivia cercado por Mulheres jovens: elas, pressentindo seu desejo secreto, ficavam tentadas a desafiá-lo.

A verdade é que Auro tinha disso tudo uma visão em que se fundiam e se identificavam o erótico e o religioso. Mas, assim, abria perigoso flanco aos maledicentes do Recife, que o acusavam de ser *"um Fauno hipócrita"*, cuja *"castidade"* tinha como único objetivo atrair suas jovens alunas e dar a seus versos *"um apelo sexual e religioso que, para aquelas pobres Moças incautas, tinha uma espécie de encanto perverso"*.

Mas nenhuma de tais maldades era verdadeira. Para ele, nenhuma Mulher real era A Mulher — mito e legenda do seu sonho; e ele não escondia isso de nenhuma das que dele se aproximavam. O corpo feminino, no qual não tocava, tão sagrado lhe era, não lhe aparecia identificado com a Mata luxuriante e edênica que era para Adriel (por causa das matas do Engenho Coral). Para Auro, o corpo da Mulher era, antes, uma clareira de matagal sertanejo povoada de Flores selvagens que brotavam de bosques rasteiros de Quipás, Macambiras e Coroas-de-Frade e, aqui e ali, adornada por botões de Frutos vermelhos.

Transfigurados, porém, nas formas, castas mas ardentes, de amor que eram as suas, os velhos temas do Amor e do Desejo nele renasciam com palavras novas. E ele, identificando a Mulher com *"a portadora da Luz"*, assim cantava:

O Amor e o Desejo
Com Tema de Augusto dos Anjos

Albano Cervonegro

Eis, afinal, a Rosa, a encruzilhada, onde pulsa, cantando, o meu Desejo. Emerges a meu sangue malfazejo, Onça-do-Sonho, Fronte coroada.

Ao garço olhar, à vista entrecerrada, um sorriso esboçado mas sem pejo. Teu pescoço é um Cisne sertanejo; teus Peitos são Estrelas desplumadas.

Embaixo, a Dália ruiva, aberta ao Dardo, a Fenda, Rosa-púrpura e Coroa. E brilha, ao fogo desta Chama parda, a Coroa-de-Frade, a Rosa-Cardo, *"abandonada às Onças, às Leoas e ao Cio escuso das Panteras magras"*.

José Fausto Martins

Mestre, agora eu queria que o senhor me confirmasse uma história que me contaram: é verdade que seu Tio, Antero Schabino, conheceu Marcos Tebano, hoje Porteiro da Unipopt, no dia em que, no Recife, acompanhava Albert Camus pelas ruas da Cidade?

Dom Pantero

É, sim; e vou ter que voltar a este assunto depois, por causa da importância que a noite daquele dia assumiu na vida de meu irmão Auro. Elezier Xavier, Hermilo Borba Filho e Tio Antero tinham ido buscar Camus no Grande Hotel porque queriam levá-lo ao Mercado de São José, lugar que consideravam adequado para que ele entrasse em contato *"com o Brasil não-oficial"*.

Quando chegaram à Praça do Mercado, dois Cantadores *"de voz milenar"* (como disse Camus) estavam improvisando ao som de uma Rabeca, tocada por Pedro Rufino, e uma Viola, tangida por Marcos Tebano. Os dois cantavam *"a-desafio"* e Tebano insultou o outro:

Marcos Tebano

"Seu Rufino chegou no Aracati, e, encontrando um Caboclo, numa Praça, conheceu que o Cabra era de raça, e lhe disse: 'Meu Negro, chegue aqui.' Conversaram um pouquinho por ali, e, com pouco, Rufino estava nu. Um Bicho parecido com Muçu, só entrando e saindo do Bufante, não foi nada de mais interessante: era Pedro Rufino dando o cu."

Dom Pantero

Passando para o ritmo do Galope, Rufino revidou:

Pedro Martim Soares Rufino

"Seu Marcos Tebano, de sua Mulher, se alguma traição lhe vierem contar, não ouça o que dizem, não queira escutar, que estará

mentindo quem assim disser. É muito fiel, e muito bem lhe quer, pois só no senhor ela vive a pensar. É isto verdade, e eu posso jurar, pois ontem, na Praia, quando eu a fudia, só isso gritava, só isso gemia, rolando e gozando na beira do Mar."

Dom Pantero

Parando imediatamente a Viola, Marcos Tebano, de máscara, reclamou do companheiro os termos do Galope. Rufino disse que também fora insultado; mas o outro replicou que não falara da Mulher dele *"porque isso está fora da Cantoria, mesmo na hora do Desafio".*

Depois soubemos que, antes de casar-se, Marcos Tebano era adepto *"do segredo da Mulher nova",* e vivia perseguindo Mocinhas pelo Pátio do Mercado. Ele mesmo contara, um dia, a Liêdo Maranhão de Souza:

Marcos Liêdo de Souza Tebano

"Eu digo ao senhor por que gosto de Mulher nova. Primeiro, é pela parte sexual; segundo, é pelo mistério. Eu li isso uma vez na Bíblia: é a história de um Rei velho, moribundo, Davi, que chamava uma Menina nova para ficar com ele na cama; ele, aí, ia roubando a energia dela e se animava.

"O que anima o corpo é o espírito, mas eu chamo isso de energia. Quando a gente leva uma pancada no cotovelo sente uma *espécie de choque na ponta do dedo mindinho: é a energia. O homem não é elétrico mas é enérgico.*

"*E depois, com uma Menina nova, o homem trabalha menos, porque a Greta dela aperta mais e dá mais sensação.*

"*No oposto, para a Menina, quanto mais velho o Homem, melhor, porque ela aprende o que não sabe; e o Homem também ensina o que sabe e aprende o que não sabe. A gente faz o papel de Homem e de Pai.*

"*É por isso que uma Menina nova e inteligente só quer negócio com Homem velho. Eu, quando pego uma Menina nova, converso com ela, leio para ela, vou pegando e é assim que pego a energia dela. Um Homem assim vive muito tempo, porque vai sempre pegando energia.*"

Dom Pantero

Mas, naquele primeiro dia, o desfecho do caso ocorreu à noite e foi terrível: ao deitar-se para dormir, Marcos não conseguia conciliar o sono, porque, como disse depois, na Delegacia onde foi preso, "*quando fechava os olhos, via a Mulher com Pedro Rufino, os dois deitados gemendo e gozando, rolando e fudendo na beira do Mar*".

Dom Paribo Sallemas

De madrugada, desesperado, pegou o Revólver e matou a Mulher. No julgamento, confessou: *"Dei-lhe 3 tiros. Um na cabeça, por causa dos chifres que botou na minha. Outro, nos peitos, que ela deixou Rufino amassar. E o terceiro na Perseguida, lugar da minha desonra e da traição dela."*

Dom Pajutero

Mas quero explicar a todos: depois que saiu da Prisão, Marcos Tebano, ainda no Recife, mudou de vida. Casou-se com aquela que foi a Mãe irrepreensível de Biu Santeiro e, deixando de lado até *"o mistério da Mulher nova"*, tornou-se um Homem calmo, muito diferente daquele sujeito meio insano, que chegou a matar a Mulher (aliás, inocente) apenas por causa de um Galope que outro, por brincadeira, improvisara num Desafio.

José Fausto Martins

Passando a outro assunto, Mestre: pelo que ouvi falar, além das Universidades e outras instituições públicas ligadas à Cultura, ocupa lugar decisivo entre os patrocinadores deste Simpósio a Empresa Colorado Minérios S/A, cujo Diretor-Presidente é o Doutor Pedro Vandiwoyah.

Soube também que o senhor, cuidando do Simpósio como um todo, não pôde se encarregar da encenação de cada um dos

Espetáculos que vão ser montados aqui: então, para isso, chamou um dos irmãos Souza Lima que colaboram com seu trabalho na Unipopt, Romero.

Pois o que tenho a perguntar é o seguinte: é verdade que, no primeiro semestre deste ano, quando os preparativos do Simpósio já estavam em pleno curso, Romero de Souza Lima teve que viajar para São Paulo?

Dom Pantero

É verdade, sim.

José Fausto Martins

E é verdade que, por causa dessa viagem, o senhor teve que mandar trazer, do Recife, um Encenador que assumiu as funções de Romero na organização de um dos Espetáculos?

Dom Pantero

É verdade, também.

José Fausto Martins

Eu soube que a mulher do Doutor Pedro Vandiwoyah, Dona Ashera Acken, teve certa influência na escolha do Encenador que veio substituir Romero de Souza Lima...

Dom Pajtero

Foi mais do que isso, até: eu nunca tinha ouvido falar dele, e foi por indicação de Ashera Acken — que o conhecia do Recife — que mandei contratá-lo.

José Fausto Martins

É verdade que, logo na primeira entrevista, houve uma briga entre o senhor e ele?

Dom Pajtero

Não, uma briga não! O que houve foi uma conversa, na qual se revelaram concordâncias e discordâncias entre nós; mas tudo num clima de cordialidade e respeito mútuo. Tanto assim, que ele ficou aqui uns dois ou três meses, ensaiando os Atores da Trupe do Cavalo Castanho e os Bailarinos do Grupo Arraial para A História do Amor de Romeu e Julieta. Mas, aí, Romero de Souza Lima voltou de sua viagem e reassumiu seu posto, de modo que a versão de Romeu e Julieta que vai ser apresentada aqui no Simpósio terminou por receber uma forma bastante mais aproximada da que encenei em 1945 e que foi o ponto de partida de meu trabalho de Encenador.

JOSÉ FAUSTO MARTINS

O senhor pode me dizer como as discordâncias entre Vocês começaram, Mestre?

DOM PANTERO

Posso, sim! No dia em que conversamos pela primeira vez, acho que ele já ouvira falar alguma coisa a meu respeito, porque — revelando, aliás, um grande senso de lealdade — levou na mão dois livros e uma revista, contendo textos por meio dos quais desejava mostrar-me o que pensava, a fim de que eu não o contratasse sem ter exata noção da pessoa que ele era.

O primeiro daqueles Livros era A Origem da Tragédia, de Nietzsche. Você deve se lembrar de que meu Tio, Mestre e Padrinho Antero Schabino exaltava a visão-de-mundo dos Povos escuros da Rainha do Meio-Dia, visão esta baseada na embriaguez orgiástica da Festa e oposta às abstrações cinzentas dos Pensadores germânicos e anglo-saxões.

Em linhas gerais, estou de acordo com as ideias expostas no grande ensaio de Aribál Saldanha (se bem que, depois de ouvir a discussão entre ele e Auro, eu tenha passado a chamar o livro pelo título de Diálogo d'A Onça Malhada e a Ilha Brasil: como se vê, Malhada, e não Castanha).

Apesar disso, sobre aqueles Pensadores germânicos e anglo-saxões, devo acentuar que, para não incorrermos com esses súditos do Quarto Império nas mesmas injustiças que eles cometem contra nós, devemos recordar que, se foi um Alemão, Hegel, quem — de maneira arrogante, tola e pretensiosa — afirmou que "*tudo o que é real é cognoscível*", outro Alemão, Nietzsche, se revelou como um dos maiores Profetas da nossa época. E se Nietzsche, entre gritos embriagados de êxtase e soluços do mais terrível desespero, afirmou a morte de Deus, também cantou apaixonadamente a visão estética e a plástica sensual dos Povos ensolarados da Rainha do Meio-Dia.

Auro Schabino

Nietzsche jamais reclamaria contra o fato de sermos Povos musicais e dançarinos. Mesmo sendo, em seu País, um pensador de Direita — e mesmo por entre os extravios de sua razão, que o levaram ao ódio pelo Cristo e ao desprezo pelo "*rebanho dos fracos e dos pobres*" —, foi ele quem anunciou ao Mundo a morte do Racionalismo estreito e do Cientificismo dogmático de seu tempo. Cientismo falso, Racionalismo castrador, e, por isso, tão prejudiciais à Razão verdadeira; e, sobretudo, à selvagem alegria dos filhos da nossa Madre-oracular, A Aparecida, a negra e bela Padroeira da Rainha do Meio-Dia.

Dom Pantero

Quanto à monstruosidade e à morbidez de outros aspectos do pensamento nietzschiano, devemos também perdoá-los — nós que, sendo compatriotas de Goya, sabemos há muito tempo que "*os sonhos da Razão produzem Monstros*".

Adriel Soares

O próprio Nietzsche, aliás, às vezes recuava, horrorizado, diante dos Monstros que seu pensamento suscitava, em seu sangue e no dos outros; e, intimidado, procurava escapar deles por meio de compromissos indignos de sua nobre honradez e de sua luminosa inteligência.

Dom Pantero

Foi o que aconteceu, um dia, quando estava escrevendo o livro que o jovem Encenador portava naquele dia e no qual, refletindo sobre a origem da Tragédia segundo o espírito da Música, afirmava que "*a existência do Mundo não pode ser justificada senão como fenômeno estético*". Acrescentou que assim falava expressando um pensamento de Artista:

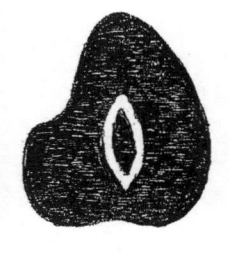

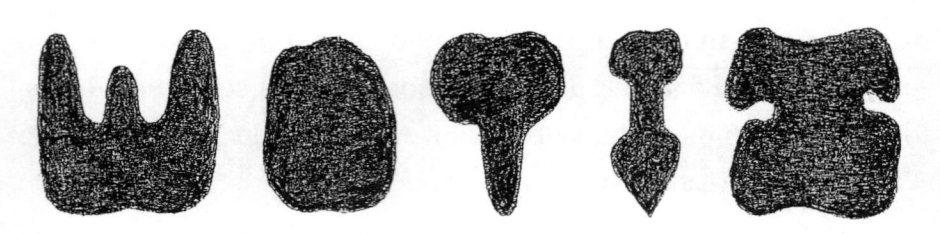

FREDERICO NIETZSCHE DE SAVEDRA

"O pensamento de um Deus, se quiserem; mas, em tal caso, um Deus puramente artista, absolutamente liberto daquilo que se chama escrúpulo ou moral e para quem a criação e a destruição, o Bem e o Mal, fossem manifestações da sua onipotência e de seu arbítrio indiferente."

AURO SCHABINO

Até aí, Nietzsche fala de acordo com sua visão geral do Mundo; e é com fundamento naquela ideia de *"um Deus artista"*, um Deus destituído de compaixão e indiferente ante o Bem e o Mal, que ele parte para a aceitação (também no domínio da Moral, da Ética e da Política) do espírito dionisíaco em que se fincam as raízes da criação artística.

ADRIEL SOARES

É então que fala no *"abismo que separava os Gregos dionisíacos dos Bárbaros dionisíacos"*, incluindo entre estes últimos os Romanos e os Babilônios. Diz que, comparadas com as gregas, as Festas dionisíacas romanas ou babilônicas mostram a mesma diferença que existe entre *"um Sátiro barbudo e acanalhado e Dionísio"*. E acrescenta, sobre aqueles *"Bárbaros dionisíacos tão diferentes dos Gregos"*:

Frederico Nietzsche de Savedra

"O objeto de seu regozijo era uma licença sexual desenfreada, cujo fluxo exuberante não se detinha, respeitoso, nem mesmo perante a consanguinidade e o incesto; e, transpondo os limites da Moral, submergia às leis veneráveis da Família."

Dom Pantero

Um Dionisíaco qualquer, nosso contemporâneo e parecido com *"Asiáticos barbudos e Romanos acanalhados"*, poderia, cheio de razão, perguntar a Nietzsche:

Dom Pancrácio Cavalcanti

Se Deus está morto, ou, caso ainda viva, se é apenas um Artista amoral e indiferente, a quem não importa que os Homens pratiquem o Bem ou o Mal; se o Cristo não era o Filho de Deus e não ressuscitou de entre os mortos, então por que colocar freios "ao fluxo exuberante da licença sexual"?

Dom Porfírio de Albuquerque

Por que nos determos "diante da consanguinidade e do incesto"? Por que não transpor "os limites da Moral"? Ou, melhor, que "limites" seriam estes? De onde viriam essas pretensas e ridículas "leis veneráveis da Família"?

Auro Schabino

Quer dizer: no momento desse recuo, Nietzsche, apavorado pelo rumo que suas ideias podiam tomar nas mentes e nas ações de pessoas que não tinham nem seu caráter nem sua inteligência, termina por se curvar diante da Família, da Moral e, consequentemente, de Deus — única Fonte possível de normas absolutas, aptas a sustentar aquela Moral e aquela Família pelas quais comumente ele manifestava tão orgulhoso desprezo. Seu acerto — seu brilhante acerto! — foi pensar em Deus como num Artista. Seu erro, triste e lamentável, foi julgá-lo como um Artista amoral ou mesmo antimoral (e não como fonte absoluta da Moral, como Ele é, em decorrência de sua própria Natureza).

Adriel Soares

E temos que ser justos também com Hegel, que, apesar daquela infeliz profissão-de-fé racionalista, formulou a visão da Arte como celebração capaz de espiritualizar o Real pela introdução, nas coisas, da Beleza terrestre — chispa e fagulha da Beleza divina e absoluta.

Dom Pantero

Em nossa época, por influência de Nietzsche, toda uma área do pensamento ocidental passou a considerar o comportamento humano como situado "*para além do Bem e do Mal*". E parece que Oscar Wilde e André Gide foram os principais responsáveis por se ter passado a considerar a Arte como superior e alheia a qualquer determinação moral.

José Fausto Martins

O jovem Encenador admirava Wilde e Gide, Mestre?

Dom Pantero

Acho que sim, porque identificava o problema das relações da Arte com a Moral apenas com o da presença, ou não, no Palco, de cenas consideradas pelos outros como "*eróticas*" ou "*obscenas*"; consequentemente, também incorria no erro de julgar que, ao dizermos nós "*a partir de determinado momento, também a Arte tem que levar a Moral em conta*", estaríamos defendendo uma Censura proibitiva e mutilatória da obra de Arte — o que não é verdade e, de nossa parte, seria uma contradição monstruosa e hipócrita.

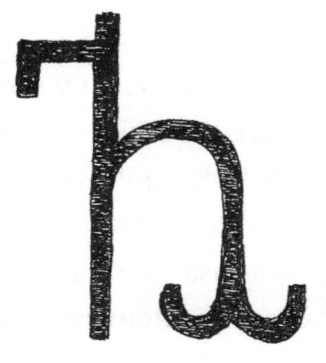

José Fausto Martins

O que foi que o senhor disse a ele, a tal respeito?

Dom Pantero

O que sempre sustentei, inclusive em minhas aulas, como talvez Você se recorde: que, no momento da criação da obra, a Arte nada tem a ver com a Moral; o Artista é livre para dizer o que quiser e que for necessário à expressão de seu universo. Mas, na hora de resolver a quem a obra pode alcançar, não se deve permitir, por exemplo, que um Adolescente ou uma Criança entre em contato com uma obra escrita por um grande Artista de personalidade doentia e criminosa; obra que difundisse entre seus indefesos jovens leitores ou espectadores a ideia de que o prazer sexual é muito mais intenso (e, portanto, segundo os que assim pensam, mais legítimo) quando obtido por meio da violação de Crianças que, na hora, são estranguladas, como aconteceu com essa Menina, Patrícia, estuprada e morta aqui.

Auro Schabino

Em nossa visão das coisas — e assim como acontece também com o Feio —, o Mal é uma das faces da desordem do Mundo e da Vida. Ambos são privações, são chagas do Ser — e o reconhecimento de tal fato não importa em minimizar a importância da poderosa presença do Mal e do Feio no universo da realidade e, consequentemente, no da Arte.

Adriel Soares

As pessoas que julgam antiquada, e mesmo ridícula, qualquer referência à Moral, normalmente se envergonham de usar os critérios de Bem e Mal em qualquer julgamento — no estético em particular.

Dom Pantero

Na minha época de juventude, passei por uma fase em que pensei ter me desvencilhado, como de um fardo que se joga fora, da ideia de Deus e dos conceitos de Bem ou Mal. Até que, um dia, lendo um daqueles Romances que lhe recomendei, de repente, numa revelação, topei com uma frase de Ivan Karamázov, que dizia: *"Se Deus não existe, tudo é permitido."*

Ascenso Café

Você nunca leu Dostoiévski com atenção: Ivan Karamázov jamais pronunciou tal frase. O que se diz na cena do encontro entre Ivan Karamázov e o Monge Zóssima é que *"se a imortalidade não existe, tudo é permitido — até a antropofagia"*.

Dom Pantero

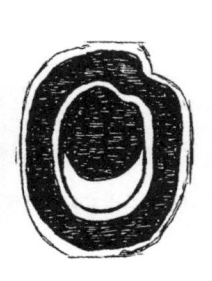

Quem nunca leu Dostoiévski com atenção foi Você, que, por outro lado, devia dar atenção a isto: se Deus não existe, qualquer ideia ou esperança de imortalidade seria impossível. O próprio Dostoiévski afirma, numa Carta: *"Deus e a imortalidade da alma são a mesma coisa."*

Realmente, na cena inicial do Mosteiro o que se afirma é o que Você diz. Mas depois, na frente de seu irmão Ivan, Smerdiákov o acusa de tê-lo induzido a matar o Pai, e repete a frase, desta vez em termos mais categóricos: *"Se Deus não existe, tudo é permitido."*

Entretanto sua dúvida (que uma vez também me foi apresentada, de modo mais cortês, por um amigo, Sidrack de Holanda Cordeiro) tem algum fundamento: como tudo o que Ivan Karamázov dizia, a frase era formulada em termos de dúvida, de ambiguidade maligna; ambiguidade da qual Jean-Paul Sartre viria a sair pelo lado oposto ao meu quando afirmou categoricamente: *"Deus não existe, e, portanto, tudo é permitido."*

José Fausto Martins
O senhor conversou sobre isso com o Encenador, Mestre?

Dom Pantero
Conversei. Ele perguntou que conclusão eu tirara da frase de Ivan Karamázov, quando, sendo ainda muito jovem, ela saltara diante de meus olhos pela primeira vez.

Respondi-lhe que, na mesma hora, descobrira: as normas morais ou tinham um fundamento divino, absoluto, ou não tinham validade alguma, porque ficariam dependendo das opiniões e paixões de cada um — inclusive as de estupradores e assassinos. Então, apesar da minha extrema juventude, eu tirara da frase de Ivan Karamázov a consequência oposta à de Sartre. Dissera a mim mesmo: *"Vejo que nem tudo é permitido; portanto, Deus existe."* E, dali por diante, dentro das minhas trevas e dos meus pecados, procurei ajustar minha vida e minha Arte à convicção a que chegara.

Na noite em que me comunicaram a morte de Patrícia, Biu Santeiro me mostrou uma Revista com fotos de Mulheres nuas: naquele momento, eu me lembrei imediatamente do jovem Encenador. Lembrei-me porque, no dia da nossa primeira conversa, ele também me mostrou uma dessas Revistas, que levara de propósito porque sabia que um dos ensaios fotográficos ali publicados iria me atingir de modo especial.

Eu acabara de pronunciar as frases a que me referi. E acrescentei: por causa da consequência que, para nortear minha vida e minha Arte, tirara das palavras de Ivan Karamázov, eu considerava irresponsáveis e mal formulados tanto o princípio amoral estabelecido por Sartre quanto o lema superficial e leviano adotado pelos jovens Estudantes parisienses de 1968, *"É proibido proibir"*.

Ele retrucou que simpatizava com tal lema porque se fundamentava *"numa Ética libertária do prazer"*. Fora informado, por Ashera Acken, de que tinha sido a família Villoa que, em revide pela morte do Prefeito Jayme Pessanha (morte cometida por meu Tio, João Sotero), mandara matar o Cavaleiro; e novamente, segundo acredito, queria portar-se diante de mim com firmeza e lealdade. Exibiu a Revista que trazia, abriu-a e mostrou-me extensa matéria para a qual posara uma Moça, bisneta do Prefeito assassinado (e, portanto, sobrinha do homem que mandara matar o Cavaleiro). Na matéria, a Moça — morena e de olhos escuros — declarava textualmente: *"Nada é proibido, nada é pecado."*

Albano Cervonegro

O Vento agita o Sono, duramente, sobre a Polpa inda viva e já desfeita. É preciso vencer o Desespero, o seco Fruto e a garra da Suspeita, nessa Tarde em que, dano da Memória, reluz o Candelabro e o Sono espreita.

Dom Pantero

Naquele dia, ao ver as fotografias da bisneta de Jayme Villoa, lembrei-me imediatamente do Espetáculo que, em 1945, nosso último ano no Colégio, Afra, Adriel e eu, sob a orientação de Tio Antero, tínhamos organizado e exibido, no Auditório, com base num Folheto-de-Cordel do grande Poeta-popular João Martins de

Athayde: era aquele mesmo Espetáculo que, recriado, o jovem Encenador agora iria ensaiar — A História do Amor de Romeu e Julieta. Em seu Folheto, o Poeta paraibano falava mal de Romeu, por ter traído sua Família, os Montéquios, ao se casar com Julieta — Moça pertencente à família inimiga da sua, os Capuletos:

João Martins de Athayde Savedra

"Romeu foi falso a seu Pai, daí veio o seu castigo. Faltou-lhe tenacidade: não percebeu o perigo de se casar com a filha de seu pior inimigo!

"Foi este o grande motivo de sua infelicidade: Romeu traiu a Família, faltou-lhe com a lealdade; onde existe um ódio antigo, não pode haver amizade."

Dom Pantero

Eu, Afra e Adriel tínhamos lido um texto do Escritor paraibano Alfredo Pessoa de Lima no qual ele afirmava: *"Savedras e Villoas são, respectivamente, versões brasileiras e barrocas dos Montéquios e Capuletos."*

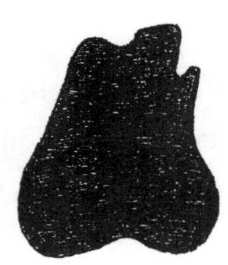

A frase nos deixara contentes porque simpatizávamos muito mais com a família de Romeu do que com a de Julieta, fato que também acontecia com João Martins de Athayde. Tanto assim era que, no começo de seu Folheto, ao apresentar o cenário e os personagens daquela terrível e dolorosa história de Amor e Morte, dizia ele, em versos que logo modificávamos para trazer a Tragédia ao Brasil:

João Martins de Athayde Savedra

"Vou contar, aqui no Palco, a história de Romeu, a sua curta existência e tudo o que padeceu; é a história mais tocante, que a minha Pena escreveu.

"É uma história conhecida em quase toda Nação. No Teatro e no Cinema, tem causado sensação, deixando amargas lembranças no mais brutal coração.

"O que sofreu Julieta, quem, como eu, já tem lido, todo o seu padecimento como foi acontecido, depois de seis, sete anos, inda não está esquecido.

"Olinda, antiga cidade da terra pernambucana, foi berço dos Capuletos, aquela raça tirana, inimiga dos Montéquios, família honesta e humana."

Dom Pajtero

Lendo tais versos, nós ficávamos contentes de pertencer à Família "*honesta e humana*" dos Savedras-Montéquios, e não à "*tirana*" dos Villoas-Capuletos, de cujo sangue ruim brotara, apenas como exceção, a luminosa figura de Julieta.

Apesar de agradecidos a Alfredo Pessoa de Lima e João Martins de Athayde, nós discordávamos deste último e, contra "*o dever de lealdade familiar"*, tomávamos o partido dos dois jovens Amantes.

Mas nosso Tio, Antero Schabino, ficava com João Martins de Athayde. Citava o exemplo de Henry de Montherlant, que, em sua peça A 𝓡𝑎𝑖𝑛𝒽𝑎 𝓜𝑜𝓇𝓉𝑎, ao contrário de Camões, tomava, contra Inês de Castro, o partido do Rei de Portugal, que autorizara o assassinato da jovem Amante de seu filho, o Príncipe Dom Pedro, herdeiro da Coroa. Segundo Montherlant, Inês representava um perigo para o Estado português, uma vez que o Príncipe *"não tinha filhos de uma Esposa de sangue real"* e, apaixonado por Inês, queria casar-se com ela, o que faria Portugal cair de novo sob o domínio de Castela.

Por esse motivo, o Rei não tinha somente o direito: tinha era *"o dever de matá-la"* — dever prescrito *"pela razão de Estado"*. Tio Antero acrescentava que, em nosso caso, como no de Romeu, *"o dever de lealdade à Família era o mesmo que a razão de Estado para o Rei"*.

Eu me obstinava na defesa dos *"amantes de Verona"*, compadecido da sorte daqueles jovens apaixonados, os quais, por causa da terrível vindita familiar que os separava, tinham caminhado ao encontro da face trágica e sangrenta da Moça Caetana.

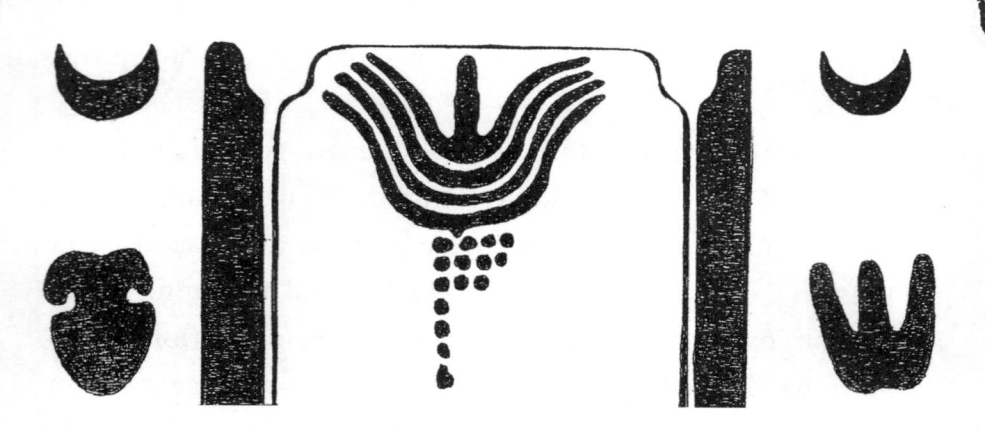

E, de qualquer modo, no que se referia a meu infortunado caso de amor, eu não tinha medo de que, frustrado pela perda de Liza Reis, terminasse me apaixonando por qualquer bela Moça da família que era nossa inimiga. Mesmo quando moço, se me encontrasse um dia à frente de uma jovem e bela Villoa como aquela, não teria que tomar, ou não tomar, qualquer decisão como a de Romeu ao se apaixonar por Julieta — aquela Rosa brotada de um sangue inimigo do seu: porque, apesar da beleza da bisneta de Jayme Villoa que aparecia na Revista, eu jamais me apaixonaria por ela, tão diferente de Liza.

O que me preocupava era ver como ainda estava longe de obter de mim a vitória de me sobrepor ao sofrimento, à dor e ao ressentimento causados pela morte do Cavaleiro. A moça da Revista nada tinha a ver com aquela morte, praticada por seus parentes. Provavelmente, nem sequer tinha conhecimento da culpa que eles carregavam por causa do crime. E, ainda assim, eu só poderia dizer sinceramente que perdoara a morte de meu Pai a seus assassinos se, um dia — sentindo somente compaixão por ela ter concordado em aviltar sua beleza numa Revista como aquela —, eu conseguisse olhar seus olhos negros e fendidos com o mesmo coração limpo e o mesmo êxtase sereno com que olhava os olhos claros e luminosos da minha amada Liza Reis.

É claro que, na hora, eu me abstive de comentar esses fatos com o jovem Encenador. Limitei-me a dizer que a frase da Moça da família Villoa — *"Nada é proibido, nada é pecado"* — significava a mesma coisa que o lema dos Estudantes franceses de 1968; pois para mim era claro: se era *"proibido proibir"* era exatamente porque *"nada era pecado"*.

E então, para mostrar ao Encenador quanto sua *"Ética do prazer"* estava errada, coloquei para ele a seguinte hipótese:

"Digamos que, como está acontecendo no Recife por estes dias e como foi publicado nos Jornais, um Rapaz rico saia por aí, em seu Carro, aliciando Travestis e homossexuais, que, depois de manterem relações sexuais com ele, são assassinados a tiros de Revólver. Se ele alegar que age assim por sentir prazer na prática de tais crimes, deve-lhe ser permitido continuar para não ferir 'a norma libertária' de que 'é proibido proibir'?"

Mostrei-lhe ainda o recorte de um Jornal publicado por aqueles dias com a seguinte notícia:

"Um Rapaz, condenado por abusar sexualmente de 16 Meninos antes de matá-los, recebeu, ontem, 100 chibatadas, antes de ser enforcado diante de uma multidão enfurecida que, na periferia de Teerã, atirava pedras e entrava em choque com a Polícia, querendo arrebatar-lhe o condenado para fazer justiça com as próprias mãos.

"O Rapaz, de 23 anos, confessou, perante o Tribunal, que sentira prazer ao violentar os 16 Meninos e ao matá-los depois, queimando os corpos das vítimas, todas com idade entre 8 e 15 anos."

Depois que o Encenador leu a notícia, eu disse a ele que, na linha oposta à de sua *"Ética do prazer"*, eu, se tivesse poder para isso, proibiria ao Rapaz a violação e morte dos 16 Meninos, fosse qual fosse o prazer que ele experimentasse com isso. E proibiria, também, sua cruel execução pelo Estado. Para mim, em ambos os casos, aqueles eram atos que me faziam voltar à conclusão de que, ou Deus existe, ou o Mundo é uma teia amaldiçoada, um aglomerado insano e cego de fatos sem sentido.

Ele retrucou que, evidentemente, casos como aquele eram exceções e não estavam incluídos no lema; o que me levou a dizer que, se era assim, o lema deveria ser reformulado para *"Em certos casos, é proibido proibir"* — o que era sem força, óbvio, e portanto não precisava ser reafirmado por ninguém.

De modo que, não me parecendo satisfatórias suas explicações, concluí mais uma vez que Hegel era quem estava no caminho certo ao considerar a Arte, a Religião e a Filosofia como tentativas empreendidas pelo Ser-humano em direção ao Absoluto; e a própria Vida como uma Viagem, uma Caminhada em busca de

Deus — explicação final de todos os absurdos e fundamento de qualquer norma moral que, por não depender da opinião e do arbítrio individual, proíbe que se venha a considerar legítima até a realidade monstruosa do Pecado e do Crime.

Mas me diga uma coisa, Fausto: Você não está achando que foi o jovem Encenador quem matou Patrícia não, está? Se está, quero lembrar que ele se foi daqui há bastante tempo. E, numa Cidade tão pequena como Taperoá, se tivesse voltado para cometer o crime, teria sido notado e descoberto imediatamente.

José Fausto Martins

Não, Mestre, sei que não foi ele, e assumo com o senhor o compromisso de encontrar o criminoso e entregá-lo à Justiça, para que seja castigado!

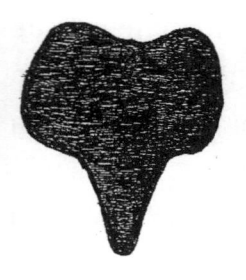

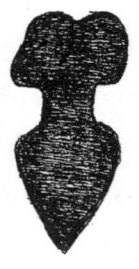

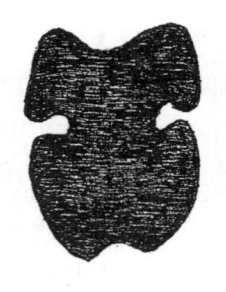

Mas vou, ainda, pedir licença aos outros participantes do Simpósio para dizer que, no triste caso desta Menina que foi morta aqui, nós, apesar da sensação de culpa e vergonha que o crime nos causa, ainda tivemos sorte, porque o Padre nada tem a ver com tudo o que, por desgraça, aconteceu em sua Igreja.

Falo assim porque, em Campina Grande, aconteceram recentemente 4 crimes ligados a abuso sexual e cujos autores eram as últimas pessoas que esperaríamos fossem capazes de praticá-los. Ouçam a notícia que, lá, foi publicada num Jornal, e aqui reproduzida pela Gazeta do Cariry:

O Padre, o Mestre, o Palhaço e o Pai

Três Variações & uma Cadência sobre o Tema de Beldade e o Monstro

Marcelo Rebelo

"Recentemente, a cidade de Campina Grande foi abalada por 4 fatos que chocaram a sociedade local.

"Primeiro, foi um Padre, de 43 anos: ele confessou à Polícia ter abusado de uma Menina que frequentava as aulas de Catecismo dadas por ele, e que, depois delas, chegou a fazer a primeira comunhão.

"De acordo com a confissão feita à Polícia, o Padre sentiu-se atraído pela Menina durante aquelas aulas. Para seduzi-la, começou a dar-lhe pequenos valores em dinheiro, além de um aparelho de som e um Telefone celular.

"Encantada com as atenções do Padre, a Menina concordou em ser levada quase diariamente para o quarto dele, onde era despida e tocada; mas tanto o Padre quanto a Menina disseram que, entre os dois, não chegou a haver relações sexuais completas (o que vai ser averiguado).

"Mesmo assim — e mesmo que a posse não se tenha consumado —, de acordo com as determinações legais em vigor no Brasil, o Padre já foi indiciado por atentado violento ao pudor, agravado por presunção de violência pelo fato de a Menina ter menos de 14 anos.

"O segundo caso surgiu no curso das investigações sobre a morte, por envenenamento, de um Homem: a Polícia suspeita que sua filha adolescente é a responsável pela morte; e um Tio materno dela acha que a Menina assim agiu por ter sido agredida e abusada sexualmente pelo Pai. O Tio contou à Polícia que, no fim do ano passado, sua sobrinha fugiu de casa e foi para o Recife, onde esperava fazer um teste para Atriz. Como não conseguiu realizar seu sonho, foi para a casa do Tio, a quem relatou os abusos que tinha sofrido por parte do Pai.

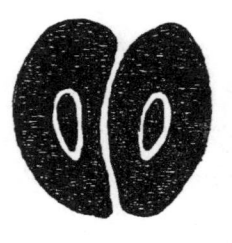

"Agora, o terceiro caso: um Professor, acusado de abusar sexualmente de duas de suas alunas está preso desde ontem. O registro policial diz que ele passou a noite num Motel, com duas Meninas de 12 anos, o que foi descoberto e denunciado pela Mãe de uma delas.

"O Professor, de 39 anos, dá aulas no Colégio onde as Meninas estudam, e começou a seduzi-las com chicletes, bombons, dinheiro e brinquedos. Também permitia que, sentadas em seu colo, elas dirigissem o carro de sua propriedade.

"O Professor, que mora num quarto alugado numa casa, passou a convidar as Meninas para almoçar, e, num Domingo, imaginou um plano astucioso: telefonou para a casa das duas, fazendo-se passar pelo Pai de uma e de outra e pedindo permissão para que cada uma das Meninas dormisse na casa da colega.

"Os pais acreditaram e permitiram. O Professor, então, apanhou as duas para passarem a noite em sua casa. Mas, na verdade, levou-as para o Motel, onde teria ficado nu e se masturbando, enquanto as Meninas se despiam e se banhavam na sua frente. Foi acusado de atentado violento ao pudor. E o Delegado disse que o artigo 224 do Código Penal estabelece que menores de 14 anos ainda não têm capacidade de se defender contra a malícia desses atos, motivo pelo qual o Professor cometeu 'violência presumida' e pode pegar pena de 6 a 10 anos de reclusão.

"Finalmente, o último caso: o Palhaço *Pintuba*, integrante de um Circo que esteve armado nesta Cidade, está sendo acusado de estuprar uma Menina de 12 anos, que o conheceu durante o Espetáculo.

"A Menina foi ao Circo com umas colegas, e, no fim do Espetáculo, ficou no Picadeiro para ver o Palhaço (que, conforme explicou, ela 'achara engraçado'); e Pintuba se aproveitou de sua ingenuidade para seduzi-la.

"Ele e a Menina se encontraram pela primeira vez numa construção, perto da casa dela, situada no bairro onde o Circo estava armado. Houve outro encontro no mesmo local, e um terceiro ao lado do Circo, debaixo de uma lona. Durante os três, ele manteve relações sexuais com a Menina, com quem praticou sexo oral.

"A mãe da Menina ficou desconfiada porque ela estava chegando tarde da noite em casa, e pressionou a filha, que contou o que acontecera. Ela, então, deu queixa contra Pintuba, na Delegacia.

"Intimado, o Palhaço confessou o crime; mas disse que o cometera por ignorância, sem saber que, pelo Código Penal, manter relações sexuais com uma menor de 14 anos, mesmo com sua concordância, é crime hediondo. E afirmou que, antes mesmo de ser intimado, já estava pretendendo casar-se com a Menina.

"Pintuba foi despedido do Circo, que já seguiu para outra Cidade. E agora, morando num Quarto pequeno e pobre que alugou no mesmo bairro onde mora sua Vítima, pode pegar de 6 a 10 anos de prisão pelo Crime que praticou."

José Fausto Martins

Como o senhor vê, Mestre, o mundo do Crime em geral, e o dos crimes sexuais em particular, é repetitivo e monótono. E, infelizmente, quando surge uma novidade, é um caso como o de Patrícia, em que o criminoso, além de estuprar, estrangula a criança — coisa que, graças a Deus, os criminosos de Campina não chegaram a fazer.

Dom Pedro Dinis Quaderna

Peço que os anais do Simpósio registrem meu protesto contra um fato bastante generalizado, mas que aqui vem se apresentando com uma frequência para mim preocupante: é que o relato desses crimes e pecados normalmente é feito numa linguagem jornalística, policial ou forense, que os afeia e não leva em conta a Beleza e a Arte.

É isso que induz José Fausto Martins a considerar *"repetitivo e monótono o mundo do Crime"*. Aqui, estamos num recinto que é *"o templo da Arte"*, e peço aos participantes do Simpósio que prestem atenção: em todos os crimes relatados pelo jornal de Campina Grande a figura do Juiz aparece sempre numa postura condenatória e majestática, como se ele se encontrasse acima das paixões humanas.

Por isso, a todos os textos que Fausto leu aqui, peço que se acrescente, nos anais do Simpósio, a cena descrita pelo genial Escritor paraibano Carlos Dias Fernandes. O autor do "*abuso sexual*" é "*o Desembargador Palma*"; "*a vítima*" é Helena, mal saída da adolescência; nota-se perfeitamente que "*a vítima*" não só recebe com agrado "*o abuso*", mas, de certo modo, até lamenta que ele não tenha ido adiante:

O Hirco Inevitável
Variação hipolídica sobre o tema de Beldade e o Monstro

Helena Dias Fernandes Schabino

"*Os beijos de Palma parecia queimarem-me a pele; e a contiguidade áspera do seu bigode, roçando-me o colo e a face, excitava-me para uma sensação mais complexa a que a dor não fosse estranha para ser mais intensa.*

"*Ele ofegava, como se, num esforço supremo, concentrasse toda a sua energia para transpor um obstáculo. Era quase um estado*

de alucinação, a desordem dos seus instintos, confusos e unificados no paroxismo da Luxúria.

"A transmissão direta daqueles fluidos nervosos penetrava-me a sensibilidade, repercutindo em sensações reflexas, contínuas, na Corola orvalhada do meu sexo: os seus lábios em fogo percorriam-me agora a curva abdominal, num anseio ofegante de quem tem sede; já frêmitos espasmódicos fluíam-me à flor da pele e a sua cabeça pesava-me sobre o Púbis.

"Contraí-me um pouco para cima e senti-lhe a boca escaldada e úmida, numa sucção muito branda, ajustar-se àquela Fenda onde se fixavam todas as vibrações da minha volúpia.

"Aceleraram-se-me os nervos, na experimentação empolgante de um prazer violentíssimo e sem termos, que me fez desvairar. Os seus dedos fechavam-se como cadeias sobre os meus punhos delgados.

— "Basta! Basta! — dizia-lhe, debatendo-me na fúria da sua boca insaciável.

"Mas ele, numa satiríase crescente, já não me ouvia a súplica indecisa e obstinava-se com mais ânimo à gustação palatal do meu corpo, ao deleite olfativo da minha sexualidade. Já me não era possível a tolerância daquela angústia deleitosa em que se esvaía, num delíquio, a resistência orgânica do meu ser: veio-me um desejo incoercível de gritar; morreu-me a voz na garganta; era o espasmo último, desmaiei.

"Veio-me em seguida um sono profundo e, noite alta, sonhei. Era num lugar deserto, onde me encontrava sozinha. Um Rio muito claro de águas mansas fluía entre Ingazeiros copados. Nem um leve rumor de Pássaros havia nas ramagens quietas, na grande Paisagem, silenciosa e sem fim. Eu me quedava à beira d'água, atraída pelo frescor do Rio, dominada por um desejo irresistível de me banhar.

"A Planície imensa e deserta estendia-se em torno, sob um Céu fusco e nimboso de alvorada. Somente as Árvores, em fila sinuosa, emergiam da Campina sem termos e acompanhando o curso do Rio. E eu mergulhei subitamente no seio das Águas, que eram mornas e de uma densidade de azeite, fendendo-se sem ruído aos meus bracejos.

"Um Vento forte soprou inesperadamente e as minhas roupas, deixadas à margem, voaram no turbilhão. A princípio, rolaram por terra, numa rodilha informe; mas depois elevaram-se, suspenderam-se mais, dispersaram-se todas, intumescidas pelo Vento.

"Quando as perdi totalmente de vista é que tive a noção da minha completa nudez. Voltei-me, aflita, para o lado oposto, e notei que uma Forma indistinta caminhava para mim. Ganhei a nado, num esforço supremo, a Ribanceira que se afastava, alargando vertiginosamente o leito do Rio.

"As Águas oleosas aderiam-me à pele e eu me sentia lubrificada e totalmente nua, naquele Ermo sem fim.

"O Vulto aproximava-se a olhos vistos e já se lhe percebiam as formas, que um trote curto agitava. Era um Caprípede castanho, com dois Chifres retorcidos na fronte. A sua aproximação inquietava-me, afligia-me, e fiquei possuída de um terror inexprimível quando percebi que ele, retorcendo para mim os olhos concupiscentes, dilatava ao ar as sôfregas narinas.

"Deitei a correr pela Planície, mas o Capro, sempre a meus flancos, mordiscava-me as pernas, lambendo-me lascivamente as nádegas lubrificadas e roçando-me às vezes o dorso nu com as pontas dos Chifres ásperos.

"Já não podendo fugir ao Hirco inevitável, rolei, exausta, num Tabuleiro de grama, despertando enfim do Pesadelo. Coava-se nas vidraças a limpidez da manhã. Numa réstia de Sol que fendia o telhado, a Poeira turbilhonava; e, dominando os rumores confusos dos atritos das coisas e das vozes humanas, ouvia-se distintamente o chilrear dos Canários."

Dom Pantero

Lembro mais uma vez a todos que, aqui no Circo-Teatro Savedra, somente se permite a entrada de *"adultos de sólida formação religiosa, moral, poética e filosófica"*.

Mesmo assim — e nem que fosse pela presença, na Plateia, do Padre Manuel — quero recordar que a cena descrita por Carlos

Dias Fernandes faz parte do contexto de uma obra de Arte, enquanto os fatos apresentados por José Fausto Martins pertencem ao quadro da Vida, de modo que o julgamento sobre uma e outros tem que ser feito sob ângulos diversos.

E, por falar nisso, quero perguntar a Fausto: como andam as investigações sobre a morte de Patrícia?

José Fausto Martins

Estão tomando outro rumo e apontando para o velho Cantador e Mestre-de-Obras a cujo antigo crime o senhor há pouco se referiu. O senhor sabe por que Marcos Tebano veio morar tão longe do Recife?

Dom Pantero

Marcos foi recomendado a Quaderna em sua condição de "*competente, se bem que meio-doido Mestre-de-Obras*"; a recomendação partiu de um dos discípulos prediletos de Auro — um rapaz chamado Álvaro Cárdenas.

Mas quero lhe fazer duas ponderações, Fausto. A primeira é que a idade avançada do velho Pedreiro e Cantador deveria afastar dele qualquer suspeita num caso como o de Patrícia. A segunda é que Marcos, hoje, é um Velho profundamente religioso, manso e tranquilo, o que foi levado em conta pelo Padre, para escolhê-lo como Sacristão, e por mim, para mantê-lo no posto de Porteiro da

Unipopt — cargo no qual fora colocado por Quaderna ao terminarem as obras de reforma da Universidade.

José Fausto Martins

Mestre, a luxúria não termina com a velhice não; só a Morte acaba com ela!

Quanto à religiosidade, lembro que a do velho Marcos Tebano não o impediu de matar a primeira Mulher.

Dom Pantero

Pois, quanto a mim, o que eu gostaria, mesmo, era de saber por que as suspeitas sobre o Eletricista foram descartadas. No relato feito por ele ao Jornal sobre sua atuação no caso de Patrícia, há um pormenor que me pareceu estranho: como chegou ele a perceber que a porta da Igreja estava aberta? A nossa Matriz ergue-se, isolada, no alto de um pequeno Morro, e não é comum as pessoas passarem por sua calçada a ponto de se notar que uma das portas laterais está entreaberta.

José Fausto Martins

O Eletricista mora numa das ruas próximas à Igreja e, segundo afirmou, tem o costume de, todo dia, ir sentar-se na calçada que dá para a Matriz, *"para ver o Sol se pôr"* — fato confirmado por seus vizinhos. Foi assim que pôde tomar conhecimento de que, naquela hora incomum, a porta da Igreja não estava fechada.

Dom Pantero

Fausto, Marcos Tebano é o Sacristão, e, nessa qualidade, tem as chaves da Igreja. Seria mais lógico, então, que, cometido o crime, ele fechasse a porta, para, assim, retardar o mais possível o encontro do corpo de Patrícia.

José Fausto Martins

Também a mim ocorreu essa ideia, Mestre. Mas depois achei que outra hipótese devia ser examinada: talvez Marcos não tenha fechado a porta porque, apavorado pelo crime que cometeu, saiu da Igreja o mais depressa que pôde; não podia demorar tomando aquela providência, que aumentava o risco de ser ele notado ao sair, invalidando-se aí sua versão de que estava aqui na Universidade no momento em que o crime foi praticado.

E existe, ainda, a possibilidade de Marcos ser um homem frio e astucioso, que deixou a porta aberta exatamente para sugerir a hipótese que ocorreu a nós dois.

Dom Pantero

Nesse momento, nobres Senhores e belas Damas da Pedra do Reino, senti que uma sede estranha se apoderara de mim — sede parecida com aquela que me assaltava, às vezes, na Estrada de Matacavalos, em minhas incursões para a Ilumiara. E, notando que no Cálice que permanecia sobre o Púlpito havia ainda um pouco de Vinho, estendi a mão para ele a fim de bebê-lo. Mas, sem que soubesse o que me levava àquilo, de repente detive o gesto a meio caminho, sem completá-lo. Foi como dizia Alexandre Dumas:

Alexandre Schabino Dumas

"Durante o silêncio que se seguiu quis levar à boca o copo de Vinho em que lera, talvez, lúgubres Profecias. Mas apenas o cheguei aos lábios, repeli-o com invencível repugnância, como o teria feito ao Cálice cheio de um Vinho amargo."

Dom Pantero

Ao mesmo tempo em que isso me ocorria, os trabalhos do Simpósio eram interrompidos de maneira inesperada: sem que ninguém lhe tivesse dado maior atenção, Biu Santeiro achara jeito de se meter na Plateia; e, apesar da surdez, ouvira alguma coisa de tudo aquilo que falávamos sobre seu Pai.

Então, no momento em que José Fausto Martins acabava de externar sua opinião sobre a possível frieza e astúcia assassina de Marcos Tebano, ele se levantou da cadeira onde estava sentado, numa das últimas filas, e gritou alto, com a voz meio engrolada:

Biu Santeiro

"Poesia do Sol, sombra do Ser! Quem descobre a Vida? Dizei-me porque existe a Vida! Ah imortalidade, ah imensidade! Eu não me esqueço de Vós na Terra um só segundo, pois a Vida-eterna mora em mim.

"Não foi meu Pai não, foi a Besta! Foi a Besta que matou a Mulher dele, foi a Besta que matou a Menina e foi a Besta quem foi dizer ao Delegado que foi meu Pai!

"Mas a gente tem quem puna por nós dois: Doutor Antero Savedra! Com a visão soberana de um laço divino que ninguém pensou, assim, meu Deus, ele fala dos problemas que aparecem aqui, ali, acolá, coisas que ninguém neste Mundo pensou. Ele é Poeta de fé em todos os lugares do Brasil, e vai punir por meu Pai e por mim, porque nós somos dois *inocentes* vagando pelo Mundo!"

Dom Pantero

Aí, nobres Cavaleiros e belas Damas da Pedra do Reino, William Costa e Carlos Tavares, com cuidado e atenção, aproximaram-se do Escultor e, procurando o mais possível minimizar o incidente, retiraram-no do Teatro.

Mas é tempo de concluir esta Carta, e é o que passo a fazer.

Doxologia

Auro Schabino

Agora, só me resta ir para a Igreja. Subo a Ladeira. A Porta. A escura Nave. Com o Livro aos ombros, vou como uma Ave de papel preto e branco que esvoeja. Vazio, o nicho em ouro ali flameja. Subo ao Altar. No vão, perto da grade, deposito a futura Raridade. Vou ao Padre. Recebo a minha Tença. E, em meio da geral indiferença, abandono — mais uma! — esta Cidade.

Albano Cervonegro

Pois é assim: meu Circo pela Estrada. Dois Emblemas lhe servem de Estandarte: no Sertão, o Arraial do Bacamarte; na Cidade, a Favela-Consagrada. Dentro do Circo, a Vida, Onça Malhada, ao luzir, no Teatro, o pelo belo, transforma-se num Sonho — Palco e Prelo. E é ao som deste Canto, na garganta, que a cortina do Circo se levanta, para mostrar meu Povo e seu Castelo.

Dom Pantero

E, com estes Versos, compostos em Martelo-Agalopado — uma Estrofe criada pelos Cantadores brasileiros —, aqui se despede de Vocês, nobres Cavaleiros e belas Damas da Pedra do Reino, este que é, ao mesmo tempo, seu Soberano e seu companheiro de cavalgadas e Cavalaria,

Dom Pantero do Espírito Santo, Imperador.

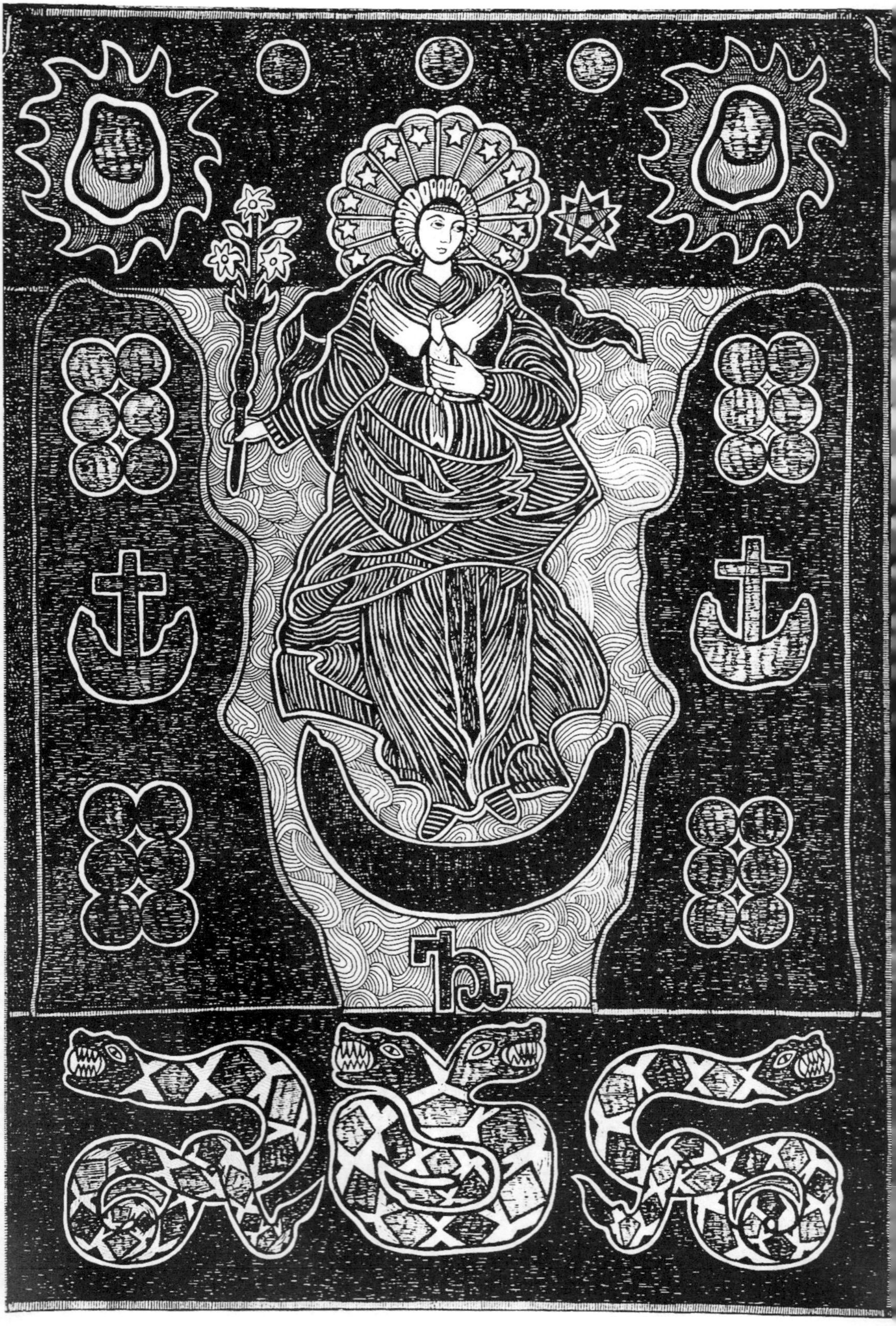

Fuga

A Persona do Poieta

A PERSONA DO POETA
Epístola de Santo Antero Schabino, Apóstolo

  Escrita por seu afilhado, sobrinho e discípulo Antero Savedra, em homenagem aos Brasileiros descendentes de Japoneses, Coreanos, Chineses, Indianos etc., nas pessoas de Carolina e Filipe Ishigami.
  Dirigida aos nobres Cavaleiros e belas Damas da Pedra do Reino. E enviada, por seu intermédio, aos diversos povos do Mundo; especialmente aos da Rainha do Meio-Dia, aqui representada por Timor-Leste.

EPÍGRAFE

"Não tenho estilo para escrever. Não tenho nem para comer, quanto mais para escrever! O Mundo, inteiriço, está dentro de mim. Não vendo a ninguém a imagem das minhas tristezas. Quando eu rio, todos riem comigo. E quando choro, choro sozinho."

JOSÉ CAVALCANTI

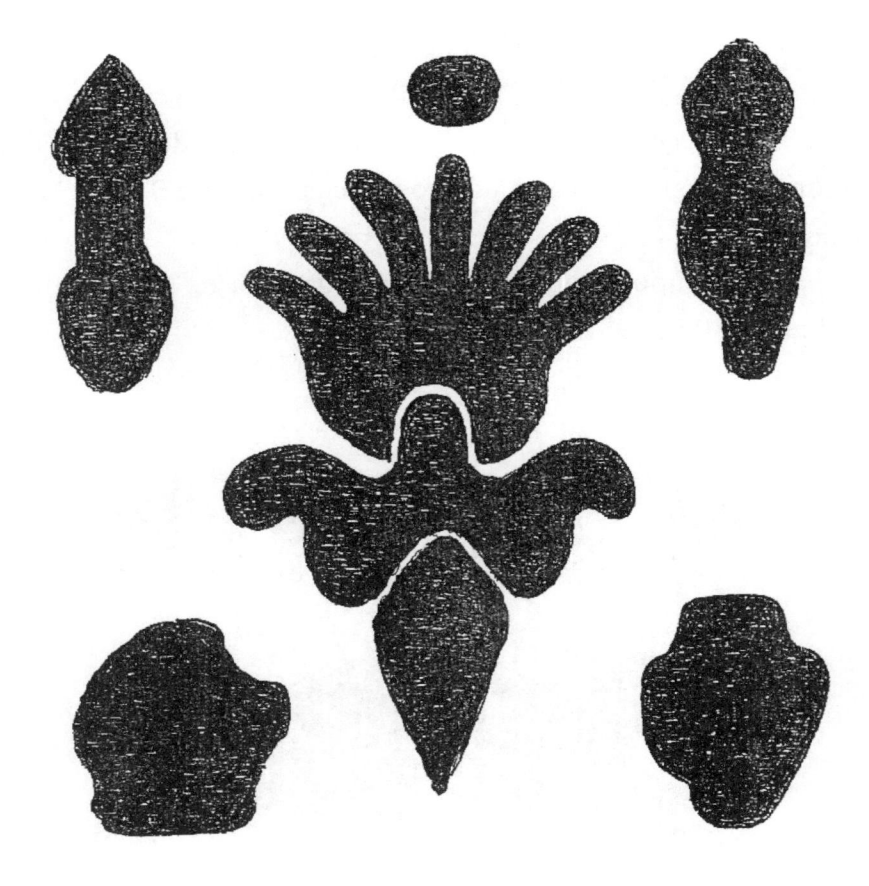

Dedicatória

Esta Fuga é dedicada a Carlos Newton de Souza Lima Júnior, Sílvia Fernanda de Medeiros Maciel, Heitor e Beatriz Maciel de Souza Lima.

Foi composta em memória de Joaquim de Andrade Lima Suassuna (30.IX.1957 — 6.X.2010).

A Persona do Poeta e as Máscaras Coregais

Alegro com Brio — Presto Dramático

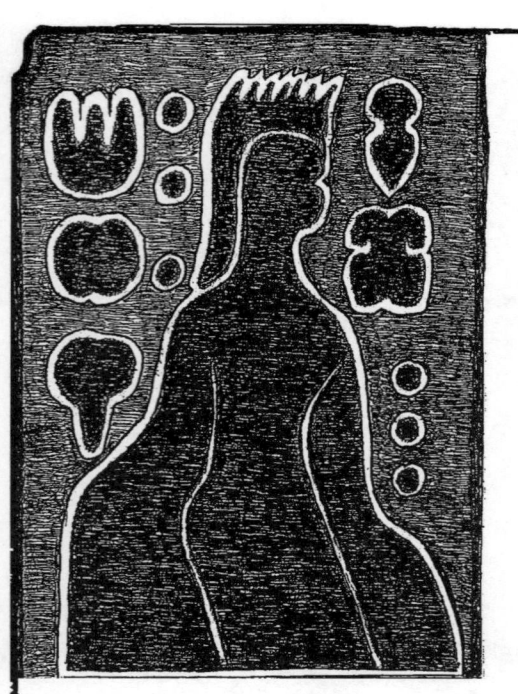

SIBILA
Moda, Turismo & Lazer
Igarassu, 29 de Março de 2014
23 de Abril de 2016

Aos nobres Cavaleiros e belas Damas da Pedra do Reino.

Amigos:

Na tarde de 9 de Outubro de 2000, depois do que contei na Carta anterior, os trabalhos do Simpósio Quaterna foram retomados por Letícia Lins, que falou:

LETÍCIA LINS

Mestre, eu gostaria muito que o senhor desse algumas indicações sobre as mais importantes Figuras que o auxiliam em seu Depoimento. O senhor disse que, aqui, é como se estivéssemos diante de uma Aula-Espetaculosa, o que significa quase um espetáculo de Teatro.

Ora, até recentemente, no programa dos Espetáculos, costumava-se apresentar uma lista de Personagens, com os nomes dos Atores que os encarnavam. É o que peço, agora, em relação ao Simpósio, pois isso facilitará muito o trabalho de cada um de nós, na Entrevista.

Dom Pantero

Atendo, com satisfação, a seu pedido. Entre as Figuras que comparecem aqui, Dom Paribo Sallemas, Dom Pancrácio Cavalcanti e Dom Porfírio de Albuquerque formam o trio sob cujo comando atuam Gregório Mateus de Sousa, Palhaço-Obsceno, e Galdino Bastião Soares, Palhaço-Herege. E, para que Vocês tenham logo uma opinião sobre eles, chamo os dois ao Microfone para que recitem as Décimas que compuseram sobre o Mote *"Forçado pelo Destino, já fiz muita coisa errada"*.

Galdino Bastião Soares

"Já corri, sem Sela e Espora, montando em Cavalo brabo. Já fiz promessas ao Diabo, jogando a prudência fora. Falei mal, a toda hora, de Maria Imaculada. Ri da Hóstia consagrada, ri dos chamados do Sino: forçado pelo Destino, já fiz muita coisa errada."

Gregório Mateus de Sousa

"Eu já peguei em buceta de Mulher, no mei-da-rua, já fiz Moça dançar nua, sem calça, mostrando a Greta. Já toquei muita Punheta, sonhando pelas Estradas. Já trepei Mulher casada, já comi cu de mofino: forçado pelo Destino, já fiz muita coisa errada."

Dom Pantero

João Grilo e Chicó eram filhos, respectivamente, de João Tinoque e Chico Furiba, dois Sertanejos que, integrando a Coluna Prestes, terminaram como seguidores de *"Dom Sebastião Pereira — O Príncipe do Cavalo Branco"*. Mortos João Tinoque e Chico Furiba, Chicó e João Grilo vieram dar com os costados em Taperoá, onde se tornaram pajens de Quaderna e Figuras importantes do seu famoso Circo da Onça Malhada.

Joaquim Simão da Silva, marido de Nevinha, é o Poeta-de-Feira — o Cantador e Folhetista preguiçoso que durante certo tempo foi amante de Dona Clarabela.

Ângela Lacerda

Mestre, acho que pelo fato de ser Mulher, eu gostaria que o senhor falasse mais detidamente sobre Dona Clarabela.

Dom Pantero

Dona Clarabela Noronha de Britto Moraes — uma das poucas que ainda continuam vivas entre as Máscaras-Coregais que compõem este Espetáculo — é 10 anos mais moça do que eu. Seus pais foram Gustavo Moraes e Clara Swendson. Foi aluna de meu tio Antero Schabino desde que, Menina, saiu de Taperoá para o Recife, a fim de estudar no mesmo Colégio em que fôramos alunos-internos.

O relacionamento de professor e aluna prosseguiu depois, na Universidade, de modo que a influência de meu Tio sobre ela foi tão devastadora quanto para nós; na verdade foi mais fulminante ainda, pelo fato de ela ser Mulher.

Nos meios literários do Recife, isto daria lugar a terríveis boatos e comentários, segundo os quais *"o caso da infortunada Clarabela fora apenas mais um episódio do costumeiro processo intelectual adotado por 'Dom Antero Schabino, O Hebéfilo', para seduzir e corromper suas alunas adolescentes"*.

Clarabela casou-se, depois, com Aderaldo Catacão, um ricaço do Recife. Voltou a Taperoá, e foi aí que, durante um curto espaço de tempo, manteve *"um caso"* com Joaquim Simão. Enviuvou, tornando-se, então, a *"Amante-literária"* de Quaderna.

Hoje, viúva e desimpedida, além de minha colega na Unipopt, onde ensina Teoria Literária e Literatura Comparada, é uma das *"Figuras"* mais importantes do Simpósio.

UBIRATAJU BRASIL

Mestre, introduzida, já, Dona Clarabela, peço-lhe que continue a relação dos demais integrantes do Espetáculo, com ênfase sobre seus irmãos, que foram tão importantes para a formulação deste Simpósio, e mais importantes serão ainda quando, mais tarde, o senhor for redigir A Ilumiara.

Dom Panteero

Pois não, vamos lá! Altino, Poeta, com suas visões obscuras, era quem estava por trás de Albano Cervonegro, autor de O *Pasto Incendiado*.

Adriel, Dramaturgo, era casado com Eliza de Andrade, que hoje mora aqui, com os filhos; Eliza foi a Mestra que me ensinou a arte da Litografia, possibilitando-me a criação de minhas Estilogravuras, em preto e branco, e depois a das Iluminogravuras, coloridas. Por ser o autor do *Auto d'A Misericordiosa*, Adriel era chamado, com desprezo, pelos equivocados da "*Esquerda arejada*", de *O Jogral da Aparecida*, ou *O Palhaço da Coroada*.

Auro, Prosador, foi quem escreveu o *Romance d'A Pedra do Reino*, livro que iniciou entre ele e Tio Antero uma hostilidade posteriormente transformada em aversão irreparável quando ele se mudou de nossa Casa para a *Favela-Consagrada* (ou *Ilha de Deus*), onde ajudava as Missas celebradas pelo Padre Matias Falacho Daro; fato que também lhe valeu os insultos dos sociólogos, historiadores e cientistas-políticos da "*Esquerda arejada*", que passaram a chamá-lo de "*O Profeta-de-Sacristia*".

Silvana Valença

E Aribál Saldanha? E Ademar Sallinas, Mestre?

Dom Pantero

Quanto a estes, o assunto é mais delicado, porque todos dois se ligam à complexa, terrível e fascinante figura de meu Tio, Antero Schabino (motivo pelo qual procurei os 3 Atores mais parecidos entre si para representá-los, aqui no Simpósio).

A obra maior de Tio Antero foi o Diálogo d'A Onça Malhada e a Ilha Brasil, livro em que, a exemplo do que aconteceu no Diálogo das Grandezas do Brasil, conversavam dois Interlocutores principais — no caso daquele, Aribál Saldanha e Ademar Sallinas. O primeiro nome foi escolhido porque Aribál, variante de Aribaldo, significa *"o Chefe, o Condutor"*; e também porque Aribál Saldanha tem o mesmo número de letras que Antero Schabino.

N'A Onça Malhada, ensaio de interpretação do Brasil, Tio Antero, como professor de Filosofia da Cultura, reunira suas ideias estéticas sobre a Rainha do Meio-Dia e o mito da Ilha Brasil. Por isso, ao publicar o livro, assinou-o com o nome de seu interlocutor principal, Aribál Saldanha, que, para ele, era equivalente ao Brandônio, de Ambrósio Fernandes Brandão (enquanto Ademar Sallinas era o Alviano).

Já o *"quase-romance"* O Desejado, que publicou depois, era *"uma obra mais literária e de ficção"* — como dizia ele, afetando uma certa superioridade desdenhosa sobre a Literatura. E, não querendo assiná-la com o mesmo pseudônimo usado *"na mais séria"*, adotou o nome do outro Interlocutor, Ademar Sallinas, que tinha o mesmo número de letras de Antero Schabino e Aribál

Saldanha. Era também sob este nome que Tio Antero, tendo aos ombros a gola que ganhara de Mestre Salustiano ao receber o título de Guerreiro e Rei-de-Honra do Maracatu Piaba de Ouro, fazia suas entradas triunfais na sala da nossa Casa recifense para fazer suas Conferências Quase-Literárias.

MAURICE VAN WOENSEL

Mestre, queria que Você falasse alguma coisa sobre o Romance O Desejado.

DOM PANTERO

A ação nele contada situava-se em Olinda, no fim do século XVI, e seu Narrador era Alexandre Schabino, um antepassado nosso, que, amigo de Bento Teixeira, Frei Vicente do Salvador e Ambrósio Fernandes Brandão, respondera a um Processo perante o "*Visitador do Santo Ofício às Partes do Brasil*" Heytor Furtado de Mendonça (ou Mendoça, forma espanholizada que o quase-inquisidor preferia, por ser partidário da Espanha e dos Filipes).

Mas Alexandre era apenas o Narrador: o Personagem-central do livro fora criado a partir de um Visionário que, depois da morte de Dom Sebastião na batalha de Alcácer-Quibir, tinha aparecido em Olinda, convencido de que era o jovem Rei de Portugal, morto na África mas ressuscitado no Brasil por seu intermédio.

Esse Protagonista de O Desejado chamava-se Dom Sebastião Barretto. Era um Personagem trágico, cujo Antagonista,

Mateus Bicalho, era cômico e picaresco. Segundo meu Tio, para criá-los, partira ele, em primeiro lugar, "*de um aprofundamento da antítese Mateus-Bastião, dos Espetáculos populares brasileiros*"; e, depois, do outro par formado pelo Nobre faminto e seu Pajem, presentes nos capítulos X-XVII das Aventuras do Lazarilho de Tormes, Novela-picaresca do século XVI. Mas Tio Antero dizia que o autor do Lazarilho não tivera gênio suficiente para entender que o jovem e faminto Escudeiro-fidalgo de sua Novela era um Personagem trágico, "*erro que aparecia corrigido em O Desejado*", acrescentava meu Tio.

Na verdade, para criar o Protagonista de seu "*quase- -romance*", ele procurara levar em conta "*os 5 maiores Personagens aparecidos na Cultura ocidental*": segundo ele, em Dom Sebastião Barretto fundiam-se Édipo, Orestes, Dom Quixote, Dom Juan e São Cipriano.

Jussara Salazar

Mestre, acho estranho que seu Tio não tenha incluído Hamlet e Fausto na relação dos maiores personagens da Cultura ocidental. Havia algum motivo especial para isso?

Dom Paribo Sallemas

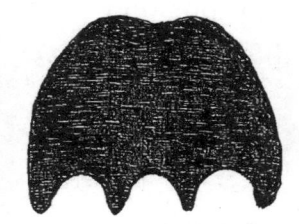

Havia dois, e ambos especiais. Primeiro, Antero Schabino dava preferência aos Escritores que eram filhos legítimos ou quase-legítimos da Rainha do Meio-Dia — o que, evidentemente, não era o caso do inglês, Shakespeare, nem do alemão, Goethe. Em segundo lugar, dizia ele que Hamlet era apenas uma versão requentada de Orestes (também filho de um Rei assassinado); e o Fausto era copiado de São Cipriano: não o Santo histórico, mas sim o grande Personagem-pactário criado, a partir dele, por Calderón de la Barca, em O Mágico Prodigioso.

Mas, se Você não concorda com isso, Jussara, quando for organizar sua própria lista diga: "*Os 5 maiores personagens da Cultura ocidental são 7*" — e então acrescente, aos outros, os 2 de quem falou, está certo?

Dom Pantero

E devo acrescentar, ainda, que meu Tio, na busca de enquadrar em linhagens "*os 3 maiores Escritores da época moderna*", costumava afirmar, assim mesmo, na terceira pessoa, que "*se Homero era o patrono de Tolstói, e Dante o de Dostoiévski, Cervantes era o de Ademar Sallinas*".

Socorro Torquato

Mestre, satisfaça uma curiosidade minha: por que é que todos os Savedras usavam nomes literários diferentes, como se irmãos não fossem?

Dom Pantero

Foi uma exigência — ou melhor, um conselho — que, como em quase tudo que nos aconteceu no campo da Arte, partiu de meu Tio, Mestre e Padrinho, Antero Schabino. Como acabo de explicar, ele próprio usava 2 pseudônimos — Ademar Sallinas e Aribál Saldanha. E como nossa Família tinha um nome enorme, ele aconselhava Altino a usar o de Sotero, Adriel o de Soares, Auro o de Schabino e eu o de Savedra, o que, segundo nos mostrou, "*até do ponto de vista prático*", seria melhor para marcar "*as Personas literárias*" de cada um de nós.

Reinaldo Azevedo

Por falar nisso, Mestre: o senhor disse alguma coisa sobre as Personas-Dramáticas e Máscaras-Coregais que aparecem com mais frequência em seus Espetáculos. Mas não disse quase nada sobre Dom Pantero. Como foi que nasceu e cresceu esta que me parece a Figura principal deste Simpósio?

Dom Pantero

Bem, a Máscara-e-Persona de Dom Pantero, que eu incorporo, surgiu como necessidade das Aulas-Espetaculosas. Como já aconteceu diversas vezes com nossa Família, ela se originou de uma dessas maldades que nossos equivocados e mesquinhos adversários costumam arquitetar contra nós.

Tudo começou porque os Schabinos de Savedra, fiéis à sua história familiar, têm, todos, como já disse, nomes quilométricos. Meu Tio, por exemplo, chamava-se Paulo Antero Soares de Sousa da Veiga Sotero Schabino de Savedra.

Dom Paribo Sallemas

Com um nome tão grande, vê-se logo que Antero Schabino teria que reduzi-lo, para assinar seus escritos. E, antes da invenção de "*Aríbál Saldanha*", ele adotou a assinatura de P. Antero Schabino — nome logo transformado por seus adversários em P'Antero, Dom Pantero e, finalmente, já na década de 50, Dom Pantero Chupacabra.

Fátima Batista

Chupacabra? Entende-se o Dom Pantero! Mas por que Chupacabra, Mestre?

Dom Paribo Sallemas

Tentaremos explicar, Dom Pancrácio, Dom Porfírio e eu. Na década de 50, "*num destes surtos de obscurantismo que, desgraçadamente, de vez em quando acometem nosso Povo*" — como afirmaram os sociólogos e cientistas-políticos da "*Esquerda arejada*" —, as classes mais pobres da nossa sociedade começaram a ser assustadas por um Bicho mal-assombrado, O Chupacabra.

Era um misto de Onça, Cachorro, Morcego e Lobisomem, que seduzia as Cabras, trepava com elas, cortava-lhes as carótidas com seus dentes afiados e então, no momento mais agudo do prazer, chupava-lhes o sangue até matá-las, motivo pelo qual diziam que ele era filho da Besta Fouva (ou Besta Ladradora).

Dom Pancrácio Cavalcanti

O Chupacabra aparecera nos relatos populares sem ninguém saber como nem por quê. E desaparecera logo depois, da mesma maneira estranha e incompreensível. Mas reaparecera nos anos 70, desta vez fazendo-se acompanhar por outra *"entidade"* tão grotesca e inverossímil quanto ele, O Sovaco Cabeludo.

Dom Porfírio de Albuquerque

Ora, os adversários da família Savedra costumavam fazer contra seus integrantes diversas acusações. Entre estas a de que, em sua Arte, os Schabinos tinham características muito semelhantes às do Chupacabra. Diziam que Auro e Adriel se apropriavam descaradamente dos Folhetos e dos Espetáculos populares, *"de cujos Autores eles chupavam o sangue, com o objetivo de injetar alguma seiva em suas pálidas obras, anêmicas e sem força"*.

Dom Paribo Sallemas

As comparações insultuosas agravaram-se quando surgiu aquele segundo surto das aparições. Comentou-se que, "*numa de suas inumeráveis taras sexuais, Antero Schabino — Dom Antero Mitoma, 'O Histrião Hebéfilo'*" — proibia as Mocinhas "*que caíam sob o fascínio intelectual do Charlatão de rasparem as axilas, porque isso o excitava de modo especial*".

Dom Porfírio de Albuquerque

Acrescentaram-lhe o apelido de Antero Chupacabra, alcunha que logo estenderam ao sobrinho e afilhado Antero Savedra (numa flagrante contradição com o apelido de Dom Antero Beato, O Donzelo, que já lhe tinham colocado antes). E começaram a gritar em todas as esquinas que "*era por causa daquela tara de Antero Schabino pelas axilas emplumadas de suas jovens alunas que O Sovaco Cabeludo tinha passado a aparecer nas ruas do Recife, em companhia de seu Mestre e parceiro, O Chupacabra*".

Dom Pancrácio Cavalcanti

Tais versões ganhavam força, primeiro porque os equivocados tinham conhecimento de que Gabriel, irmão mais moço dos Savedras, criava Cabras, no sertão da Paraíba; e depois porque, em torno de Auro e Antero Schabino, tinha-se criado, na Universidade, uma espécie de "culto profano", pelo qual algumas de suas jovens alunas eram as principais responsáveis.

Dom Paribo Sallemas

Esse culto viria a causar outras maledicências no Recife; principalmente depois que Greta Navarro — repetindo de certa forma o que já acontecera com a jovem Clarabela em relação a Antero Schabino — apaixonou-se por Auro, que era seu professor de Literatura Brasileira.

Dom Pantero

Entretanto, como é do conhecimento de algumas pessoas que estão na Plateia, em 1949, no dia em que acompanhávamos Albert Camus em suas incursões pelo Recife antigo, Auro, num Bordel a que fomos, fizera um voto de castidade (e a ele se manteria fiel até morrer); de modo que as alunas apaixonadas por ele terminavam decepcionadas, e as de temperamento mais sensível chegavam mesmo ao desespero.

Dona Clarabela

Foi o que aconteceu com Joana Daro, irmã do Padre Matias. Joana — a jovem, lunar e bela Negra que, por causa de Auro, terminou seus dias de modo tão doloroso, cruel e dramático. Foi o que aconteceu com "*a loura e saturnica*" Daniela Rougane, a flautista de corpo dourado de quem se dizia ter desempenhado um papel fatal e obscuro nos acontecimentos que culminaram com a morte de Joana. E foi o que aconteceu com Greta Navarro, "*a Moça das*

estrelas", alva e de cabelos escuros, como se representasse um traço de união entre a beleza pura de Joana e a "*de fruto terrestre e perigoso*" de Daniela: frustrada em sua paixão por Auro, Greta ficou tão fragilizada que, exilando-se aqui em Taperoá (para onde veio depois da morte de Auro e seguindo os passos de Antero Savedra), terminou revivendo entre nós o mito de Beldade e o Monstro — ela no papel da jovem Bela e Quaderna no da Fera.

Dom Pancrácio Cavalcanti

Tudo isso contribuía para estimular ainda mais as picuinhas daqueles equivocados que, no Recife, pareciam não ter outra ocupação que não fosse a de morder, "*de-furto*", os calcanhares dos Savedras.

Dom Pantero

Mas foi aí que Frederico Moraes, um intelectual de Assu, no Rio Grande do Norte, publicou no jornal A Gazeta do Oeste, de Mossoró, um artigo no qual afirmava que "*todo verdadeiro Artista ajuda a elaborar a imagem do País que é seu*". Falando, a seguir, sobre o caso particular do Brasil, citava, como pertencentes ao grupo dos que assim procediam, 4 Artistas — Heitor Villa-Lobos, João Guimarães Rosa, Gilvan Samico e Adriel Soares. Dizia que todos eles "*não se limitavam a transpor, para sua Arte, a criatividade de base popular: acrescentavam a ela seu fabulário pessoal e sua imaginação de Artistas eruditos, recriando e reinventando aquilo que o Povo brasileiro realiza com tanta competência e imaginação*".

Dom Porfírio de Albuquerque

Depois deste artigo, além dos costumeiros, preconceituosos e injustos remoques dos intelectuais da Cidade contra os do Interior, o único recurso que restou aos equivocados adversários dos Savedras foi inventar que "*o artigo era uma fraude, pois fora Dom Pantero quem o escrevera*". Disseram que Frederico Moraes não existia: "*como no caso de José Cardoso Marques, era apenas um pseudônimo usado por Antero Savedra para elogiar o irmão, o qual, sem isso, jamais poderia ter seu nome alinhado aos de Villa-Lobos, João Guimarães Rosa e Gilvan Samico — estes, sim, grandes Artistas, dos maiores que o Brasil tem tido*".

Dom Pantero

Mas eu, caridoso como sou, até entendo que assim falassem. Porque não tinham outra saída, coitados! Se assim não fizessem seriam forçados a reconhecer que, se "*o clã oligárquico, feudal e arcaico dos Savedras*" recriava em suas obras as Cantigas, os Folhetos, as Gravuras, os Toques e os Espetáculos populares, era somente para, como disse Marcelo Coelho na Gazeta do Cariry, remeter todo aquele material de origem popular "*a uma condição trágica, enfática, pessoal, gritante e universal*".

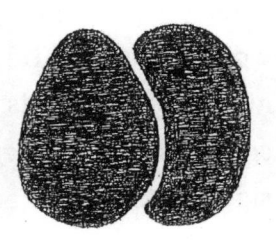

Dom Paribo Sallemas

Como, aliás — acrescente-se a Marcelo Coelho —, tinham feito Cervantes na Espanha, Molière na França, Shakespeare na Inglaterra, Gógol, Tolstói e Dostoiévski na Rússia.

Andrea Barbosa

Mestre, nenhum de nós está de acordo com as acusações de fraude que costumam lhe fazer no Recife. Mas, de uma forma ou de outra, a maioria dos que estão aqui trabalha em Jornais ou em Universidades, de modo que temos de nos ater ao mais estrito rigor crítico. Por isso pergunto: o senhor tem os recortes com os artigos de Frederico Moraes e Marcelo Coelho? Pode nos dar os dois, para que os citemos, com o local e a data da publicação?

Dom Pantero

Infelizmente não! Eu os tinha mas perdi-os também, na cheia de 1975!

Dom Paribo Sallemas

Mas a memória de Dom Pantero é muito boa — quase prodigiosa, diria ele, se a modéstia não o impedisse de falar assim! De maneira que Vocês podem transcrever as palavras daqueles dois grandes intelectuais brasileiros exatamente como ele as citou: garanto que assim ficará resguardado todo o rigor crítico que se exige de pessoas como Vocês.

José de Carvalho Silva Filho

Mas me diga uma coisa, Mestre: mesmo depois do artigo de Frederico Moraes, as implicâncias contra os Savedras continuaram, no Recife?

Dom Pantero

Continuaram e continuam! Vou-lhe dar uma prova desse fato: recentemente, tendo em vista os 500 anos da chegada dos Portugueses ao Brasil, os jornais recifenses realizaram uma pesquisa destinada a escolher os 10 maiores escritores da Língua Portuguesa em todos os tempos.

Dom Pancrácio Cavalcanti

Em Portugal, os agraciados foram Camões, Gil Vicente, Antônio Vieyra, Alexandre Herculano, Camilo Castelo Branco, Oliveira Martins, Antero de Quental, Eça de Queiroz, Fernando Pessoa e José Saramago.

Dom Porfírio de Albuquerque

No Brasil, foram Machado de Assis, Euclydes da Cunha, Lima Barreto, Gilberto Freyre, Cruz e Souza, Carlos Drummond de Andrade, Graciliano Ramos, João Guimarães Rosa, Nelson Rodrigues e João Cabral de Melo Neto.

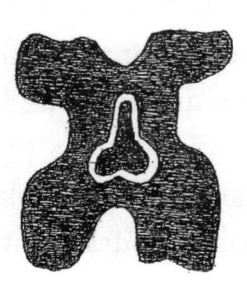

Dom Paribo Sallemas
As organizações negras ficaram caladas, por causa de Machado de Assis, Lima Barreto e Cruz e Souza. Mas as feministas protestaram imediatamente, por não terem incluído Mulheres na lista. Citavam-se os casos de Florbela Espanca e Natália Correia, em Portugal; de Cecília Meireles e Clarice Lispector, no Brasil.

Dom Porfírio de Albuquerque
Mas não apareceu ninguém para protestar contra a exclusão do ensaísta Aribál Saldanha, do poeta Altino Sotero, do dramaturgo Adriel Soares e do romancista Auro Schabino.

Dom Pajutero
A princípio fiquei indignado. Mas depois, refletindo melhor, vi que, na lista, fora deixada uma brecha para se reparar a clamorosa injustiça.

Em primeiro lugar, notei que nela se tinham arrolado ensaístas, poetas, romancistas e dramaturgos; mas nenhum deles fundira numa Obra só o ensaio, a poesia, o romance, o teatro e ainda por cima a gravura (como meu Tio sonhara para A Divina Viagem).

Dom Pancrácio Cavalcanti

E mesmo a se levar em consideração o fato, para nós irrelevante, de que A Divina Viagem nunca chegou a ser escrita, o pessoal que organizou a lista deveria ter se lembrado d'O Pasto Incendiado, d'A Onça Malhada, do Auto d'A Misericordiosa e do Romance d'A Pedra do Reino: cada uma dessas obras era mais do que suficiente para autorizar a entrada, no rol, de Altino Sotero, Aribál Saldanha, Adriel Soares ou Auro Schabino.

Dom Pantero

Mas havia, ainda, uma possibilidade de reação contra mais aquele equívoco de nossos adversários — possibilidade essa que, paradoxalmente, nos fora fornecida por um inimigo nosso, num Artigo que publicou no Recife.

Dom Paribo Sallemas

Nesse Artigo, do qual falaremos melhor depois, ele afirmava: *"O pouco interesse que hoje cerca as obras de Antero Schabino surge quando ele pronuncia suas Conferências Quase-Literárias.*

Aí, seus dotes de Histrião vaidoso e megalomaníaco levam os menos avisados, inclusive jovens, a confundi-lo com os Palhaços que os encantavam na infância."

Dom Pantero

Quer dizer, nosso adversário, sem perceber o terrível erro tático que cometia em sua guerra contra *"o clã oligárquico da família Savedra"*, terminara reconhecendo: pelo menos quando falava em suas Conferências, Tio Antero despertava o interesse dos jovens, que viam nele, ainda que degradada, *"uma versão dos Palhaços que os encantavam na infância"*. E se até um inimigo despeitado como aquele deixava escapar uma confissão de tal natureza era porque não havia dúvida: pelo menos ao falar, Aribál Saldanha alcançava uma qualidade que o distinguia entre os demais Escritores brasileiros.

Dom Pancrácio Cavalcanti

Entretanto, devia-se recordar, também, o caso de Adriel, *"O Príncipe da Fala de Ouro"* (como afetuosamente o chamava sua irmã Afra Cantapedra); e que, fazendo no Palco a apresentação dos Espetáculos encenados por Dom Pantero, merecera referências elogiosas de alguns Jornais interioranos.

Dom Pantero

Principalmente da Gazeta do Cariry, cujos integrantes sentiam orgulho porque Adriel era filho da terra, tendo nós morado em Taperoá durante a infância e quase toda a adolescência.

Dom Porfírio de Albuquerque

Foi por causa de tal orgulho que, um dia, o Diretor da Gazeta se deslocou para o Recife especialmente para assistir a um daqueles Espetáculos. Ao voltar, publicou um artigo no qual, considerando Adriel uma espécie de *"mito"*, terminou por dar sobre ele um depoimento que seria vital para a criação, por Antero Savedra, do personagem Dom Pantero. Disse ele:

Otávio F. de Oliveira Filho

"No Brasil, algumas pessoas vivem ainda o sonho de uma Cultura autêntica, enraizada no repertório ibérico, enriquecido pelas tradições africanas e indígenas.

"No Recife, no auditório de um Colégio (um dos poucos que ainda teimam em permanecer em tal linha), fui ver, nesta semana, o maior intérprete vivo desse sonho, Adriel Soares, autor de uma das obras-primas do nosso Teatro, o Auto d'A Misericordiosa.

"Centenas de pessoas, a maioria jovens, fizeram fila para ouvi-lo. Alto, magro, aristocrático, vestido de linho branco, o Mito *falou em pé, por duas horas. Arrancava aplausos ao citar trechos de Cervantes, Góngora, Calderón, Camões e Gregório de Mattos; risos maravilhados quando entrelaçava Clássicos com versos e casos de Cantadores sertanejos.*

"A sensação era a de ouvir Tolstói falando sobre a Rússia. Todo um panorama de encantos ancestrais, de tradições seculares, de religiosidade atávica, de pertinência, enfim, voltou à luz, durante aquelas duas horas. Dava vergonha de sermos tão deslocados, tão ignorantes, igualmente alienados daquele mundo primitivo e do mundo moderno que nos vem de fora."

Dom Pajtero

É verdade que o diretor da Gazeta concluía discordando de Adriel. Achava que, *"para o bem ou para o mal, o futuro da nossa Cultura parece estar na outra tradição, cosmopolita e litorânea, permeável às influências estrangeiras e ao ecletismo moderno"*.

Dom Paribo Sallemas

Mas não importava: referindo-se a tais discordâncias, Adriel chegou a afirmar que elas até davam um relevo maior aos elogios anteriores. E, invertendo os termos do ditado-popular, comentava, bem-humorado:

Adriel Soares

Se, mesmo discordando de minhas ideias sobre a Cultura brasileira, ele me compara a Tolstói em seu amor pelo Povo russo e considera o Auto d'A Misericordiosa como *"uma obra-prima"*, eu aceito a troca. Quem tem um adversário como esse não precisa de aliados!

Astier Basílio

Mestre, o senhor já confessou várias vezes que tinha ciúme literário de seus irmãos — principalmente de Auro e Adriel. Elogios como esse que foi feito a Adriel contribuíam para agravar tal ciúme?

Dom Pantero

Contribuíam, sim. Mas, por outro lado, ao ser Adriel comparado a Tolstói em seu amor pela Rússia, comecei a juntar isso àquelas palavras que nosso inimigo dissera sobre meu Tio, Antero Schabino; e a pensar que, no Palco, as obras dos Savedras poderiam ser representadas, dando-se a elas um caráter celebrativo e sagratório e mergulhando-as, pela oralidade (fonte primordial da Literatura), no impulso de uma encenação musical, dançarina e teatral, parecida com aqueles Espetáculos que encenávamos no Teatro Antônio Conselheiro, instalado por Auro e pelo Padre Matias Daro num barracão da Favela Ilha de Deus.

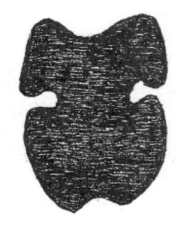

Dom Porfírio de Albuquerque

Foi aí, também, que Antero Savedra começou a querer transformar em Aulas-Espetaculosas as Conferências Quase-Literárias de seu Tio, Mestre e Padrinho Antero Schabino.

Dom Pancrácio Cavalcanti

O sonho, modesto a princípio, começou a crescer de forma assustadora. Em pouco tempo ele não queria mais somente igualar-se ao Tio e aos irmãos: pensava em ultrapassá-los, pois, se conseguisse realizar suas Aulas como Espetáculos baseados nas obras deles, poderia ganhar, do Público, como Ator, aplausos que nunca são dados a simples escrevinhadores de Romances, Poemas, Ensaios ou Peças-de-Teatro.

Dom Porfírio de Albuquerque

Entretanto, mesmo nos momentos mais empolgantes de seu sonho, de repente ele era assaltado pelo desânimo, pois via que era impedido de realizá-lo por algumas de suas terríveis limitações.

Dom Paribo Sallemas

Por exemplo: Antero Savedra era conhecido entre seus alunos como um Professor horrivelmente tedioso; principalmente quando, *"com sua voz fraca, feia, baixa e rouca, se metia a Filósofo"* — segundo comentavam eles, aborrecidos.

Dom Pantero

Até ali eu acertara a conviver com esse fato de modo razoável. Mas, depois de um sonho tão grandioso como aquele que passara a me incendiar o sangue, ele começou a se tornar insuportável. E eu estava a ponto de cair em desespero quando a Providência Divina veio em meu socorro. Foi como se passa a contar.

Dom Pancrácio Cavalcanti

Um dia, ao se aproximar da sala em que iria dar uma aula, Antero Savedra viu em torno de sua mesa um grupo de alunos que, ao som da Viola-Brasileira, tangida por Antonio Madureira, e da Rabeca, tocada por Aglaia Costa, estavam improvisando uma pequena Pantomima. Seus Personagens eram caricaturas de Antero Schabino, Auro, Adriel, Altino e ele próprio, Antero Savedra; era "*a Santíssima Trindade Universitária*" (como, nela, os 5 eram chamados, por sugestão de Romero de Souza Lima, que idealizara e dirigia tudo). E o que logo chamou sua atenção foi que, na Pantomima, seu Tio, Mestre e Padrinho era chamado de Dom Pantero Pai, e ele, Antero Savedra, de Dom Pantero Filho.

Dom Porfírio de Albuquerque

Antero chegara antes da hora e por isso é que surpreendera o grupo. Vendo-o, todos ficaram meio desconcertados. Mas, percebendo que ele os olhava divertido, foram adiante com a brincadeira.

Dom Pajtero

Enquanto prosseguiam, de repente eu tive a intuição de que poderia tirar partido de tudo aquilo para vencer os obstáculos e frustrações que me impediam de atuar bem, na Cátedra. Dos Estudantes que ali estavam transformando os Savedras em Personagens, Antonio Madureira estudava Violão e Viola-Brasileira; Aglaia Costa, Violino e Rabeca; Maria Paula Costa Rego, Dança; Romero de Souza Lima, Teatro; e se concordassem em ajudar-me, dali por diante ninguém mais dormiria em minhas Aulas, nem que fosse pela gritaria das falas, pelos passos de dança e pelo som dos instrumentos musicais.

Dom Pajcrácio Cavalcajti

Então, naquele dia, terminada a Aula, Antero Savedra chamou os 4 para uma conversa; fez a proposta e foi atendido. Inclusive, pediu a Aglaia Costa que lhe ensinasse a afinar e empunhar a Rabeca de modo a que, em certos momentos, com pequenos toques do arco nas cordas, pudesse fingir que tocava junto com os outros.

Dom Porfírio de Albuquerque

Fez pedido igual a Antonio Madureira sobre a Viola. Sabia que, em ambos os casos, jamais se transformaria num Músico. Mas, acompanhando seus dois alunos com aqueles pequenos toques, a excelência deles supriria sua irremediável canhestrice, a qual, explorada comicamente, podia até resultar num recurso cênico a mais.

Dom Pantero

Foi assim que comecei a convidar Artistas para participarem das Aulas, depois batizadas de Espetaculosas. Em tal companhia, até no Palco eu me animaria a aparecer, pois, com suas Artes, eles sanariam minhas deficiências de Ator, criando em torno do bisonho Professor que eu fora até ali aquela aura-de-encantação que cercava Adriel nas apresentações dos nossos Espetáculos. Agora, à oralidade teatral das novas Aulas, esta aura acrescentaria a beleza musical e dançarina da Festa, presente nos Espetáculos populares brasileiros e que eu, sozinho, era incapaz de alcançar.

Cida Sepúlveda

E o senhor partiu logo para o confronto com Adriel Soares, Mestre? Teve coragem de iniciar logo as Aulas-Espetaculosas, mesmo sabendo que elas não iriam escapar ao cotejo com as aparições de Adriel no Palco?

Dom Pantero

Eu? Deus me livre! Somente depois que Aribál Saldanha, Altino, Auro e Adriel morreram foi que me atrevi a começá-las; em minha qualidade de sobrinho e irmão, passei a me considerar como herdeiro natural deles.

Foi, portanto, fundindo depoimentos como o de Otávio F. de Oliveira Filho com encenações como aquela, feita por meus alunos, que, rivalizando com Altino, Auro e Adriel, eu pude finalmente juntá-los numa Figura só, que, ao lado de Dom Paribo Sallemas, Dom Pancrácio Cavalcanti e Dom Porfírio de Albuquerque, era tetrafônica, fosse quando olhada pelo ângulo do Rei, fosse quando encarada pelo do Palhaço; era o Personagem encorado e polifônico de Dom Pantero — esta Persona-Dramática-e-Máscara-Coregal baseada em Savedras já mortos mas que, dali por diante, passariam a reaparecer, ressurretos e imortais, no Palco. Era aquele Narrador coral, batizado com a alcunha que os equivocados tinham inventado como escárnio e que agora voltava como glória, cravado, como para sempre estava, no centro mesmo do nosso Espetáculo.

Carlos Cândido Feitosa

Seu modo de vestir tem alguma coisa a ver com tudo isso, Mestre?

Dom Pantero

Tem, sim! Às vezes eu me visto de branco, como Adriel; às vezes de cáqui, como Quaderna; outras vezes de mescla azul, como Auro; ou de calça azul e camisa branca, como Altino.

Neste primeiro dia do Simpósio, como se trata de uma Overtura solene, vim de preto-e-vermelho, como Tio Antero, e ainda com o Colar-e-Medalhão que ele usava como insígnia e que, em nossa derradeira conversa ao pé de seu leito de morte, também me deu licença para usar, concedendo-me afinal o direito de assumir minha condição de seu herdeiro e sucessor.

E foi bom que o fizesse; porque somente assim é que Dom Pantero Filho tem a coragem indispensável para somar-se a Dom Pantero Pai e, com todas as limitações de sua pessoa comum e modesta, apresentar-se diante de todos como Dom Pantero do Espírito Santo; ou Dom Pantero Chupacabra Filho, como continuam preferindo chamar-me nossos equivocados e invejosos adversários.

Dom Pancrácio Cavalcanti

Então, como agora já pode ser entendido por todos, forçado, por suas limitações, a ser mais modesto do que Flaubert, Antero Savedra não pode dizer *"Dom Pantero sou eu"*. Dom Pantero é apenas uma Figura, criada a partir da fusão de Aribál Saldanha, Altino Sotero, Auro Schabino e Adriel Soares.

Dom Porfírio de Albuquerque

Aribál Saldanha era um Ensaísta, um Pensador. Altino Sotero, um Poeta. Auro Schabino, um Romancista, um Narrador. E Adriel Soares, um Dramaturgo.

Por isso, Dom Pantero, herdeiro universal deles, é um Poieta, um Narraturgo: um Personagem centáurico, metade Homem e metade Cavalo, como um Capitão desses que figuram no Cavalo-Marinho. É o Imperador e, ao mesmo tempo, o Corego e Encenador dos nossos Espetáculos.

Dom Pancrácio Cavalcanti

Mas não oculta, por trás de seu nome, pessoa real alguma. É somente uma espécie de Nicho; o que, aliás, é bom e salutar, pois impede qualquer vaidosa e antipática pretensão por parte daquele que, somente no Palco, ocupa o Nicho destinado à figuração do Personagem: daquele que, melhor do que ninguém, radiosamente representa o Povo brasileiro.

Dom Porfírio de Albuquerque

Esta simples Figuração, porém, era importantíssima; porque, como Aribál Saldanha lembrou uma vez numa de suas Conferências Quase-Literárias, "*as maiores Obras literárias criadas pela Humanidade giram em torno de Personagens representativos de seus povos de Cabreiros e de suas comunidades primitivas, como acontecia com Édipo, Ulisses, Sancho ou Dom Quixote*"; mas, acrescentava Aribál Saldanha, "*ao mesmo tempo (e por isso mesmo), tais Personagens eram universais, porque encarnavam o grande sonho de todos os seres humanos — aquele que está por trás da Demanda;*

da Viagem, que, de uma forma ou de outra (e mesmo que nem todos saibam disso), significa a vida de cada um de nós".

Dom Paribo Sallemas

De tal modo, tendo conseguido levantar, no Palco, a Figura com a qual sonhara, Dom Pantero passou a encarnar todo o Povo brasileiro; por meio dele, os filhos da Iarandara; e mesmo toda a Humanidade, porque, como dissera em Canudos o nosso santo Profeta, Antônio Conselheiro, "*a vida de qualquer pessoa é uma Viagem em busca do Sangral; e todos nós, sob os olhos de Deus, nosso Pai, formamos um só Pastor e um só Rebanho*".

Maureen Bisilliat

Mestre, eu admirava muito a pessoa e a obra de Auro Schabino, cujo Romance d'A Pedra do Reino me levou a incluí-lo, como terceiro vértice, no Triângulo literário, místico, telúrico, trevoso e iluminado do Sertão — Euclydes da Cunha, João Guimarães Rosa e Auro Schabino. Mas aqui, agora, talvez por causa da Arte que pratico, gostaria que Você adiantasse alguma coisa sobre as imagens que passaram a ilustrar as Aulas-Espetaculosas e, consequentemente, o Simpósio.

Dom Pantero

É com o maior prazer que respondo a essa grande Artista, cuja câmera iluminada nos serviu de guia, a mim e a Fernando Carvalho, para algumas cenas do Espetáculo intitulado O Amor de Rosa e Francisco nos Labirintos da Sorte.

E já que falei nisso, acrescento que Fernando Carvalho e Miguel de Alencar marcaram muito minha vida e a forma deste Simpósio, ambos por terem usado obras de meus irmãos em programas da TV Ilumiara. Miguel foi autor do Espetáculo A Coroada, feito com base no Auto d'A Misericordiosa, de Adriel. Fernando realizou outro, Ao Sol da Pedra do Reino, fundamentado no Romance d'A Pedra do Reino, de meu irmão Auro Schabino: do ponto de vista da ligação da Arte com minha vida, este me tocou profundamente por causa da cena em que Heliana passa mel nos seios. Já falei, aqui, do papel que as jovens Atrizes e Bailarinas que tomam parte em minhas Aulas-Espetaculosas a partir de certo tempo começaram a desempenhar na minha vida, triste e solitária desde aquele terrível dia em que, no Horto de Dois Irmãos, soube, pela própria Liza Reis, que ela me rejeitava para sempre, por ter dado seu amor a outro.

Quando essa cena dolorosa me punge a lembrança, eu corro para o Camarim, a colocar no aparelho de televisão a fita de vídeo que ganhei de Fernando. E ninguém pode imaginar os sentimentos contraditórios de encantação e desespero que me possuem em tais momentos: por um lado, porque a beleza da jovem Atriz que faz Heliana, aliada ao iluminoso claro-escuro da cena criada por Fernando, chegam a expressar alguma coisa do que Liza significava e significa para mim; por outro lado, porque, naquele dia, no Horto, morreram todas as esperanças que porventura eu tivesse de ver uma cena parecida acontecer diante de meus olhos, não mais em imagem, mas sim com a figura real e encantadora de minha amada Liza Reis.

Explicado isso, devo dizer-lhe, Maureen: dois foram os fatos que me levaram a introduzir imagens nas minhas Aulas. O primeiro foi o seguinte: logo depois da morte de Tio Antero, nossos adversários, transferindo para mim as implicâncias que tinham com ele, começaram a dizer que era no mínimo estranho fosse encarregado de escrever um Livro chamado A Divina Viagem um homem como eu, que nunca saíra do Brasil; e até de sua Casa somente saía quando não tinha outro jeito.

Ascenso Café

"E seus adversários tinham razão. É conhecido seu orgulho ao declarar que nunca saiu de casa, ou seja, da 'pátria', resistindo

aos encantos do exterior, o que o leva à posição estreita, limitada e retrógrada de viver de frente para o passado. O senhor poderia ter assumido uma infidelidade transgressora e libertadora em relação à Casa e ao universo familiar e paterno. E, no entanto, não o fez, de modo que tem, hoje, num Poeta geográfica e tematicamente próximo, o seu antípoda: João Cabral de Melo Neto, Poeta itinerante, percorreu o Mundo, deixou-se influenciar por autores distantes como Francis Ponge e Marianne Moore, e, ao invés de investir na fundação de uma Poesia brasileira, procurou e achou uma sensibilidade despojada, austera e pétrea, que estabelece uma supernacionalidade, por meio de um verbo descarnado que ele traz como herança de sua circunstância nordestina.

"Conclui-se que, se o senhor é o filho que ficou junto ao Pai cuidando de sua propriedade, João Cabral é o pródigo que se perdeu pelas estradas do Mundo para só assim encontrar a sua pátria mais íntima.

"O grande escritor mexicano Octavio Paz elogia os Escritores que viajam, como João Cabral viajou, afirmando que 'a experiência deles confirma que para voltar à nossa Casa é necessário primeiro arriscar-se a abandoná-la'. Só quem regressa é o filho pródigo.

"A lição do 'filho pródigo', recusada pelo 'filho guardião da Casa', lembra que o caminho da identidade passa pelo outro. Isto é, exatamente o contrário do senhor, que vive o exílio mental de um passado para sempre desaparecido."

Dom Pantero

Eu não conheci João Cabral pessoalmente, mas ele era muito amigo do meu irmão Auro, que certa vez foi procurado por um admirador da sensibilidade *"pétrea, despojada e austera"* de João Cabral de Melo Neto e Graciliano Ramos. O homem era, também, candidato a escritor e, em suas tentativas literárias, procurava imitar *"o verbo descarnado"* dos autores de Vidas Secas e A Educação pela Pedra. Segundo disse a meu irmão, viera para adverti-lo: Auro não escrevia com a áspera e angulosa concisão de Graciliano Ramos e João Cabral de Melo Neto, motivo pelo qual *"jamais expressaria o Brasil por um Sertão árido e verdadeiro como o deles"*.

Pacientemente, Auro alinhou alguns argumentos para responder-lhe. Disse que, como escritor e como pessoa, tinha *"a cara que sua vida lhe marcara e jamais poderia trocá-la por outra para assemelhar-se a quem quer que fosse"*. Afirmou que Graciliano Ramos e João Cabral de Melo Neto eram ásperos e concisos porque, em ambos os casos, aquela era a linguagem que convinha à expressão do universo deles. Acrescentou que, apesar de muito admirá-los, ele, Auro, era muito diferente dos dois e jamais poderia escrever da mesma maneira: Graciliano e João Cabral pertenciam à linhagem clássica, despojada e sóbria de Machado de Assis, e ele, à barroca, romântica e retórica de Euclydes da Cunha. Disse que cada Escritor criava a linguagem indispensável à expressão de seu universo. Lembrou que havia grandes Escritores — como Shakespeare, por exemplo — que não se distinguiam propriamente pela concisão, e sim pelo excesso, às vezes retórico; de modo que, se seu interlocutor preferia outros mais sóbrios e mais realistas como Stendhal, isso era apenas expressão de um gosto pessoal seu; um gosto legítimo, mas que não tornava ilegítima a preferência dele, Auro, pelos que, como "*o romântico Dostoiévski*", eram mais prolixos, mais retóricos e apaixonados, menos concisos e serenos do que "*os clássicos*". Era o mesmo motivo que, na Literatura brasileira, o levava a preferir Euclydes da Cunha a Machado de Assis.

E como o Crítico insistisse em tomar como norma aquilo que era apenas um gosto seu, Auro perdeu a paciência e disse que certos imitadores de Graciliano Ramos e João Cabral de Melo Neto estavam transformando em defeito e cacoete aquilo que era apenas uma característica dos Mestres. Tais imitadores recordavam-lhe um personagem de Dickens; um sujeito que tinha tanto horror aos adjetivos, aos parágrafos longos e ao excesso de palavras que assim descrevia um acidente no qual lhe morrera o Sogro: "*Estrada. Carruagem. Sogro à portinhola. Disparada. Árvore. Batida. Sogro sem cabeça.*"

Algum tempo depois desta conversa, Auro recebeu em casa um outro Crítico, que elogiou os contos de um jovem Escritor. Eram contos "*enxutos, precisos e descarnados*", e, portanto, de estilo muito diferente daquele usado por Auro no Romance d'A Pedra do Reino, "*que contava, em 700 páginas, o que podia ser contado em 300*".

Comentando essas observações, muitas vezes ouvi Auro dizer:

Auro Schabino

Eu jamais poderia me entender com pessoas que têm esse gosto, porque, para levantar o Castelo com que sonho, preciso de uma linguagem que tenha exatamente tudo aquilo que eles consideram como defeito; isto é, sonho com uma ficção e uma linguagem largadamente entregues "*ao excesso, ao desbragado e ao supérfluo linguístico*". A Pedra está presente em tudo o que escrevo; mas, no meu caso, ela vive cercada pelo sangue e pela festa, por causa do sangrento mas fecundo Riacho que banha as pedras da Ilumiara.

Uma das cenas "*mais belas, cavaleiras e fortes*" que vi em minha vida foi a de um Pai-de-chiqueiro enorme e preto cobrindo uma nova e vermelha Novilha-de-cabra num pedaço áspero e bruto da Caatinga sertaneja; era num "Lajeiro", isto é, sobre uma grande e baixa Pedra espalhada, quase rente com o Chão, cercada de Macambiras e Xiquexiques e coberta de pedaços de pedra menores, que reluziam, ao Sol, suas faíscas de Malacacheta. Esta cena e o choque primordial de áspera Beleza que ela me proporcionou mostravam-me, de uma vez para sempre, que a Vida é cruel e dura, mas bela — e sua beleza está ao alcance de qualquer um (mesmo do mais pobre e bruto dos Sertanejos). Fabiano e Severino deviam ter visto muitas vezes cenas parecidas; e seus Pais só não as contaram porque por elas não tinham interesse.

Dom Pancrácio Cavalcanti

Levando em conta estas palavras de Auro, Dom Pantero terminou decidindo que aqui no Simpósio nós também nos entregaríamos à paixão, ao excesso, ao retórico e ao desbragado, tanto na linguagem quanto nas imagens. Assim poderíamos garantir que Vocês, aqui no Teatro, não entrarão em contato com nenhuma Poesia "*asséptica e assexuada*"; nem com um Teatro "*medido e de bom gosto*"; nem com um Romance "*contido e descarnado*". Verão, sim, a arte de um velho Ator e Encenador que não tem medo da "*paixão*" nem do "*mau gosto*"; e que, como os velhos Cantadores e Folhetistas (ou como os velhos Mestres dos nossos Espetáculos populares), não se deixa vencer pela velhice nem pela feiura: velho como é, e feio como sempre foi, sabe que, ao entrar no Palco para travar sua Peleja, o Dáimone baixa em seu sangue e o Público, hipnotizado por ele, também se queima e ilumina à centelha do Sagrado, como Ricardo Barberena viu em Arcoverde.

Dom Porfírio de Albuquerque

E não foi por acaso que Dom Pancrácio falou em Peleja: aqui, cada sessão do Simpósio é como que um Episódio da longa e decisiva Peleja do Velho Guerreiro contra a Besta do Quarto Império; e o todo será O Grande Desafio do Beato Antero perante o Enigma da Vida e da Morte; enfim, A Grande e Famosa Peleja de São Cipriano e o Diabo.

Dom Pantero

E volto à pergunta de Maureen Bisilliat, cuja Câmera — como a de Walter e Fernando Carvalho — também pertence à linhagem barroca de El Greco, Antônio José da Silva, Antônio Vieyra, Goya e Gregório de Mattos. Volto a ela explicando que Vera Ferraz, depois de assistir a uma daquelas Aulas-Espetaculosas que eu começara a dar, convidou-me para fazer, na TV Ilumiara, um programa semanal intitulado O Canto da Casa Sonhosa — programa que, aliás, estamos exibindo aos poucos, aqui no Simpósio, pelas projeções da Lanterna Mago-Iconoscópica que herdei de Quaderna.

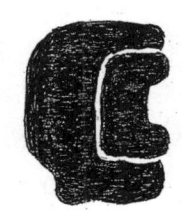

Dom Pancrácio Cavalcanti

Foi assim que, por meio d'O *Canto da Casa Sonhosa* e de outros programas exibidos pela TV *Ilumiara*, Dom Pantero, sem sair de sua Casa, começou a ser levado, pelas imagens, aos lugares mais diversos e remotos do Mundo.

Dom Porfírio de Albuquerque

Lembro-me do dia em que, no espaço de meia-hora, ele viajou pelo templo de Angkor, por Cartágena e por Palenque, espantando-se primeiro, em Angkor, com aquela Catedral gigantesca, mais bela, mais forte e maior do que todas as europeias, e com paredes decoradas por Esculturas diante das quais esmorecem, juntas, as obras de Miguelângelo e as de Rodin; encantando-se depois, em Palenque, diante das ruínas veneráveis daquela civilização Maia, cujas obras são da mesma linhagem da Ilumiara e que representou para a América Latina o mesmo que a Egípcia para os Europeus; e, finalmente, ao terminar o programa, encantando-se com algumas Igrejas românicas da Península Ibérica e com os redutos, Fortalezas e muralhas barrocas de Cartágena.

Dom Pantero

De tal modo, minha Trupe Ambulante de Teatro, meu Cine-de-Circo, minha particular e diferente Divina Viagem, foi aos poucos se configurando, sem que eu me visse obrigado a sair da tranquila e maravilhosa Casa que tanto amo e à qual me mantenho fiel, mesmo incorrendo, por isso, no desapreço dos *"pródigos, concisos e descarnados viajantes do Mundo"*.

O melhor, porém, foi que, como acabo de lembrar, o pessoal da TV Iluminara resolveu fazer dois Seriados, um a partir do Auto d'A Misericordiosa, de Adriel, dirigido por Miguel de Alencar, o outro fundamentado no Romance d'A Pedra do Reino, de Auro — este último dirigido por Fernando Carvalho. E, depois da exibição, ganhei de presente as fitas de vídeo dos dois Espetáculos.

Instalei então, no meu Camarim deste Circo-Teatro Savedra, um aparelho de som e uma televisão. E às vezes, para inspirar-me antes de entrar no Palco, costumo tirar o som da televisão para ver as cenas de um e de outro ao som de músicas diversas, o que transforma as fitas num misto de Ópera, Balé e Cinema-mudo.

Logo passei a comprar fitas de vídeo que exibiam Espetáculos circenses e com as quais passei a fazer o mesmo, nunca me esquecendo do deslumbramento que experimentei ao ver uma delas ao som da música de Antonio Madureira No Reino da Ave dos Três Punhais.

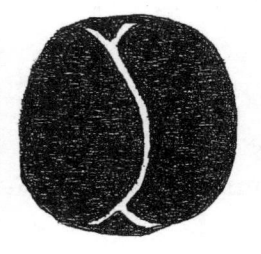

Outro fato que devo recordar é que, certa vez, à noite, eu via o belo Espetáculo-de-dança que Nureyev fez a partir do Dom Quixote. De repente, senti profunda compaixão de Cervantes, que, em vida, nunca pudera constatar quantas Obras-de-Arte tinham nascido de seu Livro imortal. E apressei-me a substituir a obra de Nureyev, colocando em seu lugar a que Fernando Carvalho fizera com base no Romance d'A Pedra do Reino. Encantado, dizia para mim mesmo: "Auro não está mais aqui. Mas eu estou. E, na falta dele, tenho a alegria que Cervantes, coitado, nunca teve."

Jeanine Brandão

Mestre, Paulo Coelho declarou, outro dia, que daqui a 50 anos será reconhecido como *"um clássico"*. Por outro lado, soube que o senhor recomendou aos organizadores do Simpósio que esta sessão só durasse um dia. E o que lhe pergunto é isto: tendo em vista as clássicas unidades de ação, tempo e lugar, sua preocupação de terminar os trabalhos antes que o dia acabe revelaria, por acaso, preocupação semelhante à de Paulo Coelho — no seu caso em relação à Obra *"clássica"* que seu Tio lhe encomendou?

Dom Pancrácio Cavalcanti

Antes de mais nada, quero deixar claro que, como já foi dito aqui a respeito de Gilberto Freyre, é por pura modéstia que Paulo Coelho fala assim: tanto no caso dele quanto no de Dom

Pantero, não vimos necessidade nenhuma de esperar 50 anos para que os dois sejam declarados "*clássicos da Literatura de Língua Portuguesa*".

Dom Paribo Sallemas

E recordo: foi daquela maneira, inclusive pelas imagens da Lanterna, que "*a Figura feudal e arcaica*" de Dom Pantero terminou ultrapassando as fronteiras da "*modernidade*", da "*pós-modernidade*" ou de qualquer outra "*idade*" que, no futuro, esse pessoal novidadeiro ache por bem inventar.

Dom Porfírio de Albuquerque

Entretanto, seríamos ainda agradavelmente surpreendidos por outro golpe de sorte: o Diretor da Gazeta do Cariry, aquele mesmo Otávio F. de Oliveira Filho, provavelmente por causa da admiração que tinha por Adriel Soares, convidou Dom Pantero para escrever na Sibila, Suplemento no qual, sob as ordens de William Costa, ele deveria ir publicando uma coluna turística e literária, o Almanaque Viajoso.

Dom Pancrácio Cavalcanti

Ali, Dom Pantero adotaria o conhecido processo do "*Jornalismo-de-tesoura*", suprindo com ele sua falta de Viagens e sanando essa falha por meio dos relatos publicados pelos outros em qualquer Jornal que lhe caísse nas mãos: era um processo semelhante ao que já vinha seguindo com as imagens da TV Ilumiara, completando ele, pela fusão de imagens e relatos alheios, as Viagens imaginárias e sonhosas de que precisava para efetivar A Divina Viagem (Obra que, na falta de Altino, Auro e Adriel, seu Tio, no fim da vida, se resignara a confiar-lhe).

Dom Porfírio de Albuquerque

Ao receber o convite de Otávio, Dom Pantero imaginou o Almanaque Viajoso como uma fusão do Livro Negro do Cotidiano, de seu tio-materno João Sotero, com A Onça Castanha, de seu outro tio, Antero Schabino. Atento à crítica que Auro fizera ao "*castanho*" do título do livro de Aribál Saldanha ("*castanho*" que, sem o confessar, este herdara do "*moreno*" de Sylvio Romero e Araripe Júnior, e do "*pardo*" de Euclydes da Cunha), Dom Pantero decidira "*rebatizar*" a Onça desde o título do Almanaque; assim como todos podem ver no letreiro projetado na Tela:

Almanaque Viajoso

Diálogo d'A Onça Malhada e a Ilha Brasil. Contendo ideias, enigmas, relatos de Viagens reais ou imaginárias, lembranças, informações, comentários, reflexões e a narração de casos acontecidos ou inventados, escritos por Antero Schabino, e reunidos, em prosa e verso, num Livro Negro do Cotidiano, por seu afilhado, sobrinho e discípulo Antero Savedra — Bacharel em Filosofia, Doutor em História e Licenciado em Artes.

Dom Pantero

Fiquei tentado a aceitar porque tudo aquilo era um reforço considerável para o que, além de Romance, de Poesia e Teatro, A Divina Viagem deveria ter de Ensaio. Otávio prometia-me ainda que, caso eu aceitasse o convite, a Sibila publicaria, depois, as Epístolas que Tio Antero planejara para a feitura da Obra (o que era uma tentação para um Autor que, como todos os Savedras, tinha uma enorme dificuldade de encontrar Editor que corresse o risco de publicá-lo).

Dom Pancrácio Cavalcanti

Mas, por outro lado, impunha-se a Dom Pantero uma condição para que o trato se efetivasse. Ocorre que a Sibila — o Caderno feminino, rural e turístico da Gazeta do Cariry — era ilustrado, e o Jornal não tinha verba para pagar a um Artista o trabalho suplementar de que o Almanaque necessitava para se colocar de acordo com o resto da publicação. Assim, tudo somente seria possível se o próprio Dom Pantero se encarregasse de fazer as Gravuras que ilustrariam a Coluna.

Dom Porfírio de Albuquerque

Modesto e cheio de limitações como é, Antero Savedra ponderou a Otávio que não tinha capacidade suficiente para a tarefa. Mas ele respondeu: pelo que pudera avaliar até ali, dava para Dom Pantero se transformar num Artista-gráfico menor; o que, aliás, já começara a acontecer, graças ao ato tirânico de seu Tio, que o obrigara a se tornar Copista, inclusive adotando o Alfabeto Sertanejo que Dom Pantero também deveria usar, com base nas anotações de Paulino Villar (um Fazendeiro que, no século XIX, registrara a forma de vários ferros e ribeiras do Cariri paraibano); assim como a Tipografia Armorial, que Ricardo Gouveia de Melo e Giovana Caldas tinham criado a partir daquele.

Dom Pantero

Lembrei-me então de que Eliza de Andrade fizera algumas experiências com os obscuros poemas de meu irmão Altino — poemas que ela copiava a mão num papel em que, antes, imprimira uma de suas Litogravuras.

Recordei-me, depois, de que Pedro Américo — o maior Pintor brasileiro da época imperial — era nosso parente: minha Bisavó, Anna, era irmã do Pai dele, Daniel.

Talvez entusiasmado por esse parentesco, Tio Antero costumava nos mostrar, nas aulas, reproduções dos quadros e das caricaturas de Pedro Américo. Mostrava-nos, também, as charges com as quais os adversários do nosso ilustre parente o importunavam. E dizia que tanto as caricaturas feitas pelo *"Pintor imperial"* quanto as de seus inimigos *"eram mais próximas do gosto contemporâneo do que a pintura oficial e acadêmica de Pedro Américo"*.

Dom Pancrácio Cavalcanti

Entre os inimigos do *"Pintor imperial"*, Aribál Saldanha citava o caso de Angelo Agostini, que fizera d'A Carioca uma versão irônica, na qual a Mulher brasileira do quadro aparecia tocando Flauta nos próprios cabelos.

Dom Porfírio de Albuquerque

E então, estimulado por tudo isso, Dom Pantero resolveu preparar-se para se embrenhar na *"Selva selvagem"* do Almanaque — selva que, depois, seria incluída na própria Estrada (ou *"Caatinga bruta"*) d'A Divina Viagem. Estudou Escultura com Arnaldo Barbosa; Tapeçaria com Ana Maria Vilar, Maria, Isabel, Mariana e Ana Rita Savedra; Litografia com Eliza de Andrade;

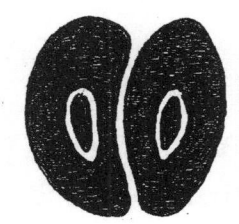

Xilografia com Gilvan Samico; Mosaico e Gravura-em-Metal com Guilherme, Manuel e Alexandre, filhos de Eliza e Adriel.

Dom Pantero

O primeiro trabalho que intentei como exercício em meus diversos cursos foi uma gravura feita a ponta-de-metal — uma Estilogravura, portanto. Era um meio-termo entre o quadro de Pedro Américo e a versão caricatural que Angelo Agostini fizera dele. E como eu desejava que as Estilogravuras e Iluminogravuras, a exemplo das Iluminuras ibéricas, fundissem texto e ilustração, coloquei naquela um título que era também uma recriação *"ilumiarizada"* das ironias dirigidas contra nosso Parente por seu despeitado, invejoso e equivocado inimigo. Assim:

Angelo Agostini Savedra

Variação para Flauta e Mulher

"Segunda Flauteação, Opus 36.270, em Si-Menor, de Pedro Américo. Da primeira Variação para esta, apesar de todos os banhos de azeite que a Carioca tomou para curar a desproporção de sua coxa esquerda, ela continua inchada em relação à direita. Quanto ao Jarro que verte água perto dela, não se sabe se é a ânfora de Afrodite ou o Vaso-Noturno em que a Divindade brasileira cabocla passa as madrugadas vertendo suas micções."

Dom Pantero

Mas tudo isso foi depois e fica para melhor ser explicado depois. Importante, agora, é dizer: nosso Tio e Mestre costumava mostrar-nos que o papel desempenhado por Pedro Américo e Angelo Agostini no que se referia às Artes Plásticas era equivalente, para nós, ao de José de Alencar, Euclydes da Cunha, Machado de Assis e Lima Barreto, na Literatura. Mostrava como, abrindo caminho para Os Sertões, o autor de Lucíola, neste último Romance, descrevia alguns contingentes da população brasileira diante da Capela barroca de Nossa Senhora do Outeiro da Glória, no Rio de Janeiro:

José Schabino de Alencar

"A primeira vez em que Paulo veio ao Rio de Janeiro foi em 1855. Poucos dias depois de sua chegada, um amigo de infância, o Doutor Sá, levou-o à Festa da Glória, uma das poucas Festas populares da Corte. Conforme o costume, a grande Romaria, desfilando pela Rua da Lapa, e ao longo do Cais, serpejava nas faldas do Outeiro e apinhava-se em torno da Ermida, cujo âmbito regurgitava com a multidão do Povo.

"Era a Ave-Maria quando os dois chegaram ao Adro. Perdida a esperança de romper a Mó de gente que murava cada uma das portas da Igreja, resignaram-se a gozar da fresca viração que vinha do Mar.

"Enquanto Sá era disputado pelos numerosos amigos e conhecidos, Paulo gozava de sua tranquila e independente obscuridade, sentado comodamente sobre a pequena Muralha e resolvido a estabelecer ali o seu observatório.

"Para um provinciano recém-chegado à Corte, que melhor Festa do que ver passar-lhe pelos olhos, à doce luz da tarde, uma parte da população de uma grande Cidade, com seus vários matizes e infinitas gradações?

"Todas as raças, desde o Caucasiano sem mescla até o Africano puro; todas as posições, desde as figuras ilustres da Política, da fortuna e do talento, até o Proletário humilde e desconhecido; todas as profissões, desde o Banqueiro até o Mendigo — finalmente, todos os tipos da Sociedade brasileira desfilaram em face dele, a Seda e a Casimira roçando pela Baeta ou pelo Algodão, misturando-se os perfumes delicados às impuras exalações, o fumo aromático do Charuto-havana às acres baforadas do Cigarro-de-palha."

Dom Pantero

E, para que comparássemos os dois Escritores, Tio Antero mandava que relêssemos aquele texto em que Euclydes da Cunha descreve os mais variados tipos que, aos poucos, iam caldeando o Povo brasileiro — tipos que ele apresentava reunidos em volta da Igreja de Canudos, assim como Alencar os mostrara em torno da Igreja da Glória:

Euclydes Schabino da Cunha

"A antiga Capela era frágil e pequena. Ao cair da tarde, a voz do Sino apelidava os fiéis para a oração. A multidão repartia-se, separados os sexos em dois agrupamentos destacados. E em cada um deles notava-se um baralhamento enorme de contrastes.

"Todas as idades, todos os tipos, todas as cores. Grenhas maltratadas de Crioulas retintas; cabelos corredios e duros de Caboclas; trunfas escandalosas de Africanas; madeixas castanhas e louras de Brancas legítimas.

"Destacava-se, mais compacto, o grupo varonil dos Homens, mostrando idênticos contrastes: Vaqueiros rudes e fortes, trocando, como Heróis-decaídos, a bela Armadura-de-couro pelo uniforme reles de Brim; Criadores, ricos outrora, felizes pelo abandono das Boiadas e dos Pousos animados; e, menos numerosos, porém mais em destaque, Gandaieiros de todos os matizes, recidivos de todos os delitos."

Dom Pantero

Mas logo meu Tio chamava nossa atenção para outro fato: diferentemente daquilo que acontecia com Euclydes da Cunha, em José de Alencar a visão austera e masculina dos Vaqueiros (Centauros sertanejos) era complementada pela das Mulheres urbanas, verdadeiras Centauras-fêmeas, diante das quais éramos empolgados por uma paixão que nos atingia com grande intensidade. Era o caso de Lúcia, bela Mulher que, por causa de seu sangue centáurico, se dilacerava em duas Personas opostas — a da Moça casta e pura que se chamava Maria da Glória e era devota de Nossa Senhora, e a de Lucíola, a Cortesã sensual que, fundida à outra, compunha a Face bifronte e fascinadora do Emblema feminino — resumo do enigma do Mundo.

Esse Emblema começava a se configurar logo na primeira vez em que Paulo, Moço do interior como nós, avistava a Romaria a voltear em torno da Ermida, com aqueles tipos tão diversificados de Caboclos índios, Negros africanos, Árabes, Judeus e Ibéricos que, desde o século XVI, tinham começado a formar o Povo brasileiro. E Paulo, de longe, primeiro tinha conhecido a face humana, quase angélica, daquela jovem Centaura-fêmea. Fora no Outeiro da Glória e ela estava numa Carruagem:

José Schabino de Alencar

"Naquela ocasião, Paulo descobrira a alguns passos diante de si uma linda Moça que, numa Carruagem, parara um instante para contemplar no horizonte as Nuvens brancas esgarçadas sobre o Céu. Admirou-lhe, ao primeiro olhar, um talhe esbelto e de suprema elegância. O Vestido que o moldava era cinzento, com orlas de Veludo castanho e dava esquisito realce a um desses rostos suaves, puros e diáfanos, que parecem vão desfazer-se ao menor sopro, como os tênues vapores da Alvorada. Ressumbrava na sua muda contemplação laivos de tão ingênua castidade que o olhar dele repousava calmo e sereno na mimosa Aparição. Sentada ao lado de uma Senhora idosa, recostava-se preguiçosamente sobre o macio estofo, e deixava pender pela cobertura derreada da Carruagem a mão que brincava com um Leque de penas escarlates. Havia nessa atitude, cheia de abandono, muita graça, mas graça simples, correta e harmoniosa; não desgarro, com os ares altivos e decididos que certas Mulheres afetam, mas um perfil suave e delicado, e a fronte límpida, que brilhava de viço e juventude."

Dom Pantero

Entretanto, poucos dias depois do primeiro encontro, informado, por um amigo, de que a Menina se chamava Lúcia e era

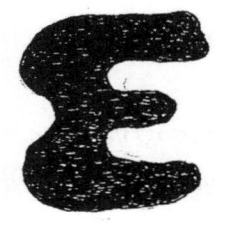

E O S

uma Cortesã, Paulo, ressentido e desafiado em sua "virilidade", vai procurá-la em sua casa. Encontra-a sentada ao Piano. Passa-lhe o braço pela cintura e aperta-a ao peito. Seus lábios procuram o colo da Moça, "*embebendo-se, sequiosos, na covinha que, nascendo, formavam os dois Seios, modestamente ocultos na Cambraia*".

Com isso, de repente, naquela Moça centáurica, opera-se uma transformação; e, sobre o Anjo, depois de algumas lágrimas, aparece "*a Jumenta ciosa*" que dormia também em sua natureza:

José Schabino de Alencar

"*Lúcia dirigiu-se a uma Porta lateral. Fazendo correr, com um movimento brusco, a Cortina de seda, desvendou de relance uma Alcova elegante e primorosamente ornada. Então, voltou-se para Paulo e, com riso nos lábios, de um gesto faceiro da mão convidou o Rapaz a entrar, parando no meio do Aposento, defronte dele.*

"*Era outra Mulher. O rosto cândido e diáfano, que tanto o impressionara, transformara-se completamente; tinha agora uns toques ardentes e um fulgor estranho que o iluminavam. Os lábios finos e delicados pareciam túmidos dos desejos que incubavam. Havia um abismo de sensualidade nas asas transparentes das narinas, que tremiam com o anélito do respiro curto e sibilante, e também rios de fogos surdos que incendiavam a pupila negra.*

"*À suave fluidez do gesto meigo, tinham sucedido a veemência e a energia dos movimentos. O talhe perdera a ligeira flexão que de* ordinário o curvava, como uma haste delicada ao sopro das auras; e agora arqueava, enfunando a rija carnação de um colo soberbo e traindo as ondulações felinas, num espreguiçamento voluptuoso. O sangue, abrasando-lhe as veias, dava à branca epiderme reflexos de nácar e às formas, uma exuberância de seiva e de vida que realçava sua radiante beleza.

"Era uma transfiguração completa. Enquanto Paulo a admirava, a sua mão ágil e sôfrega desfazia — ou, antes, despedaçava — os frágeis laços que lhe prendiam as vestes. À mais leve resistência, ela se dobrava sobre si mesma como uma Cabra, e os dentes de pérola talhavam, mais rápidos do que a Tesoura, o cadarço de seda que lhe opunha obstáculos. Até que o Penteador de veludo voou pelos ares, as tranças luxuriosas dos cabelos negros rolaram pelos ombros, arrufando a pele melindrosa; uma nuvem de rendas e Cambraias abateu-se a seus pés, e Paulo viu aparecer a seus olhos pasmos, nadando em ondas de luz no esplendor de sua completa nudez, a mais formosa Bacante que esmagara outrora, com o pé lascivo, as uvas de Corinto.

"Não foi Paulo que possuiu aquela Mulher, e sim ela que o possuiu todo; tanto que, depois, não lhe restava daquela noite mais do que uma sensação de imenso deleite, na qual se sentia afogar num mar de volúpia. Aqueles beijos não era possível que os gerasse duas vezes o mesmo lábio, porque onde nasciam queimavam, como certas plantas vorazes que passam, deixando a terra maninha e estéril. Quando ela colocava a sua boca na dele, parecia-lhe que todo o seu ser se difundia na ardente aspiração; ele sentia fugir-lhe a vida, como o líquido de um Jarro haurido em ávido e longo sorvo.

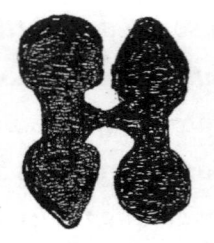

"Havia na fúria amorosa daquela Mulher um quer que seja da rapacidade da Fera. Sedenta de gozo, era preciso que o bebesse por todos os poros, de um só trago, num único e imenso beijo, sem pausa, sem intermitência e sem repouso. Era a Serpente que enlaçava a presa nas suas mil voltas, triturando-lhe o corpo; era a brutalidade da Jumenta ciosa que se precipita pelo campo, mordendo os Cavalos; era a Vertigem que arrebata uma pessoa à consciência da própria existência, alheava um Homem de si e o fazia viver mais anos em uma hora do que em toda a sua vida.

"Ao delírio sucedeu prostração absoluta, orgasmo da constituição violentamente abalada. Quando o primeiro raio da manhã veio aclará-los, Lúcia, reclinada a face na mão, olhava-o com o ressumbro de doce melancolia, que era a flor de seu semblante em repouso. Embebendo o olhar no dele, procurava o pensamento no fundo de sua alma. Paulo sorriu, ela corou. Mas desta vez entravam também no rubor os toques vivazes do júbilo que lhe iluminara a fronte."

Dom Pantero

Como se vê por aí, os Romances urbanos de José de Alencar estavam na origem, não só dos de Machado de Assis, mas na dos de Aluízio Azevedo. A diferença era que este não se limitava a mostrar o Sexo nas alcovas ricas, porém sim, mais brutal, nas populares.

Quanto a mim, quando os comparava, um fato contribuía para que Lúcia não me impressionasse tanto como acontecia com outros Personagens femininos: é que os cabelos dela eram negros; os de Liza Reis eram louros, de modo que eu ficava verdadeiramente fascinado era ao tomar conhecimento de que morava no Cortiço, cantado e celebrado por Aluízio Azevedo, uma Adolescente, Pombinha, que, linda e loura como Liza Reis, *"não pagara ainda à Natureza o cruento tributo da puberdade"*.

Um dia, indo ela com a Mãe, Isabel, visitar a desavergonhada cocote Léonie, havia entre as duas uma cena que, no Romance, era narrada assim:

Aluízio Savedra de Azevedo

"Depois d'a rrefeição, Dona Isabel, que não estava habituada a tomar Vinho, ssentiu vontade de descansar o corpo. Léonie franqueou-lhe ũum Quarto, cõm boa Cama. E, mal perçebeu que a Velha dormia, fechou a porta pel'o lado de fora para melhor ficar ẽm liberdade cõm a Menina.

— "Bẽm, agora estamos a ssós! Vem cá, minha Flor! — disse-lhe, puxando-a para ssy e deixando-sse cair ssobre ũum Divã. — Ssabes? Eu te quero cada vez mais! Estou louca por ty!

"E devoraba-la de beijos violentos, rrepetidos, quentes, que ssufocavam a Menina, enchendo-a de espanto.

"A Cocote perçebeu o sseu enleyo e ergueu-sse, ssẽm largar-lhe a maão.

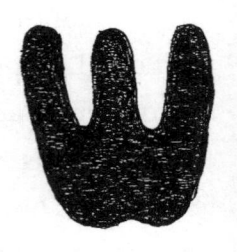

— "Descansemos nós também! — propôs, arrastando-a para a Alcova.

"Pombinha assentou-sse, constrangida, n'o rrebordo d'a Cama; e, toda perplexa, cõm vontade de afastar-sse mas ssẽm ânimo de protestar, tentou rreatar o fyo d'a conversa. Léonie fingia prestar-lhe atenção, mas nada mais fazia d'o que afagar-lhe a çintura, as coxas e o colo. Depois, como que distraidamente, começou a desabotoar-lhe o corpinho d'o Vestido.

— "Não! Para quê? Não quero despir-me! — falou a Menina.

— "Mas está fazendo tanto calor!

— "Estou bẽm assỹm, não quero!

— "Que toliçe a tua! Não vês que ssou Mulher, tolinha? De que tens medo? Olha, vou dar o exemplo!

"E, n'ũum rrelançe, desfez-sse d'a rroupa e prosseguiu n'o ataque.

"A menina, vendo-sse descomposta, cruzou os braços ssobre o sseyo, vermelha de pudor.

— "Deixa! — ssegredou-lhe a outra, cõm os olhos envesgados, a pupila trêmula.

"E, apesar d'os protestos, d'as ssúplicas e atée d'as lágrymas d'a pobrezinha, arrancou-lhe a última vestimenta e preçipitou-sse contra ela, a beijar-lhe todo o corpo, a empolgar-lhe cõm os lábios o rróseo bico d'o peyto.

— "Oh, oh, deixa d'isso! — rreclamava Pombinha estorçendo-sse ẽm cóçegas e deixando ver preçiosidades de nudez fresca e virginal que enlouqueçiam a Prostituta.

— "Que mal faz? Estamos brincando!

— "Não, não! — balbuçiou a Menina, rrepelindo-a.

— "Ssỹm, ssỹm! — insistiu Léonie, fechando-a entre sseus braços e pondo ẽm contacto cõm o d'ela todo o sseu corpo nu.

"Pombinha arfava, rrelutando. Mas o atrito d'aquelas duas grossas Pomas irrequietas ssobre sseu mesquinho peyto de Donçela impúbere, e o rroçar vertiginoso d'aqueles pelos ásperos e crespos n'a estação mais ssensitiva de ssua feminilidade, acabaram por foguear-lhe a pólvora do ssangue, desertando-lhe a rrazão a'o embate d'os ssentidos.

"Agora espolinhava-sse toda, çerrando os dentes, fremindo-lhe a carne ẽm crispações de espasmo, a'o passo que a outra, por-çima, doida de luxúria, irraçional, feroz, rrevoluteava ẽm corcovos de Égua, bufando e rrelinchando.

"E metia-lhe a língua tesa pel'a boca e pel'as orelhas, e esmagava-lhe os olhos cõm sseus beijos lubrificados de espuma, e mordia-lhe os ombros, e agarrava-lhe convulsivamente o cabelo, como se quisesse arrancar-los a'os punhados.

"Ateé que, cõm ũum assomo mais forte, devorou-a n'um abraço de tôdolo corpo, ganindo ligeiros gritos, ssecos, curtos, mũyto agudos. E afinal desabou para o lado, exânime, inerte, os membros atirados n'ũum abandono de bêbada, ssoltando de instante a instante ũum ssoluço estrangulado.

"Quanto àa Menina, voltara a ssy e torçera-sse logo ẽm ssentido contráryo àa adversária, çingindo-sse rrente a'os Travesseiros e abafando sseu pranto, envergonhada e corrida."

Adriel Soares

Entretanto, a cena que Aluízio Azevedo descrevia depois — e que acontecia como consequência desta primeira — causava em nós uma impressão ainda mais forte.

Auro Schabino

Primeiro porque, por alusão, mostrava como era poderosa, para os Homens, até a simples imagem, ou evocação, daquela Gruta, Fenda e Rosa que mesmo a Mulher mais despida de atrativos possuía entre as coxas — *"Sol de pelos, onírico Diadema"*, como a cantara Luiz Correia. Depois porque ali, já agora na antevisão do Sexo como Paraíso desabrochado diante da Natureza, aparecia-nos, pela primeira vez tratado como o Mito e másculo deus que era, aquele sagrado Sol-brasileiro, desde muito cedo tão importante em nossa vida. Cantava o autor d'O Cortiço:

Aluízio Savedra de Azevedo

"N'o pouco que Pombinha dormiu n'aquela noyte, teve ssonhos agitados e passou mal, cõm molezas de febre e dores n'o Útero.

"Entre as onze e o meyo-dia era tal o sseu constrangimento e tal o sseu desassossego que ssaiu a dar ũuma volta por detrás d'o Cortiço, àa ssombra d'os Bambus e d'as Mangueyras.

"Ũuma irresistível neçessidade de estar ssó, ũuma aflição de conversar consigo mesma a apertava n'o sseu estreyto Quarto. Pungia-lhe a pureza d'a i-alma virxem ũum arrependimento inçisivo d'as torpezas d'a véspera. Mas, lubrificada por tal rrecordação, toda a ssua carne rria e sse rrejubilava, pressentindo delíçias que lhe pareçiam reservadas para mais tarde. Dentro d'ela balbuçiavam desejos ateé aly mudos e adormeçidos. E mistéryos desvendavam-sse n'o ssegredo d'o sseu corpo, enchendo-a de ssurpresa e mergulhando-a êm fundas conçentrações de êxtase. Ũum inefável quebranto afrouxava-lhe a energia e distendia-lhe os músculos, cõm ũuma embriaguez de Flores traiçoeyras.

"Não pôde rresistir: assentou-se debaixo das Árvores, ũum cotovelo êm terra, a cabeça rreclinada contra a palma d'a mão.

"N'a doçe tranquilidade d'aquela ssombra morna, o calor tirava d'o Capỹm ũum cheiro ssensual. A Menina fechou as pálpebras, vençida pel'o sseu deliçioso entorpeçimento, e estendeu-sse de-todo n'o chaão, de barriga para o ar e pernas abertas.

"Adormeçeu. Começou logo a ssonhar que êm-rredor ia tudo sse fazendo de ũum cor-de-rrosa a prinçípyo muyto leve e *transparente, depois mais e mais carregado, ateé formar-sse ẽm--torno d'ela ũuma Mata vermelha, cor-de-sangue, onde largos Tinhorões rrubros sse agitavam lentamente. E viu-sse nua, toda nua, exposta a'o Céeu, ssob a tépida luz de ũum Sol embriagador, que lhe batia de-chapa ssobre os Sseyos.*

"*Mas, pouco-a-pouco, sseus olhos, posto que bẽm abertos, nada mais enxergavam d'o que ũuma claridade, onde o Ssol, grande Borboleta-macho feyta de ũuma ssó mancha rreluzente osçilava como ũum Pêndulo fantástico.*

"*Entretanto, notava que ẽm-volta de ssua nudez alourada pel'a luz, iam-sse formando ondulantes camadas sanguíneas, que sse agitavam, desprendendo aromas de Flor. E, rrodando o olhar, perçebeu, cheya de encanto, que sse achava deitada entre pétalas gigantescas, n'o rregaço de ũuma Rrosa interminável ẽm que sseu corpo sse atufava como ẽm ninho fofo, maçio, trescalante e morno.*

"*Ssuspirando, espreguiçou-sse toda, n'ũum enleyo de volúpia asçética.*

"*Lá d'o alto, o Ssol a fitava obstinadamente, enamorado de ssuas mimosas formas de Menina. Ela ssorriu para ele, rrequebrando os olhos; e então o fogoso Astro tremeu, agitou-sse, e, desdobrando as asas, prinçipiou a fremir, atraído e perplexo.*

"*Mas, de-rrepente, nẽm que de-improviso sse lhe inflamasse o desejo, preçipitou-sse lá de çima, agitando as asas; e, enorme Borboleta de fogo, veio adejar luxuriosamente em-torno d'a imensa*

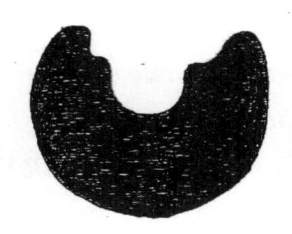

Rrosa, ẽm cujo rregaço a virgem permaneçia cõm os peytos a ele franqueados. E a Donçela, ssempre que o Ssol sse aproximava d'a Rrosa, ssentia-sse penetrar de ũum calor estranho, que lhe açendia, gota a gota, todo o sseu ssangue de Moça.

"O Ssol, ssẽm parar nunca, doidejava ẽm todas as direções, ora fugindo rrápido, ora sse chegando lentamente, como sse temesse ferir com ssuas antenas de brasa a pele delicada e pura d'a Menina.

"Ela, delyrante de desejo, ardia por sser alcançada, e empinava o colo para ele. Mas o Ssol fugia; e ũuma ssofreguidão lúbrica, desensofrida, apoderou-sse de Pombinha. Queria a todo custo que o Ssol pousasse n'ela, a'o menos ũum ssó instante, e a fechasse n'ũum rrápido abraço dentro de ssuas asas ardentes. Mas o Ssol, ssempre doido, não conseguia deter-sse: mal sse adiantava, fugia logo, irrequieto, desvairado de volúpia.

— "Vẽm, vẽm! — ssuplicava a Donzela, apresentando-lhe o corpo. — Pousa ũum instante ẽm mỹm! Queima-me a carne n'o calor de tuas asas!

"E a Rrosa que tinha a'o colo ée que pareçia falar, e não ela. De cada vez que o Ssol sse avizinhava cõm ssuas negaças, a Rrosa arregaçava-sse toda, abrindo as pétalas, dilatando o sseu pistilo vermelho e ávida d'aquele contacto cõm a Luz:

— "Não fujas! Não fujas! Pousa ũum instante! — gemia a Menina.

"O Ssol não pousou. Mas, n'ũum delỹrio, convulso de amor, ssacudiu as asas cõm mais ímpeto e ũuma Nuvem de poeira dourada desprendeu-sse ssobre a Rrosa, fazendo a Donzela ssoltar gemidos e ssupiros, tonta de gosto ssob aquele eflúvio luminoso e fecundante.

"N'isto, Pombinha ssoltou ũum ay formidável e despertou ssobressaltada, levando logo ssas âmbalas mãaos a'o meyo d'o corpo. E feliz, e cheya de ssusto a'o mesmo tempo, a rrir e a chorar, ssentiu o grito d'a puberdade ssair-lhe afinal d'as entranhas, ẽm ũuma onda vermelha e quente.

"A Natureza ssorriu-lhe, comovida. Ũum Ssino, a'o longe, batia, alegre, as 12 badaladas d'o Meyo-Dia. O Ssol, vitorioso, estaba a-pino, e, por-entre a copagem d'a Mangueira, ũum de sseus rrayos desçia ẽm fyo de ouro ssobre o ventre d'a Rrapariga, abençoando a nova Mulher que sse formava para o Mundo."

Dom Pajutero

Então, ontem à noite, preocupado com o Depoimento que iria dar aqui no Simpósio — e também, é claro, com o que deveria falar sobre o papel que tais leituras desempenharam em minha vida —, não consegui dormir nem por um instante. Fiquei um bom tempo andando pelo meu Quarto, rezando e, como Santo Inácio, "*velando minhas Armas*", isto é, passando e repassando na cabeça tudo o que iria dizer aqui no dia de hoje.

Depois, fui para o Quintal, postando-me junto à Torre que o remata, encostada ao Muro exterior da Casa.

Lá, por um bom quarto-de-hora, fiquei a contemplar o Pé--de-Figo, as Romãs e o Cajueiro. E, de repente, comecei a notar que não era somente o Jardim: com as reformas e restaurações, por mim efetuadas, depois da minha volta, para ver se ela recuperava seu original *"poder de encantações"*, a Casa, agora, com seus quadros, esculturas e mosaicos, estava se aproximando cada vez mais da outra, o Castelo recifense dos Savedras. E mais ainda: minha Casa e o Livro que Tio Antero me encarregara de levar adiante mantinham entre si uma impressionante unidade; é que ambos apresentavam grande semelhança com a máscara-e-persona de Dom Pantero; o qual, por sua vez, por meio desta roupa, deste colar e das Aulas-Espetaculosas, ia assumindo um sentido alegórico, tão significativo quanto o deste Circo-Teatro Savedra e d'A Iluminara que destas Aulas resultará.

A noite estava cheirosa e enluarada, e comecei a me sentir inebriado pelo cheiro da terra e da vegetação. Como sempre me acontece em tais momentos, aquele aroma capitoso foi aos poucos me levando para o estado de embriaguez encantada que as noites recifenses me causavam no tempo em que Liza Reis vivia perto de mim e ainda me restava alguma esperança de obter o seu amor.

Em tais noites, o cheiro da terra era o mesmo que de seus cabelos se desprendia. Era um tempo em que às leituras de adolescente — O Guarani, Memórias de um Médico, O Sertanejo, Scaramouche, Lucíola, A Carne — eu começava a acrescentar outras, como A Odisseia, Almas Mortas, A Ilíada, O Conde de Monte Cristo, Os Sertões, o Eu, Os Demônios, Quincas Borba, Os Lusíadas, A Divina Comédia, O Cortiço, Dom Quixote e o Triste Fim de Policarpo Quaresma.

Assim, obsedado por tais leituras, não é de admirar que algumas imagens daqueles Livros me acompanhassem para o resto da vida: Cecy em seu banho no Rio Paquequer; a carruagem de Althotas na Estrada; Lenita nua, no lago da Cachoeira; o carroção de Teatro-ambulante de Scaramouche; Gilberto espreitando Andréia mudar de roupa em seu Quarto; ou Lúcio a errar em torno de Soledade nas matas do seu Engenho. Não era apenas uma forte impressão que os Livros me causavam: eu vivia intensamente a vida de seus Personagens e identificava Liza com cada uma das belas Mocinhas por quem eles eram apaixonados.

Por isso, passado certo tempo, nem Eu era mais somente Eu, nem Liza era só Liza, pois em nossas imagens tinham-se fundido outras, literárias. E meu amor por ela, permanecendo real, e doloroso, e vivo, era também o de Pery por Cecy; o de Dom Quixote por Dulcineia; o de Lúcio por Soledade; o de Scaramouche por Alina; o de Raskólnikov por Sônia; o de Edmundo Dantès por Mercedes; e o de Dante por Beatriz.

Socorro Raposo

Mestre, Você poderia adiantar alguma coisa sobre a paixão que o ligou a ela?

Dom Pantero

Para responder-lhe, tenho que voltar àquele momento em que, ontem à noite, insone, fiquei a errar pelo Jardim e pelo

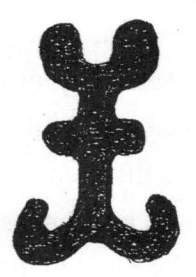

Quintal, lembrando a Vocês que, assim como empreendemos, graças a minha Mãe e a meu Tio, a restauração da nossa Casa recifense, eu, depois que voltei para o Sertão, comecei a fazer da sertaneja uma espécie de imitação daquela, valendo-me, para isso, das esculturas de Arnaldo Barbosa e Biu Santeiro, dos quadros de Manuel e Alexandre Jaúna, dos mosaicos de Guilherme, irmão deles, e das gravuras, porcelanas e esculturas em terracota de Eliza de Andrade, mulher de Adriel.

Como expliquei há pouco, errei ali pelo Jardim por entre várias daquelas Obras-de-Arte, terminando por me deter perto da Torre circular que existe no Quintal.

Não demorou muito para que a lembrança de Liza Reis começasse a me dançar na memória e a me abrasar o sangue, enchendo-me de saudade. Sem querer, fui evocando as palavras do Poema que tentara compor depois de perdê-la e que fora imaginado na pobre e vã esperança de pelo menos recuperá-la em imagem.

Naquele tempo, torturado pela frustração e pela saudade, o Poema ia-se formando aos poucos dentro de mim e eu vagava, como um sonâmbulo, pelas ruas mais amadas do Recife: as do Poço e da Casa-Forte, perfumadas de Jasmins; ou as da Cruz e da Aurora, porque nelas ficavam as "*repúblicas*" em que, quando frequentava a Faculdade de Direito do Recife, se hospedava o Cavaleiro, juntamente com seus amigos Arthur, Aprígio e Augusto dos Anjos.

Às vezes, em minhas andanças recifenses, eu passava, à boca-da-noite, diante de alguma Casa, que tinha um pequeno Jardim à frente. O dono não chegara ainda, de volta do seu trabalho. Mas, à sua espera, com o Jardim já escuro e as janelas iluminadas, mesmo de fora dava para se ouvir o rumor dos pratos e talheres, que tiniam, ao ser posta a Mesa. E eu, adolescente solitário, exilado de casa e agora, ali, embriagado pelo cheiro das Flores, sentia uma saudade dilaceradora da nossa grande, quieta e acolhedora casa de Taperoá, onde àquela hora, com minha doce Mãe presente, os Jasmins e Bogaris também estariam cheirando e soariam os ruídos familiares da nossa Mesa sendo posta. Assaltava-me a terrível convicção, a dolorosa certeza de que jamais eu encontraria uma outra Mocinha que me amasse e que tivesse um significado pelo menos longinquamente parecido com aquele que Liza representava para mim.

Era com essas recordações que, ontem à noite, ainda recostado à parede circular da nossa Torre, eu procurava reconstituir em minha memória as palavras do Noturno que tentara compor para ela. Começaram a voltar a meu espírito, juntamente com as imagens canhestras do Poema, os sentimentos contraditórios de exaltação, desespero e melancolia que a lembrança de Liza me causa ainda, mesmo passados tantos anos desde sua tempestuosa irrupção em minha vida.

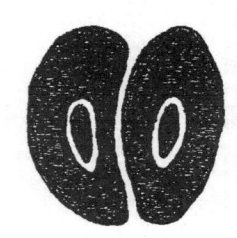

Ao mesmo tempo, em meus devaneios junto à Torre, de vez em quando me vinha à lembrança meu dever para com o Povo pobre do Brasil real, dilacerado há tanto tempo pela pobreza e pela injustiça.

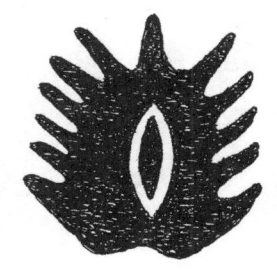

De repente, porém, a imagem de Liza voltou, irresistível e soberana, e foi como se de novo eu a enxergasse, pura e linda diante de mim, com aquele vestido que era o mesmo do de um dos Retratos que dela me ficaram depois que a perdi.

Aí, num clarão de memória, relembrei o Poema que, antigo e com todos os defeitos de composição juvenil que tivesse, parecia estar sendo sonhado ali, sob a Lua, diante da graciosa imagem feminina que o inspirara. E como somente com ajuda da Música é que posso sugerir aquilo que Liza Reis significava e significa para mim, tiro do peito por alguns momentos o Medalhão que herdei de meu Tio, para que todos saibam: mesmo permanecendo vestido de negro-e-vermelho, enquanto durar a recitação, é Antero Savedra, e não Dom Pantero ou Dom Paribo Sallemas, quem fala; e peço que Antonio Madureira e João Carlos Araújo, ao Violão e ao Violoncelo, toquem a transcrição, feita para esses instrumentos por Rodrigo Alguati e Daniel Wolff, da Ginopedia nº1, de Erik Satie, música lunar, graciosa, melancólica e portanto apropriada para acompanhar um Poema composto à luz da Lua para aquela que, para mim, foi e é o Emblema mais acabado e perfeito do Sexo feminino:

XEX

NOTURNO
Primeira tentativa falhada de Poema-lírico

ANTERO SAVEDRA
Têm, para mim, Visões de um outro Mundo, as Noites luminosas, azuladas, quando a Lua aparece mais bonita. São idos Sonhos, nossas mágoas santas, são Fantasmas antigos, carinhosos, que, neste Mundo vivo e mais ardente, consumam tudo o que desejo aqui.

CORO
Será que mais alguém os vê e escuta?

ANTERO SAVEDRA
Sinto o roçar de suas Asas puras, e ouço velhas Canções encantatórias que tento, em vão, de mim desapossar.

CORO
Diluídos na branca luz da Lua, a quem dirigem seus etéreos Cantos?

ANTERO SAVEDRA
Pressinto um vaporoso esvoejar: passaram-me por cima da cabeça, e, como um Halo puro te envolveram. Eis-te de branco, como no Retrato, a Ventania me agitando em torno o perfume que sai de teus Cabelos.

Que vale a Natureza sem teus olhos, oh aquela por quem meu sangue pulsa?

Da terra sai um cheiro bom de vida, e os nossos pés a ela estão ligados: deixa que teu Cabelo, solto ao vento, alise levemente as minhas mãos.

Coro

Mas não: o Halo estranho inda te envolve. O Vento franja as águas dos dois Rios, e continua a ronda, à luz da Lua.

Antero Savedra

E, se és, agora e sempre, a minha Vida, oh meu Amor, por que te ligo à Morte?

Carlos de Souza Lima

Mestre, de modo geral não acho que a análise biográfica dos Escritores explique seus textos. Mas para alguns deles é fundamental: são aqueles que vivenciaram grandes encruzilhadas biográficas. A meu ver é o caso de seus irmãos Altino, Auro, Adriel e até mesmo o seu, porque, para Vocês, a morte trágica do "Cavaleiro sertanejo João Canuto" representou a mais terrível das encruzilhadas.

É verdade que Você não é um Escritor, e sim um Ator e Encenador. Mas, conforme já li em várias Entrevistas suas à Gazeta do Cariry, concluído o Simpósio, Você, baseado em seus Anais, pretende escrever o Livro encomendado por seu Tio, depois combinado para ser feito em conjunto com Quaderna e que, hoje pela manhã, já deu condições a Você de passar de Acadêmico comum a Emérito, na Cadeira nº 7, da Academia Taperoaense de Poesia.

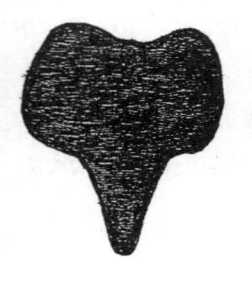

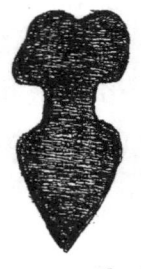

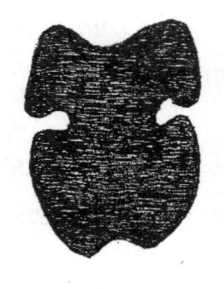

Deve-se recordar, então, que, também no seu caso, a pessoa e a obra de seu Tio, Antero Schabino, foram decisivas na sua formação. E são ligadas a isso as indagações que tenho a lhe fazer em relação ao Poema que acaba de ser citado aqui. É verdade que a figura do Cavaleiro foi tão decisiva para Você quanto para seus irmãos? É verdade que o Noturno causou um grande conflito — o primeiro dos muitos que vieram a ocorrer entre seu Tio e Você?

Dom Pajtero

Vamos por partes. Quanto à primeira pergunta, devo dizer-lhe que, acima de si, nas fronteiras de Deus, cada Ser-humano possui seus Abrasadores — Anjos, Guerreiros, Mártires e Santos —, modelos sagrados sem os quais se acomodaria numa vida marcada pela mornidão, pelo vício, pelo crime, pelo pecado e pela covardia. Quanto a mim, tive a sorte — ou a desgraça, ou a sina, não sei! — de ter o meu Herói em casa, como uma Brasa ardente colocada desde muito cedo sobre a minha cabeça, uma Asa-negra de fogo com cinco ardentes Rosas de ouro a me chamarem para o Alto. É que eu sabia, com meu sangue, que, entre o lerdo Gado que somos nós, entre o tardo Rebanho humano, e o luminoso Gavião de Ouro do Divino, existem os Cavaleiros, os Beatos e Profetas, os Cantadores e os Cangaceiros — aqueles que pressentem que só a Morte une realmente o Homem ao Gavião-de-fogo de Deus; por isso, inconscientemente, vivem procurando se encontrar com ela, para que a Morte, chagando-os e queimando-os, termine por purificá-los e imortalizá-los.

Então, somente o fato de a morte do meu Pai possuir tão forte significado no meu mundo particular dá-lhe importância para qualquer pessoa. Todos nós repetimos a mesma áspera desaventura da Vida e da Morte. Aqui no Sertão nós nunca precisaremos de inventar uma imagem falsa da Vida para poder amá-la, porque é na dureza e sob o Sol que somos forçados a isso, com o que ela tem de ardente e glorioso, mas também com o que possui de doido e de sangrento. O que é insano e cruel também faz parte da Vida, e terá que ser enfrentado com as armas do "*Riso a cavalo*" e do "*galope do Sonho*"; com a valente tenacidade do homem diante do que a Vida tem de mais desordenado — o sofrimento, a injustiça, a humilhação e a Morte.

É por isso que todos nós sonhamos em nos unir, pela Morte, com o sangue do Divino, superando os Demônios e tornando-nos verdadeiros Filhos de Deus.

Aqui no Sertão, a Morte é uma Mulher; e, para usar suas expressões, por causa da morte de meu Pai foi que eu, atraído, temeroso mas também fascinado, me vi diante dessas encruzilhadas de fogo: a Vida e a Morte; a Mulher e a Sina; Deus e o Demônio;

o Sol e a Treva; o Mundo e o Pó — as cinzas do meu Pasto Incendiado. A Morte era aquela Mulher chamada Caetana, e eu sempre a vi jovem, cruel, bela, impiedosa, vestida de vermelho, negro e amarelo como uma Dama de Espadas; com uma Cobra na mão, com unhas felinas, com dois Carcarás (mas também com o Gavião de Ouro e fogo do Divino coroando sua cabeça).

Quanto a meu Tio, Antero Schabino (ou, melhor dizendo, quanto às Figuras que ele encarnava — Aribál Saldanha e Ademar Sallinas), é melhor que eu confesse logo: ele, principal responsável por minha formação intelectual, foi, ao mesmo tempo, o grande fascínio e o grande horror da minha vida. Somente depois de sua morte — que me libertou daquela pesada presença — foi que tive condições de reavaliá-lo em sua real dimensão, voltando aí à admiração que tinha por ele na infância mas que foi bastante perturbada pela crise de passagem da adolescência para a juventude.

CARLA SEIXAS
A que se deveram tais dificuldades, Mestre?

Dom Pantero

É que, como acontece normalmente com as personalidades acima do comum, a convivência com meu Tio não era fácil. Por exemplo: causando em mim uma insuportável sensação de ciúme, ele dava a meus irmãos Auro e Adriel uma preferência literária que eu achava absurda, inaceitável. Para Vocês terem uma ideia: nos dias decisivos e terrivelmente dolorosos que passei a viver depois que perdi Liza, quando finalmente consegui compor aquele exorcismo que era o Noturno, trêmulo e ansioso fui levá-lo a meu Tio, para que o avaliasse. Já então ele pensava em escrever A Divina Viagem, uma *"recriação literária e artística"* de seu Diálogo d'A Onça Malhada e a Ilha Brasil; e, para acréscimo de meu ciúme e de minha frustração, convidara somente Auro, Adriel e Eliza para ajudá-lo *"na grande e honrosa tarefa"*. A mim, além do trabalho menor de organizador de suas Conferências Quase-Literárias que já me confiava, reservava agora apenas a função de Copista d'A Divina Viagem: sua letra era péssima, quase ilegível; e, *"para facilitar o trabalho futuro de Programadores-visuais e Artistas-gráficos"*, ele me obrigara a praticar a Caligrafia vertical, para os textos comuns, e a inclinada, para os que desejava destacar.

Vera Ferraz

Mestre, Você pode nos dizer alguma coisa sobre essas Conferências Quase-Literárias, que a meu ver desempenharam papel importante na concepção de suas Aulas-Espetaculosas?

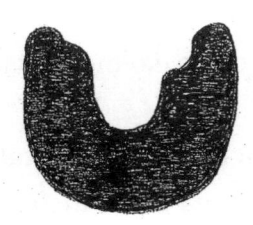

Dom Pajtero

Respondo com a maior satisfação. As Conferências Quase--Literárias eram umas Aulas que Tio Antero costumava dar na sala de visitas da nossa Casa recifense *"para um mínimo de 3 e um máximo de 12 pessoas"*; porque, como acrescentava, *"para além daí era, já, a multidão"*, coisa que lhe causava *"verdadeira e profunda repugnância"*. Diziam, porém, os adversários dos Savedras, que *"tais afetações aristocráticas de Antero Megalo"* resultavam pura e simplesmente da inveja que meu Tio sentia por causa do sucesso que outros Escritores pernambucanos — *"como, por exemplo, Gilberto Freyre"* — obtinham em suas aparições públicas.

Esse era, pois, o homem de quem eu sonhava agora obter a mesma honra de colaborar na criação d'A Divina Viagem. Esperava consegui-la por meio do Noturno, pois ficara acabrunhado com a rejeição dele, que era meu Tio, como dos outros, mas era também meu Padrinho; e, apesar disso, só mostrava admiração por Auro e Adriel.

Mas Tio Antero foi cortante e brutal em sua recusa. Depois que acabou de ler meu Poema disse-me secamente:

ARIBÁL SALDANHA

A vaga que havia, entre nós, para Poeta, já foi ocupada por Auro e Adriel (se bem que eu não goste dos Poemas individuais e líricos que os dois às vezes escrevem). A meu ver, nosso País e nosso Povo exigem o épico e o coletivo, não havendo, aqui, lugar para a Lírica.

Ora, seu "poema" é muito inferior, mesmo aos piores versos líricos de seus irmãos. É manchado por um sentimentalismo ridiculamente melancólico e vago, que Você contraiu com os Poetas românticos ingleses e que nada tem a ver com o Brasil!

DOM PANTERO

Eu, intimidado e inseguro, tentei, no entanto, levantar uma objeção àquele duro julgamento. Disse:

ANTERO SAVEDRA

Minha admiração por Tennyson, Keats e Shelley vem do senhor mesmo, meu Tio! É resultado de sua influência, porque em nossa Casa recifense havia versos daqueles 3 Poetas incrustados nas paredes do Jardim, e todos em traduções suas!

ADEMAR SALLINAS

Não concordo com sua observação! Fiz aquelas "*traduções*" não por iniciativa minha, e sim a pedido de seu Pai, que gostava dos Românticos ingleses e italianos. Além disso, ali não se tratava de simples "*traduções*", como Você disse. Eu jamais me rebaixaria a fazer traduções: se as fizesse, estaria confessando implicitamente que, como Escritor, minha estatura é menor do que a de Shelley, Keats, Tennyson e outros, o que não é verdade!

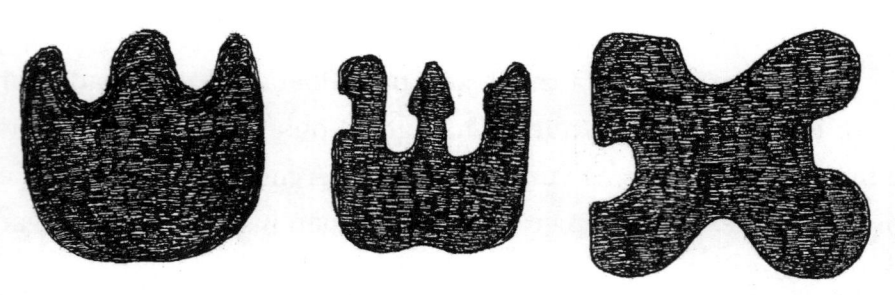

Assim, os poemas que figuravam na Casa recifense da nossa Família eram, na verdade, recriações que compus na linha determinada pelo capítulo que, n'A Onça Castanha, tem o título de A Imitação como Processo Criador da Arte. No seu "poema" pode-se dizer que Você fez o contrário, porque seus versos não acrescentam nada aos autores que o influenciaram: a forma vaga e o conteúdo sentimental e lacrimejante chegam até a ser piores do que em seus "Mestres"!

Dom Pantero

De repente, ele percebeu que estava se afastando dos modos de um Tio e Padrinho tratar seu Afilhado. E procurou amenizar o tom de suas observações:

Aribál Saldanha

Não leve a mal a rudeza com que emito minha opinião, faço isto para seu bem! Minha obrigação de Tio e Mestre é adverti-lo, para que Você não perca tempo num caminho equivocado.

Sim, porque não falo mais nem sequer em relação aos Poetas europeus do século XIX: seus versos são inferiores até aos dos Românticos brasileiros, ainda mais vagos e sentimentais do que os da Europa!

Dom Pantero

Meu Tio pronunciou aquelas duras sentenças e deu-me as costas, deixando-me arrasado.

Consegui, porém, recuperar-me aos poucos do choque que ele me causara, e comecei a sonhar com outra porta para me aproximar dele e de sua Obra. Já que falhara como Poeta, pensei em escrever um Romance, cujo fundamento seriam os capítulos que, n'A Onça Malhada, falavam sobre Dom Sebastião Barretto, O Encoberto da Serra da Copaóba.

Cautelosamente, fiz primeiro um esboço do Romance. Era um projeto contendo uma sinopse de cada capítulo e que, depois de pronto, levei também à apreciação daquele implacável Mestre, tutor-intelectual de todos nós.

Mas a reação de Tio Antero foi ainda mais dura que da primeira vez. Disse ele:

Ademar Sallinas

Sua tentativa de prosa é pior do que o "poema"! O assunto que escolheu é ótimo (e não poderia ser de outra forma, porque foi extraído da Obra-prima que é A Onça Castanha). Mas isto é a única coisa que se pode louvar em seu esboço: quanto ao mais, digo-lhe com toda franqueza que é impossível sair de tal monstruosidade um Romance digno de sua origem. E se Você quer, mesmo, participar dos trabalhos ligados ao grande Livro que pretendo fazer, poderá fazê-lo, como lhe disse: na condição de copista dos textos e diretor-de-cena das minhas Conferências Quase-Literárias — pois elas farão parte do Romance que projetei com o título de A Divina Viagem.

Dom Pantero

Meu Tio falou assim, mas não me deixou logo, como da outra vez. Não concordando com a tímida proposta que lhe fiz de refazer o esboço para submetê-lo a nova apreciação, apossou-se do meu manuscrito, que levou consigo, dizendo que iria ver se era possível *"consertar o Monstro"* (o qual, em caso positivo, me seria devolvido).

Passou um bom tempo sem me falar do assunto. E, quando voltou a fazê-lo, foi para me fazer uma revelação, para mim fulminante: ele cortara aqui, acrescentara ali, reescrevera acolá, enfim, refizera o esboço como bem quisera; e depois, *"animando-se"* — conforme explicou —, terminara por pilhar-me, roubando minha ideia para escrever seu *"quase-romance"* O Desejado.

EDUARDO DIMITROV

E qual foi a reação da Crítica ao "*quase-romance*" de seu Tio, Mestre?

DOM PANTERO

Nos dias que antecederam sua publicação — como sempre paga pelo próprio Autor — Tio Antero estava como um Menino em véspera de férias, pois esperava um grande êxito. Mas foi uma decepção: os sociólogos, críticos e cientistas-políticos da "*Esquerda arejada*" recifense atacaram duramente o livro, chamando seu Autor de "*irresponsável e alienado*". Reclamavam contra o fato de não se poder jamais chamar O Desejado de "*uma outra Bíblia dos miseráveis*", como, por exemplo, "*se podia dizer de Vidas Secas*". Mostravam o contraste que existia entre "*um Bobo alegre, um Histrião palavroso e retórico*", como meu Tio, e "*um Mestre sóbrio, um clássico, como Machado de Assis*", ou "*um Escritor sério, despojado e pungente, como Graciliano Ramos*".

RACHEL BERTOL

Antero Schabino respondeu às críticas, Mestre?

DOM PANTERO

Meu Tio, a princípio, afetou desdém e manteve diante delas um silêncio que considerou "*soberano e cheio de olímpico desprezo*". Na verdade, não respondeu logo porque os grandes Jornais recifenses nos eram hostis, fazendo contra nós uma campanha que às vezes assumia a face de ataques como aquele, mas que, na maioria dos casos, fazia pior: transformava-se em *"campanha de silêncio"*, não falando dos Savedras nem mesmo para atacá-los.

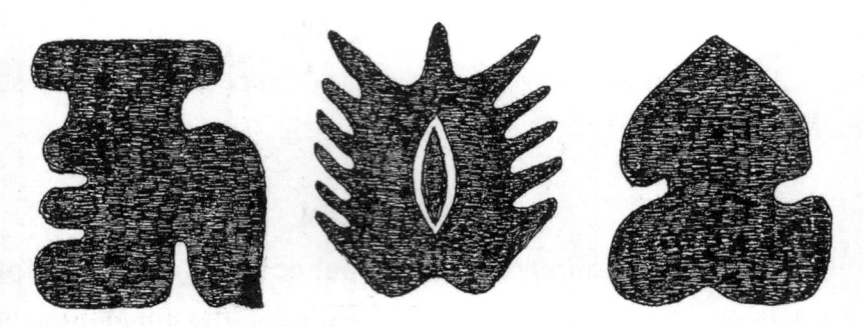

Em tal aparente calma permaneceu Tio Antero durante certo tempo. Mas seu estado de espírito não era tão superior quanto ele quisera aparentar: tanto que, obtendo acolhimento no Jornal da Paraíba, de Campina Grande, publicou nele um artigo no qual afirmava que era melhor ser *"um Histrião retórico e um Bobo alegre"* do que *"um Chato triste"* — categoria na qual enquadrava todos aqueles que tinham atacado seu *"quase-romance"*.

Mánya Millen

Aliás, Mestre, este subtítulo de quase-romance também foi motivo de polêmicas e controvérsias no Recife, não é verdade?

Dom Pantero

É verdade. Em sua dupla condição de Escritor e Professor, meu Tio concebera seu livro como uma Novela épica, histórica, mas também como um Ensaio estético e artístico que comportava uma reflexão sobre a Cultura brasileira. Por isso é que, sob o título de O Desejado, colocara o subtítulo de Um Quase-Romance. E um Crítico maldoso, que, por conta própria, colocara na cabeça a carapuça de "*Chato triste*", publicou um artigo que, segundo afirmava, iria "*acabar com Antero Mitoma*", iria "*arrasar Antero Megalo*".

Entre outras coisas, dizia-se, no artigo (que já citei de passagem):

Um Histrião
Pequena biografia de um mitomaníaco vaidoso

Gilberto Francis

"*O pouco interesse que hoje cerca as obras e as ideias de Antero Schabino surge quando ele pronuncia suas Conferências Quase-Literárias. Aí, seus dotes de Histrião vaidoso e megalomaníaco levam os mais jovens a confundi-lo com os Palhaços que os encantavam na infância.*

"*Falo assim porque, em seus Ensaios, e agora, com O Desejado, sob os cognomes de Aribál Saldanha e Ademar Sallinas, o referido Antero Schabino conseguiu a façanha de, juntando-se a Rubem Braga, Miguel Arraes e Oscar Niemeyer, entrar no privilegiado grupo dos maiores chatos do Brasil.*

"*Por isso, sugiro que, em seu mais recente livro, o subtítulo seja trocado para 'quase-nada'.*"

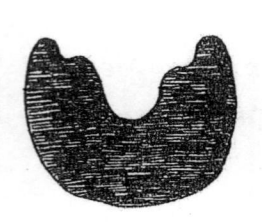

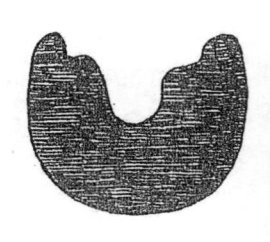

Dom Pantero

Foi enorme a gargalhada que reboou pelas esquinas e rodas literárias do Recife. E, apesar da pilhagem que sofrera, quem ficou arrasado fui eu, que me considerava coautor do Livro, mesmo tendo meu Tio omitido qualquer referência ao fato de que a ideia inicial do *"quase-romance"* lhe fora sugerida por mim.

Mas Tio Antero era realmente um homem superior, que sempre teve a maior habilidade para reverter as maldades daquele tipo em favor de si. Ele esperou que a tempestade amainasse, e, lá um dia, publicou 4 Artigos, n'O Mossoroense, do Rio Grande do Norte. No primeiro, mostrava que a Odisseia — por conter, além da trama épica, um ensaio sobre a formação da Grécia e de sua Cultura — era um quase-romance. No segundo, apresentou tese semelhante sobre A Divina Comédia. No terceiro, fez o mesmo com o Dom Quixote. E coroou sua magistral análise com o quarto artigo, no qual mostrava que, com o seu, aqueles três quase-romances formavam *"uma Quaterna dialética, na qual a Odisseia era a tese, A Divina Comédia a antítese, o Dom Quixote a contrátese, e O Desejado a síntese genial daquelas 3 Obras"*, precursoras da sua.

Leonardo Guelman

Mestre, pretendo apresentar, no Simpósio, um Comunicado sobre a sátira que, no Romance d'A Pedra do Reino, de Auro

Schabino, é feita ao pensamento de Heidegger. Mas vou deixar isso para depois. Agora, o que pretendo perguntar é se todas essas ideias *"grandiosas"* de seu Tio, Mestre e Padrinho repercutiram de algum modo na concepção deste Simpósio e da Obra que dele resultará — A Ilumiara.

Dom Pantero

Para falar a verdade, meu sonho era que o Governo, percebendo a importância literária, política, plástica e religiosa que A Ilumiara tem (para o Mundo, para a Iarandara em geral e para o Brasil em particular), me desse condições de colocar, na Estrada que liga Taperoá a Belmonte, Belmonte ao Recife, e o Recife de novo a Taperoá, milhares de Lajedos semelhantes ao tríptico que é As Tábuas da Lei. Em tais Lajedos seriam insculpidos todos os sinais e todas as letras que venho reunindo aqui, de modo a que os eventuais leitores da Obra só pudessem tomar conhecimento dela transformando-se em Peregrinos que, pela Estrada, realizassem, a pé e por etapas, a Viagem, parando defronte de cada Lajedo para ver e ler, rezando, o que cada um continha. Por trás de cada Lajedo seria colocada uma grande Iluminogravura feita em Mosaico por Guilherme Jaúna, de modo a transformar realmente A Ilumiara no Evangelho de Pedra que eu sempre imaginara.

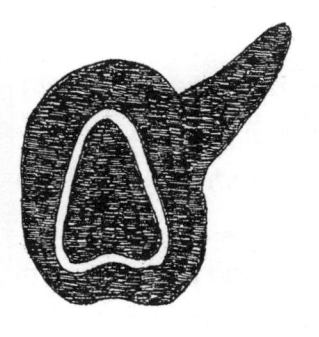

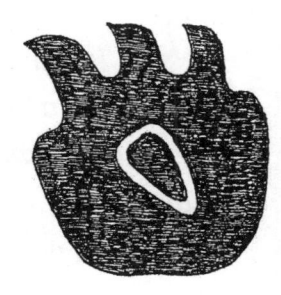

Durante algum tempo, pensei em fazer isso usando o cargo, que Quaderna também me conseguiu, de Secretário de Cultura de Taperoá. Mas a Obra, considerada *"faraônica"* pelos adversários do Prefeito, foi descartada por falta de verbas, e eu me vi obrigado a limitar meu sonho pelas dimensões deste Simpósio.

WILSON MADEIRA FILHO

"A essas palavras gostaria de acrescentar que conheci Auro Schabino e li seu *Romance d'A Pedra do Reino*, ilustrado por Litogravuras de sua cunhada Eliza de Andrade, de modo que posso assegurar aos participantes deste Simpósio que sua organização — assim como a Cavalgada na qual o irmão de Auro, Dom Pantero, toma parte todo ano em São José do Belmonte — guarda, com o Romance, uma estreita relação.

"No Romance de Auro, a escrita era associada à intimidade do Artista com a pena e com a página em branco: o Livro sobreviveria enquanto Romance, ajudando o Autor a reconhecer a própria individualidade.

"Assim, ao propor a recuperação do trabalho de Autor num Romance escrito a mão e ilustrado artesanalmente, Auro Schabino estaria se encaminhando para a recomposição de uma 'aura artística'. E, por haver sido lavorada com uma paixão artesanal, sua Obra prometia não só um exemplo de resistência e inconformidade como também, e principalmente, fornecia o símile da *paixão pelo ofício*.

"Auro Schabino era afeito ao resgate do clássico e do consuetudinário, explorando a dicotomia de sua formação e contrapondo o resgate do Romanceiro Popular como antítese da modernização tecnológica. Chegava a declarar sua rejeição aos Computadores, uma vez que sua Arte se elaborava pelo contato intimista com o papel e a tinta. Criava uma produção *sui generis*, principalmente quando, com seu irmão Adriel Soares e com ilustrações de Eliza de Andrade, espalhava Sonetos e outros Poemas pelo Nordeste: novamente Obras-de-Arte feitas a mão e expostas em Molduras nas casas dos amigos, museus, casas de cultura etc., criando, com isso, uma Literatura cuja leitura só se tornava possível pela prática itinerante de seus possíveis Leitores. Em suma: Auro Schabino não precisava utilizar o Computador porque, de certa forma, inventara seu próprio Computador.

"Contudo, o que ressalta de maneira subliminar da leitura do Romance, constituir-se-ia, de fato, numa paradoxal eleição da Literatura como Palco de resgate de um Trono político. Ao contar sua história de forma parodística imbricada na fantasia sebástica (a qual, através de peripécias históricas, contribuiu para a transmigração do Mito para o Sertão nordestino), o Autor, Auro Schabino, estaria a relatar, alegoricamente, sua própria biografia.

"Filho de João Canuto Schabino de Savedra Jaúna, Prefeito de Assunção de 1924 a 1928 e assassinado em 1930, Auro Schabino de Savedra Jaúna era o próprio filho do Desejado: órfão do Pai, ao crescer, constrói sua Fortaleza literária para fazer frente ao falso Poder: o Governo que se instalara na Paraíba na década de 30, alegado mandante do crime, e posteriormente representado pela Ditadura militar.

"Desse modo, filho do Cavaleiro João Canuto, Auro Schabino seria de fato 'o Alumioso', em busca de um tempo de Esclarecimento e recuperando, pela metáfora, o Sangue derramado — o do Pai e, por extensão, o do Povo brasileiro, a banhar continuamente a Pedra do Reino, entendida como realidade social.

"A obra de Auro Schabino, retomada neste Simpósio pelo dinamismo e pela limpidez de seu irmão Antero Savedra — que, aos 73 anos, convive com o Maracatu Atômico e com movimentos messiânicos impulsionados pela memória de Antônio Conselheiro, Padre Cícero e Frei Damião —, consagra-se numa outra Paródia-lírica. A cavalgada à Pedra do Reino — marcha de Cavaleiros que, saindo de São José do Belmonte, seguem, paramentados conforme idealizado no Romance, em direção à Pedra encravada no Sertão — já se tornou o mais importante evento cultural do Nordeste. E, durante a Cavalgada, que ocorre no último final de semana de Maio, Antero Savedra, montando um Cavalo e trajado de Imperador do Sertão, conduz, pelos 43 quilômetros de caminhos pedregosos, os Cavaleiros do Idílio.

"Numa contemporaneidade pretensamente globalizada, num universo de desconstrução do Sujeito, a técnica do fragmentário, ampliando nossas probabilidades discursivas (sem deletar, do Jogo, o Acaso), estará também, e com toda certeza, preparando o ressurgimento de um Desejado, talvez já um Encoberto — o Virtual."

Inez Viana

Mestre, Rosette Fonseca dos Santos preparou também um Comunicado que deseja ler agora; com muita alegria, passo-lhe a palavra.

Rosette Fonseca dos Santos

"No romance de Auro Schabino, o Pai é o Rei transfigurado em Sol: rei e sol representam duas metáforas privilegiadas para designar o Pai — um estudo psicanalítico permitiria esclarecer o sentido e a complexidade dessas metáforas na obra de Auro Schabino e faria aparecerem muitas metáforas secundárias da Figura paterna.

"É interessante notar que, entre as 10 palavras grifadas com maiúsculas iniciais e de maior ocorrência no Romance d'A Pedra do Reino, encontram-se Sol, Rei e, principalmente, Onça, cujo peso atinge quase o de Sertão, e na qual pode ser identificado, através de uma verdadeira rede metafórica, um outro aspecto deste Pai proteiforme, retomado na alusão à Onça Suassuarana.

"Num Poema anterior, Auro Schabino evocava em termos simbólicos esse Pai, cuja ausência contribuiu, talvez, para tornar maior ainda aquela Imagem, através da magia da lembrança familiar, exacerbada por um sentimento profundo de injustiça e fatalidade.

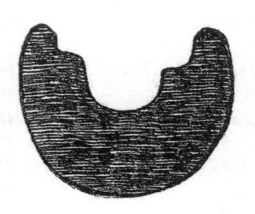

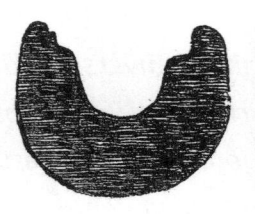

"A Literatura brasileira conta com muitas Pedras, semeadas pelos seus Poetas. Auro Schabino escolheu duas Pedras monumentais, situadas no alto Sertão, exatamente na divisa de Pernambuco com a Paraíba; e conseguiu colocá-las em movimento.

"Do Livro, nasceu a Legenda, do relato histórico da Pedra Bonita surgiu a reinvenção histórico-lendária da Cavalgada à Pedra do Reino, quando São José do Belmonte 'reconstitui' o que talvez nunca tenha acontecido e passa a 'rememorar', numa Festa, a visão heroica-maravilhosa criada por Auro Schabino a partir do que foi um entre os muitos e terríveis episódios messiânicos da história do Brasil.

"Do Livro também nasceu outra Festa, única e singular, que desfilou nos passos e na glória do *Reisado de Mestre João Cícero*, de Belmonte, e da *Tribo Negra Cambindas Nova*, de Taperoá, que homenagearam o Autor e sua Obra na '*Aclamação e Coroação do Imperador da Pedra do Reino*', cantando:

"*Sol inclemente! Vai além da imaginação! Sopro ardente, árida terra, desse Poeta-Cantador! Sede de vida, gente sofrida: salve o Lanceiro, Guerreiro do Amor!*

"Do Livro, ainda, escrito numa Língua portuguesa que lança mão de todos os recursos que lhe são oferecidos, incluindo-se aí os arcaísmos que ainda vigoram nas Falas sertanejas; da história 'que não cabia no 'Palco' e de seus Personagens singulares, nasceram uma Peça-de-Teatro, de Romero de Souza Lima e José Antunes, e um seriado, exibido pela TV Iluminara, de Taperoá, sob direção de Fernando Carvalho.

"Como acontece com qualquer adaptação para o Cinema ou para o Teatro, a Peça e o Seriado tiveram que escolher entre as possíveis e numerosas leituras:

* "o olhar histórico, que liga a tragédia familiar (com o assassinato do pai de Auro Schabino em Outubro de 1930) à história do Nordeste e às muitas outras tragédias da história do Brasil: se repararmos na diferença de idade entre o Narrador e o Autor — 30 anos — começaremos a ler no Romance, ambientado em 1938, as questões e a visão crítica da sociedade de 1968;

* "o olhar antropológico, que manifesta permanentemente a riqueza do cruzamento dos universos culturais, com seus jogos de recriação e apropriação de Folhetos de Cordel, assim como de obras da Literatura universal, tecendo-se o texto schabiniano dos múltiplos fios da Cultura popular sobre a trama grandiosa do Teatro elizabetano, com riso de escárnio e grande prazer em maldizer;

* "a visão poética, que une Verso e Prosa, Imagem e Música, procurando rearticular as formas e as expressões que as Belas-Artes nos ensinaram tão cuidadosamente a distinguir e separar;

* "enfim, a visão mística, que decifra o permanente enfrentamento do Bem e do Mal, na Terra, no Mundo e no Sertão; que une

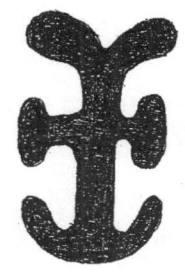

Sexo e Transgressão, e em que o sobrenatural cruza o cotidiano, ora sob a forma de um Diabo funcionário público andando de Bicicleta, ora sob a da terrível Besta Fouva, a Besta Bruzacã."

NIVALDO MULATINHO

Mestre, antes de mais nada quero lhe dizer que, comigo, o senhor pode ficar inteiramente seguro e tranquilo porque não vim para cá com o propósito de fazer a ninguém qualquer crítica desfavorável. Pelo contrário: sendo, além de schabinólogo, um savedrista convicto, trouxe comigo um intelectual do Rio Grande do Norte, Carlos Werneck, que vai apresentar aos participantes do Simpósio um Comunicado que preparou a partir de um Artigo publicado pel'O Mossoroense de 18 de Novembro de 1971:

CARLOS WERNECK

"O Romance d'A Pedra do Reino, de Auro Schabino, é um livro novo, fascinante, disparatado e poderoso. Muitos episódios que relata são verdadeiros. Mas o Autor mistura-os com os de sua exclusiva criação, a ponto de recriar a história do Brasil e invadir a do próprio Mundo, com sua Mitologia particular.

"Mas, antes de falar do Livro, parece-me importante falar do Autor, Auro Schabino. Quando começou o Movimento militar de 3 e 4 de Outubro de 1930, o Prefeito de Assunção, João Canuto Schabino de Savedra Jaúna, já tinha tomado partido contra ele. E foi assassinado no dia 9. Auro Schabino, seu filho, estava com 7 anos de idade.

"Passam-se os anos, com sua vassoura de varrer ilusões, e não se ouve mais falar dos Jaúnas, que enterraram seu morto. Mas, 25 anos depois, surge uma Peça-de-Teatro que dá o que falar, o *Auto d'A Misericordiosa*, escrito pelo irmão de Auro Schabino, Adriel Soares.

"O *Auto d'A Misericordiosa* é uma espécie de obra-prima. Mas foi o *Romance d'A Pedra do Reino* o livro que realmente me surpreendeu, logo a partir da fotografia do Autor, colocada no começo do Livro. Ali está ele, então, o filho de João Canuto, cujo assassinato — praticado por um desses instrumentos da Tragédia, um ser obscuro armado pelo ódio como agente da fatalidade — tão profundamente marcou aqueles dias em que se enraizou em mim, em golpes tão profundos, o interesse pelo drama do meu País.

"Pelo que marcou em mim, avalio o que deve ter significado para a família do Prefeito João Canuto. Ouvi dizer que, na formação das crianças que lhe foram deixadas para criar, a Mãe, Dona Maria Carlota, temente a Deus e corajosamente preocupada com o que seria a sorte dos Filhos, preparou-os para o perdão. Contaram-me que ela disse: 'Meus Filhos, nada de vingança. A melhor desforra é Vocês terem uma vida séria e bem realizada.'

"Disseram-me também que a formação de Auro Schabino foi presidida por essa vocação tutelar de sua Mãe: como única vingança, o esforço para ser alguém, para se alçar a um modelo acima do comum, plasmado a partir da figura e do exemplo do Pai.

"Agora, na fotografia — de olhos baixos, rindo para si mesmo, a testa alta, o cabelo escuro e cortado curto, as mãos magras, uma no espaldar da cadeira de balanço, outra apoiando o rosto de nariz comprido e boca fina, o rosto magro marcado de pregas, sob os olhos ensombrados por sobrancelhas que dividem a cara em dois pedaços, o da testa que pensa e o da face que sorri —, vejo Auro Schabino, o filho de João Canuto e Dona Maria Carlota.

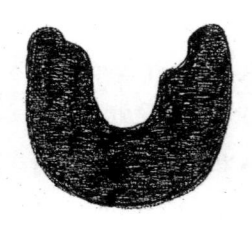

"Pouco sei de sua vida. Sei que é Católico e muito apegado à Família. Terei de saber mais, para melhor entender a gênese de um Livro como este, cuja importância desde logo avulta, escrito numa língua que flui, que escorre, suculenta como sumo entre os dedos.

"Mas para melhor entender o Livro, será preciso situá-lo numa perspectiva que não é a dos paralelos literários, das influências e parentescos, e sim alguma coisa mais profunda, na qual a análise literária seria apenas um instrumento para chegar ao fundo da questão.

"O fundo da questão é uma ânsia de fantasia no Mundo real, desesperadamente real, em que as pessoas se esterilizam. Pois Auro Schabino, ao realizar o voto de sua Mãe, parece que nos vinga a todos e tira sobre os erros do Mundo uma tremenda desforra, representada nesse Monumento à fantasia. Entremeado, todo o tempo, de símbolos e alusões, de recordações e fantasmas, poço inesgotável de estudos analíticos, livro de cabeceira para Psicólogos e Sociólogos, esse Romance é uma explosão de maravilha. Não há que buscar nele o Folclore, o regional, o ocasional, o circunstancial, e sim o universal, o permanente. Como em *Dom Quixote*: na secura do Mundo, a invasão das águas, a enchente da imaginação que repovoa o Mundo *de mitos e devolve ao Ser-humano a ideia da Busca, da procura de um sentido para a Vida além da Vida."*

Dom Pantero

Meio escondido em meu Púlpito eu ouvia estas palavras como se a mim mesmo — e não a Auro — elas fossem dirigidas. E, muito comovido, ficara pensando em como tudo aquilo era importante para mim: no meio da tristeza e solidão que cercavam minha vida, só contavam, na verdade, aqueles momentos iluminados em que conseguia compor no Palco a figura de Dom Pantero — o Personagem central das nossas Aulas-Espetaculosas; porque naquela minha vida árida, erma e solitária, o Palco (ou o Picadeiro-circense que, em meu caso, o configurava) passara a ser a Fonte do Cavalo Castanho que me possibilitava colocar-me à mesma altura do romance de Auro, da poesia de Altino e dos espetáculos teatrais, dançarinos e musicais de Afra e Adriel; isto é, no Palco tinham começado a brotar e correr para mim as mesmas águas, sangrentas mas fecundas, do Riacho do Elo — águas que, para meus irmãos, significavam o mesmo que a Cadência, para o Mestre Vitalino; a Rabeca da Sabedoria, para o Cego Oliveira; o Sonho da Casa, para Gabriel Joaquim dos Santos; o Córrego, para Nô Caboclo; e as iluminosas projeções do Cine da Natureza para Luiz de Lira.

E, mesmo correndo o risco de me tornar repetitivo, atrevo-me a recordar a bela declaração do Cego:

Cego Oliveira

"Quando moço, eu era bom demais. Hoje, estou Velho e vou ficando meio distraído das coisas. Já esqueci muitos versos, mas ainda toco e canto nas Romarias.

"Deus é todo-poderoso e é quem manda no destino de todos nós. Acredito na vida do outro Mundo, mas ninguém sabe como ela é.

"Uma vez, na hora de esbarrar o Toque, cantei uma Despedida tão bonita que uma Mulher disse: 'Faz pena um Homem desse ter que morrer um dia.'

"Mas eu não tenho medo da Morte: minha Rabeca é tocada conforme o tom da Sabedoria."

Dom Pantero

O Auto d'A Misericordiosa e Romeu e Julieta eram Peças-de-juventude; o Romance d'A Pedra do Reino e Hamlet, Obras-de-maturidade; e eu esperava em Deus que A Iluminara fosse, como Dom Quixote, uma Obra típica da velhice de seu Autor.

Ao dizer isso, devo confessar outro fato que passou a me acontecer desde que completei 70 anos. Até então eu era um Velho animoso e bem-humorado, que só pensava no futuro, iluminado que me sentia pela Obra projetada há tempo e cuja derradeira possibilidade de ser feita estaria configurada no Simpósio Quaterna. Mas agora chegava à conclusão de que meu tempo se esgotava e eu não conseguia levantar a Obra que sonhava. Por outro lado, Vocês não podem ter ideia do sofrimento que me empolgava ao me ver forçado a admitir: meu tempo de juventude estava irremediavelmente morto e sepultado.

Sim, porque a partir de 1997 comecei a ser assaltado pela irreparável saudade daquela época, quando o Mundo se descortinava diante de mim como uma grande e estranha Caatinga iluminada pelo Sol e cortada por Rios e Estradas; ora povoada por Águas cantantes, Corolas selvagens e Urzes perfumadas, ora "*se contorcendo em Cactos espinhosos e Esgalhos tortos, estorricados e flexuosos, no bracejar da Flora agonizante*" (como diziam José de Alencar e Euclydes da Cunha).

Era essa "*Caatinga do Mundo*" que nós, Savedras, deveríamos conquistar por meio da nossa Arte. E a cada tentativa que empreendíamos, no Teatro, na Poesia, no Romance, era com a conquista do Mundo, da cidadela da Arte e da Beleza que sonhávamos.

É por isso que, ainda hoje, não tenho condições de julgar o valor (ou desvalor) de algumas das Músicas que nos empolgavam naqueles dias de juventude; peças como o Adágio da Sonata ao Luar, de Beethoven, Clair de Lune, de Débussy, O Cisne, de Saint-Saëns, a Pavane, de Ravel, ou a Serenata da Suíte Italiana, de Stravinsky: elas me levam às lágrimas porque eu mal saíra da adolescência quando as ouvi pela primeira vez; e sempre que as ouço, é como se voltassem aqueles dias em que o Mundo me aparecia como aquela vasta, bela, fascinante e perigosa Caatinga que nossa Arte era chamada a conquistar. Efetuar-se-ia a conquista com base num Castelo, ou Fortaleza, por meio do qual eu ergueria um Mundo novo; um ousado Palimpsesto que, mesmo "*ultrajante*" (como, de acordo com Euclydes da Cunha, eram os traçados pelos guerreiros do Arraial de Canudos), poderia ser colocado sem desonra sobre os originais que o tinham deflagrado.

  Foi também nesse tempo de juventude que, além da Música e da Literatura, a paixão pela Dança começou a se apossar de mim. Lembro-me da memorável temporada realizada no Recife por alguns integrantes do Balé da Ópera de Paris. Nela, além de ver pela primeira vez o Prelúdio da Tarde de um Fauno (dançado por um Bailarino chamado Roger Fenonjois), fui atingido profundamente por O Cavaleiro da Rosa, de Ricardo Strauss, peça dançada por uma Bailarina e um Dançarino, ele conduzindo na mão uma Rosa vermelha, e ela como se fosse um Cisne-fêmea de formas não angulosas — como normalmente são as das Bailarinas —, mas sim arredondadas e voluptuosas. Os dois se aproximavam um do outro, em movimentos de sedução e posse repassados de grande sensualidade; no auge, ele chegava por trás e abraçava a Mulher, fazendo a mão primeiro acariciar sua bela coxa e, depois, espalmada, premir-lhe o ventre. Com isso, numa cena frontal, víamos que a parte de trás dos belos quadris da Bailarina — quadris que tinham passado a se mover horizontalmente num ritmo cada vez mais vibrátil e possesso — era apertada contra o Fálus dele. E então, sempre a mover os quadris como se eles fossem a cauda de um belo Cisne-fêmea possuído pelo Macho, ela erguia, de lado, o rosto para ele, que esmagava seus lábios com um beijo, clara representação do êxtase final a que ambos tinham chegado.

Assim, naquela tarde de 9 de Outubro de 2000, eu combinara com os organizadores do Simpósio: logo que Carlos Werneck acabasse de falar, deveríamos apresentar um pequeno número de Dança, ao som da adaptação que Antonio Madureira fizera, para Flauta, Violão, Violino e Violoncelo, da Serenata incluída por Stravinsky na Suíte Italiana (por ele composta sobre temas de Pergolese).

Aos Músicos — Madureira, Sergio Ferraz, Sebastian Poch e Eltony Nascimento — vieram se juntar os Bailarinos: o primeiro par era formado por Luziara, Contra-Mestra do Cordão-Encarnado, e Bruno Alves dos Santos, misto de Mateus, Arlequim e Palhaço Sabido; o segundo, por Lucinda, Mestra do Cordão-Azul, e Natércio Santana — Bastião, Pierrô e Palhaço Besta.

Esses quatro Bailarinos postaram-se de lado, formando uma espécie de Guarda-de-Honra para o terceiro par, composto por mim e por Maria Iluminada. Ela representaria o Sexo-feminino, na plena posse de sua graça, beleza e juventude: desse modo seria, para mim, a figuração de Liza Reis — único, puro e perdido Amor de minha vida.

Quanto a mim, quase não me movia, pois a idade avançada impedia-me de agir de outra maneira: apesar de Dom Pantero, eu continuava a ser aquele mesmo Velho que encarnava no Palco

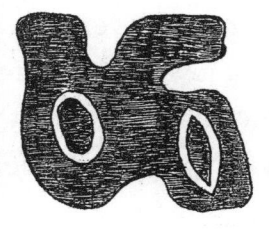

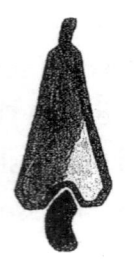

— um solitário e melancólico Velho-de-Presepe; eu mestrava os Jovens e, ao mesmo tempo, sofrendo muito, via como eles ainda eram capazes de viver a bela e poderosa paixão do "*Amor terrível*"; paixão que, naquele momento de Dança e graças à encantação da Arte, fazia a figura de Maria Iluminada perder cada vez mais os traços de Liza Reis e ganhar os da Moça Caetana: era para seduzir-me e matar-me que ela se travestia com o rosto e os modos de minha nunca esquecida Amada; e agora de mim se aproximava com movimentos que na verdade eram letais mas que volteavam ao meu redor como os da Bailarina em torno do Cavaleiro — bela, jovem, radiosa, fascinadora, ao acenar-me com a possibilidade de uma Morte prazerosa, feminina, compassiva e acolhedora. E a tentação de a ela me entregar era ainda maior porque Liza Reis me aparecera, pela primeira vez, num Palco como aquele em que agora nos encontrávamos. Surgira-me emoldurada por uma auréola que a iluminava e tocando Piano; e agora eu, numa extrema confusão de sentimentos, via Liza na jovem Bailarina atual e descobria: enquanto eu envelhecera terrivelmente, Liza continuava radiosamente bela e jovem. Iluminada, por sua vez, sentia por mim apenas um carinhoso afeto. E tudo isso evidenciava a terrível verdade: chegara o momento de me retirar, dando vez aos jovens e verdadeiros Bailarinos que ali estavam e aos quais cabia continuar a dança da Vida, enquanto eu melancolicamente voltava à Cadeira de onde nunca deveria ter saído. E a evocação era ainda mais dolorosa porque eu recordava: fora no Palco de um Auditório como o do Teatro Savedra que eu ouvira pela primeira vez Dona Carmem Câmara tocar a Serenata, enquanto eu, sentado na Plateia ao lado de Liza Reis, inebriado por aquela música lunar (e mais ainda pelo cheiro capitoso que se desprendia dos cabelos e do corpo de minha Amada), me obrigava a prender o mais possível a respiração para não perturbar meu enlevo e, ao mesmo tempo, para impedir que o coração me pulasse do peito para a garganta sufocada.

Entretanto, ao notar que Dom Pantero corria perigo, Inez Viana, Carlos de Souza Lima, Rosette Fonseca dos Santos e Maria Lopes resolveram intervir para evitar que a melancolia e as recordações do homem Antero Savedra prejudicassem a máscara corajosa do Personagem que ali dominava o Palco; de modo que, quando me sentei na Cadeira, os 4 entraram em cena, conduzindo aos ombros O Cálice do Sangral.

Bruno, Natércio, Jáflis e Pedro Salustiano, entendendo o gesto, apressaram-se a retomar sua função principal, cruzando a cena e entrando para as Coxias com a Redoma aos ombros.

Quanto às Bailarinas, refizeram o Cortejo, e eu, cabisbaixo, saí com elas do Palco.

Mas encontrei as Coxias em polvorosa por um acontecimento que bem mostrava aonde, às vezes, podiam acabar as ideias que, vestidas pela Arte, pareciam tão para além da Culpa nas palavras de Tio Antero e de Quaderna. Eu sempre afirmara: aquilo que realmente distingue o Ser-humano dos outros Animais não era a Razão, mas sim o senso do Bem e do Mal — e era daí que vinham nossa grandeza e nossa miséria. Ninguém podia acusar um Cavalo de ser um criminoso perverso. Mas, em troca, nenhum Cavalo podia chegar a ser um São Francisco ou Santo Inácio, a escrever A Divina Comédia ou o Dom Quixote.

De modo semelhante, a sexualidade dos Animais era sempre inocente. No Homem, podia ser elevada à espiritualidade de Santa Teresa. Mas em pessoas comuns, o Sexo — a princípio versão menor do êxtase sagrado — podia começar por carícias e sonhos poéticos e terminar na realidade brutal do Pecado e do Crime.

Naquele dia, tudo isso ficou, de repente, claro para mim: porque, enquanto, no Palco, nós nos despedíamos do Público, o Delegado, José Fausto Martins, entrara, por trás, no Teatro e dera voz de prisão ao nosso Bailarino, Natércio Santana — Paspalho, O Palhaço Besta: segundo se apurara, fora ele o estuprador e assassino de Patrícia; e todas as palavras que Fausto dissera sobre o velho pai de Biu Santeiro tinham tido como objetivo apenas tranquilizar o criminoso sobre a presença do Delegado no Teatro, evitando-se, assim, sua fuga.

Quando entrei, Natércio acabara de confessar o crime; e, chorando, ajoelhado aos pés de seu amigo e parceiro Bruno —

Tareco, O Palhaço Sabido —, repetia, como um demente e com as duas mãos postas, numa prece desesperada:

Natércio Santana

Acredite, Bruno, pelo amor de Deus acredite: eu não queria matar Patrícia! Foi ela quem me chamou para a Sacristia, dizendo que queria me mostrar uns sinaizinhos que tinha na barriga. Vi os sinais, comecei a acariciá-los e juro a Você que, no começo, queria somente ficar nesses carinhos.

Mas, de repente, comecei a ficar excitado e fui adiante. Ela ficou assustada e pediu que eu parasse. Tentou fugir. Foi aí que segurei Patrícia por trás, pelo pescoço, e fiz força até ela cair.

Daí em diante, fiquei cego, não sei mais nada, não me lembro mais de nada! Só depois de tudo foi que vi que a pobrezinha estava morta. Me perdoe, pelo amor de Deus e de Nossa Senhora!

Dom Pantero

Bruno retirou as mãos com que tapava o rosto para não ver o assassino e, olhando de lado, com lágrimas também lhe correndo pelas faces, falou com voz surda e carregada:

Bruno Alves dos Santos
Perdoar? Perdoar Você, que, além de fazer o que fez, ainda vem culpar Patrícia pelo que aconteceu? Peça perdão a Deus, porque, quanto a mim, quero que Você seja amaldiçoado e condenado ao fogo do Inferno por toda a Eternidade!

Dom Pantero
José Fausto Martins aproximou-se de Natércio e pegou-o pelo braço para levá-lo preso. Ele não fez qualquer resistência. Mas, detendo-se ainda um pouco antes de sair, voltou-se para o Padre Manuel, que, consternado, via tudo aquilo; disse:

Natércio Santana
Padre Manuel, preciso de um favor seu: vá procurar aquele Padre pecador de Campina Grande e peça a ele que venha falar comigo na Cadeia, porque só a um Padre como ele é que terei coragem de me confessar!

Padre Manuel

Acho que ele está suspenso de ordens, Natércio, e só pode confessar alguém que esteja em situação extrema; como um agonizante, por exemplo.

Natércio Santana

Agonizantes somos todos nós! Uma vez ouvi o senhor dizer, na Igreja, que existe uma "*comunhão dos santos*" e que é dela que nos valemos, nos momentos ruins, para compensar nossos erros.

Pois existe também uma "*comunhão dos pecadores*". Todos os que estão aqui participaram do meu crime! Todos nós vivemos esta "*comunhão dos pecadores*", e é em nome dela que lhe fiz esse pedido, o senhor possa atendê-lo ou não!

Dom Pantero

José Fausto Martins saiu com Natércio. Eu, com o coração pesado, depois de abraçar Bruno demoradamente, chorando com ele, consegui afinal desprender-me; e, acompanhado por meu Cortejo feminino, que chorava comigo, segui para o Camarim.

Chegando à porta dele, agradeci a Iluminada, Lucinda e Luziara. Despedi-me das 3 e, sentando-me em frente ao Espelho, comecei a refletir sobre o que acontecera. Via, mais uma vez, que somente assumindo a máscara-e-persona de Dom Pantero é que eu podia enfrentar a Fera sangrenta, culposa e insana do

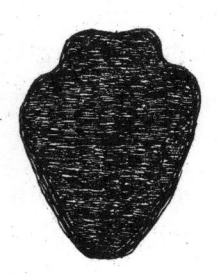

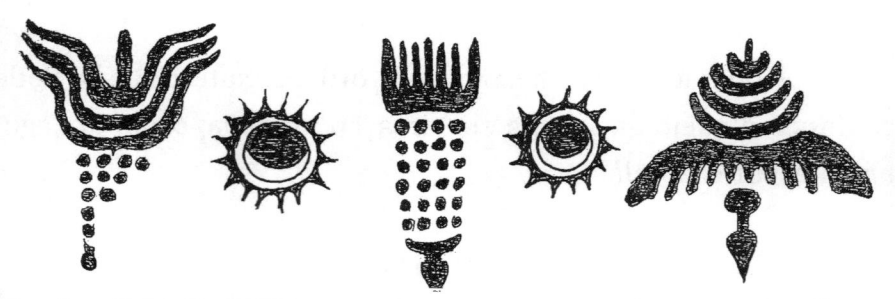

Mundo. Principalmente porque, como acontecera a Quaderna, pelo caminho cada vez mais perigoso que eu estava percorrendo (e sublinhados pela mesma Toada desértica e modal que soava na Estrada de Matacavalos), o que se ouvia no Teatro, como que sussurrados por Cães, eram os latidos do Cachorro e os uivos da Besta Fouva, da Besta Ladradora *"que errava por ali na espera dolorosa de sua redenção"*.

Os ladridos provavam que, com o Espetáculo daquele dia, mais uma vez eu falhara no meu propósito religioso, pessoal e político: não me sobrepusera à Queda, não alcançara a Redenção; nada fizera para ajudar na luta em busca daquele Reino luminoso de justiça e liberdade que o Cristo anunciara. Pelo contrário: o que fizera até ali, o que vira acontecer nas coxias do Teatro? Ao invés de, pelo menos no limitado universo que era o nosso, ver os Atores abraçando-se fraternalmente como filhos do mesmo Deus, vira a queda de um Ser-humano, meu semelhante e meu irmão; e caíra com ele (porque no fundo de meu coração sabia que, como ele próprio afirmara, seu Crime era de todos nós).

Assim, o que me restava era pedir perdão do fundo das Trevas em que caíra; e, mais uma vez, tentar, pela Obra, que Deus me permitisse sobrepor-me à Queda e, pela luz da Estrela, alcançar a Redenção.

Com um pano, comecei a remover *"a máscara da Face"*, a fim de me libertar do honroso mas duro e pesado *Dáimone*, ao qual, no Palco, servia de Cavalo. Habitualmente, era num misto de alívio e vacuidade que executava a operação, para recuperar minha personalidade confortável e cotidiana. Mas, daquela vez, ao começar a despojar-me da Máscara, notei imediatamente que sua falta iria me fragilizar mais do que em todas as ocasiões anteriores. Fui possuído por uma dolorosa sensação de medo e sofrimento, de terror até. Acabara de descobrir: o homem Mariano Jaúna estava muito perto da morte; já começara, mesmo, a morrer, velho, desamparado, nu, humilhado pela tristeza, pela solidão e, o que era pior, pela convicção de que jamais concluiria a Obra que sonhara à altura do meu País e do meu Povo. Cheguei à fraqueza de me indagar: não seriam aqueles Artigos publicados em pequenos Jornais do interior nordestino as "*Novelas de Cavalaria*" que haviam levado à loucura o Homem limitado e sem brilho que eu era, convencendo-me de que seria capaz de escrever uma "*Obra-maior*", que significasse para o Brasil e para a Língua portuguesa o mesmo que o Livro imortal de Cervantes para a Espanha?

E em que fraude, em que mentira, em que impostura eu não deixara, insensivelmente e aos poucos, degenerar a vida que bondosamente recebera de Deus, com a missão de aproximá-la o mais que me fosse possível da figura luminosa do Cristo? Onde andariam agora o Retirante e sua Família, que eu vira debaixo da Ponte? Em que recanto do Palco, em que beira da Estrada estava agora — pisoteado, perdido, talvez irremediavelmente dilacerado — o Pergaminho, escrito com minhas lágrimas e com meu sangue, e no qual, no dia da minha volta a Taperoá, eu assumira o compromisso de lutar em favor *"de todos aqueles que eram relegados (pela injustiça, pela maldade, pela indiferença) para debaixo de todas as pontes do Mundo"*? Lembrava-me de Policarpo Quaresma, que, preso, desesperado, desiludido de seus sonhos fantásticos, pensava, à espera de sua execução:

Policarpo Lima Barreto Quaresma

"Meu sacrifício fora inútil. Tudo o que nele eu punha de pensamento não fora atingido. Passava por doido, tolo, maníaco, e a vida se ia fazendo inexoravelmente, com a sua brutalidade e fealdade. O tempo estava de morte e carnificina. Eu próprio iria morrer, naquela mesma noite. Que tinha feito de minha vida? Nada. Levara toda ela atrás da miragem da Pátria por amá-la e querê-la muito. Não teria levado a minha vida norteado por uma ilusão? Como é que eu, tão sereno, tão lúcido, envelhecera atrás de tal quimera?"

Dom Pantero

Na expectativa de ser executado, era portanto esse desgosto — e não o medo da Morte — que atormentava o grande sonhador Quaresma. E ali, no Camarim, eu, parecido com ele (mas menos corajoso, menos digno e menos puro), comecei a murmurar a prece que de vez em quando me vinha aos lábios e ao coração: "*Meu Deus, no momento em que me aproximo da Morte, não leve em conta as omissões, as fraquezas e os feios pecados deste seu filho, mas sim o amor que consagro à sua Mãe. E, pela intercessão da Medianeira de todas as Graças, receba em seus braços a minha alma, para que, um dia, também meu corpo, purificado, ressuscite para a Vida eterna; o que lhe peço em nome de seu Filho, o Cristo, na unidade do Espírito Santo, por todos os séculos dos séculos. Amém.*"

Mas, terminada a prece, de novo recordei Policarpo Quaresma, que, à espera da Morte, pensava: o pior de tudo é que "*não se fizera comunicar, nada dissera, que prendesse seu Sonho, dando-lhe corpo e substância*".

Era o fio de esperança que me restava: levar a termo a Obra que prendesse meu Sonho, dando-lhe corpo e substância. Teria somente que tomar cuidado para não chegar, como Quaderna, ao delírio de julgar-me "*apto a escrever o maior dos livros, capaz de*

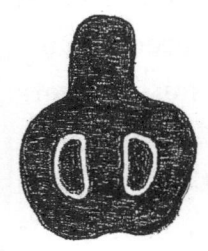

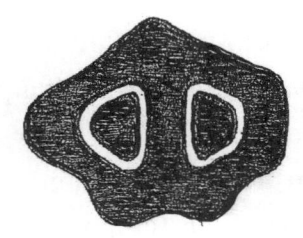

fazer enxergar o Mundo com outros olhos" — como afirmara Carlos de Souza Lima.

Então, por meio de Álvares de Azevedo, voltei a Dom Quixote:

Álvares Schabino de Azevedo

"Deus, que eu morra no Palco! Não me coroem de Rosas infecundas a agonia! Que não doure o sonhar do Agonizante só o falso Pincel da fantasia! Que eu nunca desanime: Dom Quixote, montado em Rocinante, erguendo a Espada, nunca voltou de medo. Então, valente, que à feia Morte eu nunca volte a cara."

Dom Pantero

E apressei-me a restaurar a Máscara, porque sabia: ao contrário de mim, Dom Pantero era imortal; e só com sua roupa e seu Medalhão é que eu poderia concluir o Simpósio. Se mantivesse sua Máscara, mesmo que a Onça-da-Morte me armasse uma Emboscada, me encontraria no Palco, na Estrada — montado em meu Cavalo Graciano e pronto para enfrentar *"os desconcertos, as feiuras e as injustiças do Mundo"*. Como afinal acontecera a Dom Quixote: não o de Cervantes, é claro, mas aquele cujo fim eu forjara com base em Dom Pantero.

Então, abrindo a porta, chamei Felipe Santiago, a quem pedi: dali por diante, além do Banheiro que já havia, ele deveria munir o Camarim de uma Cama e uma pequena Mesa, nas quais eu pudesse dormir, fazer minhas refeições e, toda noite, depois das sessões do Simpósio, dar forma literária aos relatos que delas me trariam Gerson Camarotti, Carlos Tavares e William Costa a partir de suas anotações. Resolvera morar no Teatro; pois, mesmo que o bote de Caetana me atingisse num momento fora do Espetáculo, eu poderia me arrastar até o Palco para ali findar, morto mas não derrotado; pois a Morte só fora capaz de me atingir estando eu naquele *Local sagrado*, com meu Circo, em plena Viagem, em plena Estrada, em pleno exercício de minha Arte imortal.

Wopia – Zofia – Sofia – Maria

DOXOLOGIA

AURO SCHABINO

Agora, só me resta ir para a Igreja. Subo a Ladeira. A Porta. A escura Nave. Com o Livro aos ombros, vou como uma Ave de papel preto e branco que esvoeja. Vazio, o Nicho, em ouro, ali chameja. Subo ao Altar. No vão, perto da grade, deposito a futura Raridade. Vou ao Padre. Recebo a minha Tença. E, em meio da geral indiferença, abandono — mais uma! — esta Cidade.

JOSÉ LAURENIO DE MELO

"Coisas da mão esquerda. Um Homem, sentado na amurada do cais, não pensa. Absorve, sem pesar nem relacionar. Tudo ficou por fazer. A poesia, nenhuma. As palavras não me configuram. Me abandono a elas para continuar o mínimo de mim mesmo. É claro que já não estou na amurada. E que importa que esteja em algum lugar? Sei que estou vivo. A mão que escreve me prova isto, me consola e me diverte."

SAMAROJVE LIMA DE SAVEDRA

"Dou voltas ao Avesso, tocando o dorso da mesma Cicatriz. Como um Cego no sereno, teimo em ver minha semelhança onde já não existe Espelho amordaçado."

JOÃO SOARES SARTIEF SCHABIJVO

"Provoco a ira da Besta. Ela salta e eu grito, os olhos do Anjo vendados. Aquele que canta e, dançando, se revela à luz do Espelho, sou Eu."

DOM PAJVTERO

Uma vez, quando eu era bem menino, um Escorpião picou meu calcanhar. Talvez por causa disso, *"têm, para mim, Visões de um outro Mundo, as Noites luminosas, azuladas, quando a Lua aparece mais bonita"*.

Mas é verdadeira, também, a face reversa da Medalha: *"Têm, para mim, Visões de um outro Mundo, as Noites perigosas e queimadas, quando a Lua aparece mais vermelha."*

Também talvez seja por causa disso que às vezes acordo no meio da noite com o coração a ponto de me saltar do peito: acabara de sonhar com um áspero e desolado Tabuleiro onde, por entre Pedras e Cactos espinhosos, fosforesciam os olhos amarelos de Onças proféticas, Leopardos cruéis, Tigres insones e Panteras extraviadas.

Albano Cervonegro

Pois é assim: meu Circo pela Estrada. Dois Emblemas lhe servem de Estandarte: no Sertão, o Arraial do Bacamarte; na Cidade, a Favela-Consagrada. Dentro do Circo, a Vida, Onça Malhada, ao luzir, no Teatro, o pelo belo, transforma-se num Sonho — Palco e Prelo. E é ao som deste Canto, na garganta, que a cortina do Circo se levanta, para mostrar meu Povo e seu Castelo.

Dom Pantero

E, com estes Versos, compostos em Martelo-Agalopado, aqui se despede de Vocês, nobres Cavaleiros e belas Damas da Pedra do Reino, este que é seu Soberano e seu companheiro de cavalgadas e Cavalaria,

> Dom Pantero do Espírito Santo, Imperador (mas também filho turvo, indigno e pecaminoso "*do Amor que move o Sol e as Estrelas*").

> Recife, 7. X. 1945
> 12. X. 2013
> Dia de Nossa Senhora Aparecida,
> Padroeira do Brasil

SUASSUNA ILUMIARA

Posfácio

Ricardo Barberena

"Uma vez, mandado pelo Jornal *Vanguarda*, de Caruaru, fui a Arcoverde, onde assisti a uma Aula-Espetaculosa ministrada por Antero Savedra e testemunhei o contraste entre o respeitoso silêncio que cercava o Palco em certos momentos e as sonoras gargalhadas que assinalavam outros.

"O motivador desses espasmos de comicidade e admiração era Dom Pantero: naquela atmosfera de oralidade, impregnada de sentidos mágicos e míticos, perpetuava-se um espírito poético, que introduzia um Sertão sonhoso e brutal. Antero Savedra (ou Dom Pantero por ele) instaurava uma enigmática territorialidade da qual emergiam Deuses e Diabos, sob a lei do acaso e da fatalidade. Estes seres-ameaçadores resultavam de uma imaginação que produzia sentidos desérticos e espinhentos de uma terra-fera: o Reino sertanejo do delírio e do sacrifício. Dom Pantero acabou desencadeando, no interior da Arte brasileira, uma nova conceptualidade que navega entre Iluminogravuras, arabescos e acordes de Rabeca. Vi que, ali no Palco, se configurava uma Epopeia satírica e apocalíptica, constituída por alucinações e desventuras que focalizavam a prometida volta de Dom Sebastião por meio de um banho de sangue nas pedras do Reino sertanejo. Na crueza espinhenta e indomada da ressurreição do Mito, nascia a esperança da contemplação de um

Reino presentificado por duas enormes Pedras onde pingos prateados brilham ao Sol. Como Esfinges a serem decifradas, as Pedras traziam consigo o mistério de uma metamorfose visceral: o fraco tornava-se forte, o real tornava-se fantástico, a memória tornava-se lenda. Assim, era preciso que ouvíssemos aquele pedregoso Discurso, que brotava da tênue separação entre a anedota tragicômica e o lamento da desesperança lírica. Os enigmas do Reino estavam camuflados nas Pedras que resistiam ao Tempo, simbolizando a força de uma Cultura que, formada pelo sangue dos seus Heróis, Profetas e Santos, permanecia renovada no Espetáculo encenado por Dom Pantero. E foi por isso que, como um Quixote sertanejo, ali em Arcoverde ele hipnotizou uma Plateia de quase 2.000 pessoas, com a sua técnica de encantação que remonta aos primórdios da expressão literária — a Arte oral de narrar histórias.

"Pois bem: terminada a Aula, Antero Savedra, com uma amabilidade que não pode ser traduzida em palavras, convidou-me para ir a seu Camarim, onde eu — e mais duas ou três pessoas — tivemos um encontro que se prolongaria por quase duas horas. Com a força lírica da contação de estórias, Savedra novamente encantou a todos nós. Num momento de supremo magicismo, recitou o Poema Infância, de Paulo Mendes Campos; e depois o Soneto, de igual título, publicado no Livro O Pasto Incendiado, e que transcrevo a seguir (pois nele se fala sobre o que, menino, ele sentiu ao ter o Pai assassinado):

INFÂNCIA
Com tema de Maximiano Campos

Sem lei nem Rei, me vi arremessado, bem menino, a um Planalto pedregoso. Cambaleando, cego, ao sol do Acaso, vi o Mundo rugir – Tigre maldoso.

O cantar do Sertão, Rifle apontado, vinha malhar seu Corpo furioso. Era o Canto demente, sufocado, rugido nos Caminhos sem repouso.

E veio o Sonho: e foi despedaçado. E veio a Morte: o Marco ensanguentado, a luta extraviada e a minha Grei.

Tudo apontava o Sol: fiquei embaixo, na Cadeia em que estive e em que me acho, a chorar e a cantar, sem lei nem Rei.

"Os olhos marejados e a voz embargada acabaram por interrompê-lo. O silêncio, embebido em sagração, fez-se necessário. Retomada a voz, comentou a importância da estética cervantina na criação de sua Obra.

"Savedra traduz a simplicidade desértica de um grande homem em dissonância com as encasteladas moradas dos ególatras e dos medalhões que permeiam uma sociedade de 'homens importantes'. Na contramão aos ritos de soberba de uma mundanidade opressiva, inscreve-se numa generosidade que transporta bondade, confiança e sinceridade. Esse espaço pedregoso de Savedra evidencia um sopro de esperança para todos nós; é possível ainda perceber a magnitude da humildade numa sociedade-espetáculo. Deparamo-nos com o verdadeiro e libertário exercício da alteridade. Desabrigando-se de possíveis guaridas da cultura letrada, Savedra desvela uma infinita humanidade ao buscar destituir-se de vestígios de uma centricidade das belas-letras. Sua sublime simplicidade torna-se um impactante rebelo contra a espetacularização de pseudocelebridades massificadas. Enquanto Imperador da Pedra do Reino, o imortal Dom Pantero reinventa uma poeticidade que faz brotar do Sertão-osso a intersubjetividade do conversar e do ouvir o Outro.

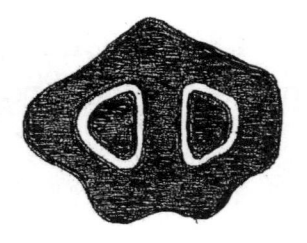

"Incansável com sua Trupe, Antero Savedra já proferiu mais de 200 aulas pelo interior do Nordeste. Nesses privilegiados fóruns de discussão, navega pelas idiossincrasias da identidade cultural brasileira. Cabe ressaltar que o Movimento Armorial tem possibilitado uma reflexão mítico-simbólica no tocante à migrância de imaginários plurais: a heráldica medieval, brasões ibéricos, estandartes de maracatu, bandeiras de futebol. O legado de Savedra permite que façamos uma discussão sobre uma nacionalidade fragmentada que se apresenta imaginada a cada reinvenção de uma tradição inacabada. Essa cosmovisão estética acaba por metamorfosear uma simples mirada regionalista num memorial popular sob a égide da decifração dos narrares nacionais. A Epopeia savedriana, tecida em palavras-magma, produz constelações de um viver na Pedra. Se as rochas contam a história da Terra, a escritura-fabulação de Savedra narra uma territorialidade nacional encarnada no cordel, no Teatro, no folhetim, nas Iluminogravuras, na falação sem dono.

"Há, ainda, uma questão fundamental que não podemos perder de vista: a poética de Savedra. Segundo ele próprio, toda a sua Obra descende diretamente de sua condição de Poeta. É na sua capacidade de encantamento dos mitos do Reino do Sertão que repousa uma matéria imaginante capaz de inserir na historiografia literária uma potencialidade lírica popular: do Auto nordestino às mitificações mediterrâneas. E é justamente aí que reside a poética savedriana. Ao rechaçar os estereótipos da identidade nacional, o nosso Imperador da Pedra-do-Sonho reconstitui uma estética quixotesca, movida pelo mar de estórias da cultura brasileira. Fascinado pelo Circo, Savedra confessa que se considera um Palhaço frustrado. Se o mundo circense pode ter perdido muito, por outro lado o mundo literário ganhou um escritor que carrega no olhar a ternura de um Palhaço chapliniano."

Cronologia de Ariano Suassuna

1927

Nascimento de Ariano Vilar Suassuna, a 16 de junho, na cidade da Paraíba (atual João Pessoa), capital do Estado da Paraíba. Oitavo dos nove filhos do casal João Urbano Suassuna e Rita de Cássia Vilar Suassuna, Ariano nasce no Palácio do Governo, pois seu pai exerce, à época, o cargo de Presidente da Paraíba, o que equivale ao atual cargo de Governador.

1928

A 22 de outubro, terminado o seu mandato, João Suassuna passa o cargo de presidente a João Pessoa. A família Suassuna volta a seu lugar de origem, o sertão da Paraíba, indo residir na fazenda Acauhan, pertencente a João Suassuna e localizada no atual município de Aparecida.

1929

Iniciam-se, na Paraíba, as dissensões políticas que antecedem a Revolução de 30.

1930

Começa a luta armada, na Paraíba. O coronel José Pereira Lima, líder político do município de Princesa e aliado de João Suassuna, declara a independência do seu município, que passa a se chamar Território Livre de Princesa, resistindo às investidas das tropas de João Pessoa. A 26 de julho, o presidente João Pessoa, que se encontrava no Recife, é assassinado por João Dantas. Entre os dias 3 e 4, rebenta a Revolução de 30, na Paraíba. A 6 de outubro,

João Dantas é assassinado na Casa de Detenção do Recife. A 9 de outubro, João Suassuna, então deputado federal, que viajara ao Rio de Janeiro para defender-se, junto à Câmara dos Deputados, da injusta acusação de cúmplice no assassinato de João Pessoa, é por sua vez assassinado, aos 44 anos de idade, na Rua do Riachuelo, por um pistoleiro de aluguel, a mando da família Pessoa.

1933
D. Rita, agora chefe da família Suassuna, muda-se para Taperoá, sertão da Paraíba, ficando sob a proteção dos seus irmãos.

1934-1937
Em Taperoá, Ariano Suassuna estuda as primeiras letras, primeiro em casa, depois na escola, com os professores Emídio Diniz e Alice Dias. Assiste, pela primeira vez na vida, a um desafio de viola, uma peleja travada entre os cantadores Antônio Marinho e Antônio Marinheiro. Numa feira, assiste também, pela primeira vez, a uma peça de mamulengo, o tradicional teatro de bonecos do Nordeste. Dona Rita, em dificuldades financeiras, vende a fazenda Acauhan, para custear a educação dos filhos.

1938-1942
Ariano Suassuna faz o curso ginasial no Colégio Americano Batista, no Recife, em regime de internato, passando os períodos de férias escolares em Taperoá. Seus primeiros mestres de literatura são de Taperoá: os tios Manuel Dantas Vilar, "meio ateu, republicano e anticlerical", e Joaquim Duarte Dantas, "monarquista e católico". O primeiro lhe indica leituras de Eça de Queiroz, Guerra Junqueiro e Euclydes da Cunha; o segundo, a leitura de *Dom*

Sebastião, de Antero de Figueiredo. Muitos dos livros que lê são encontrados na biblioteca deixada por João Suassuna, que foi um grande leitor. Em 1942, a família Suassuna fixa-se no Recife. A 30 de novembro de 1942, Ariano discursa como Orador da Turma na solenidade de encerramento do curso ginasial.

1943

Estuda no Ginásio Pernambucano (Colégio Estadual de Pernambuco), no Recife. Torna-se amigo, no colégio, de Carlos Alberto de Buarque Borges, que o inicia em música erudita e em pintura.

1945

Estuda no Colégio Oswaldo Cruz, no Recife, tornando-se amigo do pintor Francisco Brennand, seu colega de turma. A 7 de outubro, inicia-se na vida literária, com a publicação do poema "Noturno", no *Jornal do Commercio*, do Recife.

1946

Ingressa na tradicional Faculdade de Direito do Recife. Na Faculdade, junta-se ao grupo que, liderado por Hermilo Borba Filho, retoma, sob nova inspiração teórica, o Teatro do Estudante de Pernambuco (TEP). Torna-se amigo do poeta e tradutor José Laurenio de Melo. Organiza, com o apoio do Diretório Acadêmico de Direito, uma apresentação de cantadores, levada ao palco do Teatro Santa Isabel, no Recife, a 26 de setembro. Dá início à publicação dos seus primeiros poemas ligados ao romanceiro popular nordestino, em periódicos acadêmicos e suplementos de jornais do Recife.

1947

Baseando-se no romanceiro popular nordestino, escreve a sua primeira peça de teatro, *Uma Mulher Vestida de Sol*. A peça, que não é encenada, recebe, no ano seguinte, o Prêmio Nicolau Carlos Magno.

1948

Escreve a peça *Cantam as Harpas de Sião*, montada no mesmo ano, pelo TEP, com direção de Hermilo Borba Filho e cenário e figurinos de Aloisio Magalhães. A peça estreia a 18 de setembro, durante a inauguração da "Barraca", palco erguido no Parque Treze de Maio, no Recife, sob inspiração do trabalho de García Lorca. O primeiro ato de *Uma Mulher Vestida de Sol* é publicado na revista *Estudantes*, do Diretório Acadêmico da Faculdade de Direito.

1949

A 6 de março, conclui a peça *Os Homens de Barro*, iniciada no ano anterior.

1950

Escreve a peça *Auto de João da Cruz*, com a qual recebe o Prêmio Martins Pena. Forma-se em Direito, pela Faculdade de Direito da Universidade do Recife (atual Universidade Federal de Pernambuco). Adoece de tuberculose, indo para Taperoá, à procura de bom clima para se tratar.

1951

Em Taperoá, para receber sua noiva Zélia e alguns familiares seus, que o foram visitar, escreve seu primeiro trabalho ligado ao cômico, uma peça para mamulengo, intitulada *Torturas de um Coração* ou *Em Boca Fechada não Entra Mosquito*, peça por ele mesmo montada, com acompanhamento musical do "terno de pífanos" de Manuel Campina. Converte-se ao catolicismo. É publicado, pela Livraria-Editora da Casa do Estudante do Brasil, do Rio de Janeiro, *É de Tororó – Maracatu*, primeiro volume da Coleção Danças Pernambucanas, contendo o seu ensaio "Notas sobre a música de Capiba".

1952

De volta ao Recife, trabalha como advogado no escritório do jurista Murilo Guimarães. Escreve a peça *O Arco Desolado*, com a qual participa de concurso organizado pela Comissão do IV Centenário da Cidade de São Paulo.

1953

Escreve *O Castigo da Soberba*, entremez baseado num folheto da literatura de cordel. Assina coluna literária no jornal *Folha da Manhã*, do Recife.

1954

Escreve *O Rico Avarento*, entremez baseado numa peça tradicional do mamulengo nordestino. Ministra curso de teatro no Colégio Estadual de Pernambuco, dirigindo os estudantes numa montagem de *Antígona*, de Sófocles, que ele mesmo traduziu, e cuja estreia se dá a 9 de novembro, no Teatro Santa Isabel, com cenário e roupagens de Aloisio Magalhães. Participa do grupo de artistas, escritores e intelectuais que funda O Gráfico Amador (1954-1961), importante movimento de artes gráficas sediado no Recife.

1955

A 24 de maio, estreia a sua tradução da peça *A Panela*, de Plauto, montada pelo Teatro do Colégio Estadual de Pernambuco, ainda sob sua direção, com cenário e roupagens de Aloisio Magalhães. Escreve a peça *Auto da Compadecida*. Publica o poema *Ode*, em edição de O Gráfico Amador, do Recife.

1956

Estreia, em abril, no núcleo do SESI de Santo Amaro, no Recife, nova montagem de *A Panela*, de Plauto, sob sua direção, agora encenada por um grupo de operários. A 14 de maio, dia do aniversário do Colégio Estadual de Pernambuco, o grupo de teatro do Colégio apresenta, sob sua direção, a peça em ato único *O Processo do Cristo Negro*, que escreve num só dia, e que é, nas suas palavras, "uma espécie de 'facilitação' do terceiro ato do *Auto da Compadecida*". É convidado para ensinar Estética na Universidade do Recife (atual Universidade Federal de Pernambuco) e abandona definitivamente a advocacia. Escreve o seu primeiro romance, *A História do Amor de Fernando e Isaura*, que permanecerá inédito até 1994. A 11 de setembro, o *Auto da Compadecida* estreia no Teatro Santa Isabel, em montagem do Teatro Adolescente do Recife, sob a direção de Clênio Wanderley e cenário de Aloisio Magalhães. A partir de 12 de setembro, a convite de Mauro Mota, passa a assinar coluna sobre teatro no *Diário de Pernambuco*.

1957

Casa-se, a 19 de janeiro, dia do aniversário de nascimento do seu pai, com a artista plástica Zélia de Andrade Lima. Viaja para o Rio de Janeiro, em lua de mel, e assiste à consagradora apresentação do *Auto da Compadecida* no Primeiro Festival de Amadores

Nacionais, promovido pela Fundação Brasileira de Teatro e realizado no mês de janeiro, no Teatro Dulcina. A peça é apresentada no dia 25, pelo mesmo Teatro Adolescente do Recife, dirigido por Clênio Wanderley, e é logo considerada pela melhor crítica do país uma obra-prima, recebendo a Medalha de Ouro do Festival. De 10 de junho a 26 de julho, escreve a peça *O Casamento Suspeitoso*. A 27 de julho, estreia, pelo Teatro Amador Sesiano de Pernambuco, sob sua direção, a peça *As Trapaças de Escapim*, de Molière, que ele próprio traduziu, com figurino assinado por sua irmã, Germana Suassuna, e cenário de Juvêncio Lopes. A 30 de setembro, nasce seu primeiro filho, Joaquim. Em outubro, o *Auto da Compadecida* é publicado pela editora Agir. De 7 a 18 de novembro, escreve a peça *O Santo e a Porca*.

1958

A 6 de janeiro, no Teatro Bela Vista, em São Paulo, estreia a peça *O Casamento Suspeitoso*, em montagem da Companhia Nydia Licia/Sérgio Cardoso, sob direção de Hermilo Borba Filho. Entre janeiro e março, reescreve a sua primeira peça, *Uma Mulher Vestida de Sol*. A peça *O Santo e a Porca* estreia no Teatro Dulcina, no Rio, a 5 de março, em montagem da companhia Teatro Cacilda Becker, sob direção de Ziembinski. De 12 a 13 de maio, reescreve a peça *Cantam as Harpas de Sião*, mudando seu título para *O Desertor de Princesa*. Em junho, encerra sua coluna teatral no *Diário de Pernambuco*. A 21 de julho, no Teatro Santa Isabel, no Recife, é apresentada uma montagem do *Auto de João da Cruz*, pelo Teatro do Estudante da Paraíba, sob a direção de Clênio Wanderley, no âmbito do I Festival Nacional de Teatros de Estudantes. A 4 de outubro, nasce sua filha Maria das Neves.

1959

Escreve a peça *A Pena e a Lei*, a partir do entremez *Torturas de um Coração*, de 1951. Funda, com Hermilo Borba Filho, o Teatro Popular do Nordeste (TPN). O *Auto da Compadecida* é publicado na Polônia, na revista *Dialog*, em tradução de Witold Wojciechowski e Danuta Zmij (*Historia o Milosiernej czyli Testament Psa*).

1960

A Pena e a Lei estreia a 2 de fevereiro, no Teatro do Parque, no Recife, em montagem do TPN, sob direção de Hermilo Borba Filho. A 4 de outubro, nasce seu filho Manuel. Escreve a peça *Farsa da Boa Preguiça*. Forma-se em Filosofia, pela Universidade Católica de Pernambuco. O *Auto da Compadecida* é publicado em Portugal, na Coleção Teatro no Bolso, impresso na Editora Gráfica Portuguesa, de Lisboa, sem referência ao ano da edição.

1961

A Farsa da Boa Preguiça estreia a 24 de janeiro, no Teatro de Arena do Recife, em montagem do TPN, sob a direção de Hermilo Borba Filho, com cenários e figurinos de Francisco Brennand. A peça *O Casamento Suspeitoso* é publicada pela Editora Igarassu, do Recife. Escreve *A Caseira e a Catarina*, peça em um ato.

1962

A 25 de novembro, nasce sua filha Isabel. Publica, na revista *DECA*, do Departamento de Extensão Cultural e Artística da Secretaria de Educação e Cultura de Pernambuco, nº 5, a primeira parte da *Coletânea da Poesia Popular Nordestina: Romances do Ciclo Heroico*.

1963

Publica, na revista *DECA*, nº 6, a segunda parte da *Coletânea da Poesia Popular Nordestina: Romances do Ciclo Heroico*. O *Auto da Compadecida* é publicado nos Estados Unidos, pela Editora da Universidade da Califórnia, em tradução de Dillwyn F. Ratcliff (*The Rogues' Trial*).

1964

Publica, na revista *DECA*, nº 7, a terceira e última parte da *Coletânea da Poesia Popular Nordestina: Romances do Ciclo Heroico*. As peças *Uma Mulher Vestida de Sol* e *O Santo e a Porca* são publicadas pela Imprensa Universitária da Universidade do Recife. A 21 de junho, nasce sua filha Mariana. A 23 de dezembro, deixa o Teatro Popular do Nordeste (TPN).

1965

O *Auto da Compadecida* é publicado na Holanda, pela fundação Ons Leekenspel, de Bussum, em tradução de J. J. van den Besselaar (*Het Testament van de Hond*), e na Espanha, pelas Edições Alfil, de Madrid, em tradução de José María Pemán (*Auto de la Compadecida*).

1966

A peça *O Santo e a Porca* é publicada na Argentina, pelas edições Losange, de Buenos Aires, em tradução de Ana María M. de Piacentino (*El Santo y la Chancha*), junto com a peça *Lisbela e o Prisioneiro*, de Osman Lins, em tradução de Montserrat Mira (*Lisbela y el Prisionero*). De 7 a 30 de março, escreve o romance *O Sedutor do Sertão ou O Grande Golpe da Mulher e da Malvada*, inicialmente pensado como roteiro de cinema. A 10 de junho, nasce sua filha Ana Rita.

1967

Recebe, da Assembleia Legislativa do Estado de Pernambuco, o título de Cidadão de Pernambuco. Por indicação de Rachel de Queiroz, torna-se membro fundador do Conselho Federal de Cultura.

1968

Torna-se membro fundador do Conselho Estadual de Cultura de Pernambuco.

1969

O reitor Murilo Guimarães o nomeia diretor do Departamento de Extensão Cultural (DEC) da Universidade Federal de Pernambuco. Inicia, no DEC, os trabalhos que irão abrir caminho para o lançamento, no ano seguinte, do Movimento Armorial. Estreia o filme *A Compadecida*, do diretor George Jonas, primeira versão cinematográfica da peça *Auto da Compadecida*.

1970

Recebe, a 3 de outubro, da Câmara Municipal de Taperoá, Paraíba, o diploma de Cidadão Taperoaense. A 9 de outubro, data do aniversário da morte de João Suassuna, conclui o *Romance d'A Pedra do Reino e o Príncipe do Sangue do Vai-e-Volta*, que começara a escrever a 19 de julho de 1958, no dia do aniversário de sua esposa Zélia. Com o concerto *Três Séculos de Música Nordestina – do Barroco ao Armorial* e uma exposição de artes plásticas, é lançado oficialmente, a 18 de outubro, na Igreja de São Pedro dos Clérigos, no Recife, o Movimento Armorial, por ele idealizado para procurar uma arte erudita brasileira a partir da cultura popular. O *Auto da Compadecida* é publicado na França, pela Editora Gallimard, em tradução de Michel Simon-Brésil (*Le Jeu de la Miséricordieuse ou Le Testament du Chien*).

1971

A peça *A Pena e a Lei* é lançada, em junho, pela Editora Agir. Em agosto, é publicado, pela Editora José Olympio, o *Romance d'A Pedra do Reino*. Para o exemplar do editor, escreve a seguinte dedicatória: "Mestre José Olympio: A única coisa que posso lhe dizer neste momento é que a edição deste livro por você era um sonho meu. Estou, então, não é alegre, não: é profundamente orgulhoso. Com o afetuoso abraço de Ariano. Rio, 1. IX. 71".

1972

Funda o Quinteto Armorial. O *Romance d'A Pedra do Reino* recebe o Prêmio Nacional de Ficção, do Instituto Nacional do Livro – INL/MEC. Deixa o Conselho Estadual de Cultura de Pernambuco. Estreia, no *Jornal da Semana*, do Recife, na edição de 17 a 23 de dezembro, uma página literária semanal, intitulada "Almanaque Armorial do Nordeste".

1973

Desliga-se do Conselho Federal de Cultura.

1974

A Editora José Olympio publica três de suas peças: em janeiro, em volume único, *O Santo e a Porca* e *O Casamento Suspeitoso*; em maio, a *Farsa da Boa Preguiça*, ambos os volumes com estampas de Zélia Suassuna. Encerra a publicação do "Almanaque Armorial do Nordeste" no *Jornal da Semana*, na edição de 2 a 8 de junho. A Editora universitária da Universidade Federal de Pernambuco publica *O Movimento Armorial*, contendo a base teórica do Movimento lançado em 1970. É publicado, pelas Edições Guariba, do Recife, o álbum *Ferros do Cariri: Uma Heráldica Sertaneja*. A 1º de outubro, é dispensado, a pedido, da direção do DEC/UFPE. Em dezembro, a Editora José Olympio publica, em convênio com o INL/MEC, a *Seleta em Prosa e Verso de Ariano Suassuna*, com estudo, comentários e notas de Silviano Santiago e estampas de Zélia Suassuna, livro que será lançado no início do ano seguinte.

1975

Publica *Iniciação à Estética*, pela Editora da Universidade Federal de Pernambuco. A convite do prefeito Antônio Farias, assume o cargo de secretário de educação e cultura do Recife. A 15 de novembro, dá início à publicação de "Ao Sol da Onça Caetana", primeiro livro da *História d'O Rei Degolado nas Caatingas do Sertão*, em folhetim semanal no *Diário de Pernambuco*. A 18 de dezembro, com a estreia, no Teatro Santa Isabel, da Orquestra Romançal Brasileira, por ele fundada, encerra-se a primeira fase do Movimento Armorial, chamada de "Experimental", iniciando-se a segunda, a fase "Romançal".

1976

A 25 de abril, conclui os folhetins do primeiro livro de *O Rei Degolado*, iniciando, a 2 de maio, a publicação do segundo, intitulado "As Infâncias de Quaderna", no mesmo *Diário de Pernambuco*. A 18 de junho, estreia, no Teatro Santa Isabel, o Balé Armorial do

Nordeste, por ele idealizado, com direção e coreografia de Flávia Barros. É inaugurada, a 26 de agosto, no Recife, no Casarão João Alfredo, a exposição *Os Dez Anos de Casa Caiada no Mundo do Armorial*, com tapetes criados a partir dos desenhos que realizou para ilustrar o *Romance d'A Pedra do Reino* e a *História d'O Rei Degolado*. A exposição segue para o Rio, sendo inaugurada no Museu Nacional de Belas Artes, a 16 de dezembro. A 30 de dezembro, defende, na Universidade Federal de Pernambuco, sua tese de livre-docência, intitulada *A Onça Castanha e a Ilha Brasil: uma Reflexão sobre a Cultura Brasileira*, com a qual recebe diploma de doutor em História.

1977
Publicação, em março, pela Editora José Olympio, do primeiro livro da *História d'O Rei Degolado nas Caatingas do Sertão*, intitulado "Ao Sol da Onça Caetana". A 19 de junho, conclui a publicação dos folhetins de "As Infâncias de Quaderna". A 26 de junho, com o artigo "A confissão desesperada", passa a assinar coluna opinativa aos domingos, no mesmo *Diário de Pernambuco*.

1978
A 31 de maio, é exonerado, a pedido, do cargo de secretário de educação e cultura do Recife.

1979
O *Romance d'A Pedra do Reino* é publicado na Alemanha, edição de Hobbit Presse/Klett-Cotta, de Stuttgart, em tradução de Georg Rudolf Lind (*Der Stein des Reiches*).

1980

Lança o álbum de iluminogravuras *Dez Sonetos com Mote Alheio*.

1981

Publica, no *Diário de Pernambuco*, a 9 de agosto, o célebre artigo "Despedida", encerrando a sua colaboração dominical com o jornal e comunicando o seu afastamento da vida literária. Deixa de dar entrevistas e de participar de eventos culturais, limitando-se à sua atividade docente na Universidade Federal de Pernambuco.

1985

Lança o álbum de iluminogravuras *Sonetos de Albano Cervonegro*.

1986

O *Auto da Compadecida* é publicado pela Editora Diá, de St. Gallen/Wuppertal, em tradução alemã de Willy Keller (*Das Testament des Hundes oder Das Spiel von Unserer Lieben Frau der Mitleidvollen*).

1987

Estreia o filme *Os Trapalhões no Auto da Compadecida*, baseado em sua obra e dirigido por Roberto Farias. A 16 de junho, para comemorar seu aniversário de 60 anos, intelectuais, artistas populares e admiradores em geral promovem uma grande festa em frente à sua residência, na rua do Chacon, no bairro de Casa Forte, no Recife. Também por ocasião do seu aniversário, a Editora da UFPE lança a plaquete *Suassuna e o Movimento Armorial*, de George Browne Rêgo e Jarbas Maciel. Volta a escrever para teatro, com a peça *As Conchambranças de Quaderna*.

1988

Em setembro, a peça *As Conchambranças de Quaderna* estreia no Teatro Valdemar de Oliveira, no Recife, em montagem da Cooperarteatro, com direção de Lúcio Lombardi e cenários e figurinos de Romero de Andrade Lima.

1989

É publicada, pela Editora Record, do Rio de Janeiro, sua tradução do livro *The Revolution that Never Was* (*A Revolução que Nunca Houve*), do escritor norte-americano Joseph A. Page. Aposenta-se do cargo de professor da Universidade Federal de Pernambuco, onde lecionou Estética, História da Arte, Cultura Brasileira, Teoria do Teatro e disciplinas afins.

1990

A 26 de abril, morre sua mãe, D. Rita Suassuna, aos 94 anos. A 9 de agosto, toma posse na Academia Brasileira de Letras (cadeira nº 32). Filia-se, pela primeira vez na vida, a um partido político, o Partido Socialista Brasileiro (PSB).

1991

A 26 de outubro, é publicada, na *Folha de S.Paulo*, uma extensa entrevista concedida a Marilene Felinto e Alcino Leite Neto, anunciando a escritura de um novo romance.

1992

O *Auto da Compadecida* é publicado na Itália, pela Guaraldi/Nuova Compagnia Editrice, em tradução de Laura Lotti.

1993

É realizada, em São José do Belmonte, Pernambuco, por jovens do município, a I Cavalgada à Pedra do Reino. A Editora Francisco Alves, do Rio de Janeiro, lança o livro *O Sertão Medieval: Origens Europeias do Teatro de Ariano Suassuna*, de Ligia Vassallo. A 1º de dezembro, toma posse na Academia Pernambucana de Letras (cadeira nº 18).

1994

A 12 de julho, a Rede Globo de Televisão exibe o especial *Uma Mulher Vestida de Sol*, baseado na sua primeira peça de teatro e dirigido por Luiz Fernando Carvalho. A Editora Bagaço, do Recife, publica o seu primeiro romance, *A História do Amor de Fernando e Isaura*, cujo lançamento ocorre a 7 de outubro. A Editora da Universidade Federal da Paraíba publica a *Aula Magna*, transcrição da conferência que proferiu na instituição a 16 de novembro de 1992.

1995

A convite do governador Miguel Arraes, assume, a 1º de janeiro, a Secretaria de Cultura de Pernambuco. A 28 de maio, participa, em São José do Belmonte, da III Cavalgada à Pedra do Reino, agora organizada pela Associação Cultural Pedra do Reino, que lhe confere o título de Cavaleiro da Pedra do Reino. Em junho, apresenta o Projeto Cultural Pernambuco-Brasil, por ele elaborado para nortear as ações da Secretaria de Cultura, entre as quais se inclui a apresentação de "aulas-espetáculo" contendo explicações "sobre a cultura brasileira popular e erudita, com exibição de números de música e dança ou de imagens ligadas à arquitetura, à escultura, à pintura etc." A 30 de novembro, a Universidade Federal de Pernambuco concede-lhe o título de Professor Emérito. A 5 de dezembro, a Rede Globo de Televisão apresenta o especial *A Farsa da Boa Preguiça*, baseado em sua peça, com direção de Luiz Fernando Carvalho e cenários assinados por seu filho, Manuel Dantas Suassuna.

1996

Escreve *A História do Amor de Romeu e Julieta*, peça em um ato, a partir de um folheto de cordel. Com Antonio Madureira, que liderara o Quinteto Armorial, funda o Quarteto Romançal, ligado à Secretaria de Cultura de Pernambuco. A 26 de setembro, realiza, no Teatro do Parque, no Recife, a "Grande Cantoria Louro do Pajeú", aula-espetáculo em que apresenta repentistas, em comemoração ao cinquentenário da cantoria por ele organizada em 1946, enquanto estudante de Direito. A 14 de novembro, estreia, no Teatro da Universidade Federal de Pernambuco, a peça *A História do Amor de Romeu e Julieta*, montagem da Trupe Romançal de Teatro, sob a direção de Romero de Andrade Lima, com cenários de Manuel Dantas Suassuna e figurinos de Luciana Buarque.

1997

A 19 de janeiro, o suplemento "Mais!", da *Folha de S.Paulo*, publica o texto da peça *A História do Amor de Romeu e Julieta*, ilustrado com gravuras de J. Borges. A 15 de junho, um domingo, o *Jornal do Commercio*, do Recife, publica caderno especial em homenagem aos seus 70 anos. A 26 de agosto, é inaugurado, no

Recife, o Teatro Arraial, fruto do seu trabalho na Secretaria de Cultura, e cujo nome homenageia o arraial de Canudos. A 20 de novembro, estreia, no Teatro do Parque, do Recife, *A Pedra do Reino*, uma adaptação teatral do seu romance, realizada por Romero de Andrade Lima, que também assina a direção, com cenários de Manuel Dantas Suassuna. A 16 de dezembro, o artista plástico Guilherme da Fonte inaugura, na Academia Pernambucana de Letras, a exposição *Mosaicos Armoriais*, com trabalhos em granito e mármore, realizados a partir dos seus desenhos. O Ministério da Cultura lança o vídeo *Aula-Espetáculo*, com direção e roteiro de Vladimir Carvalho, contendo um registro condensado da aula-espetáculo que apresentou a convite do Ministério, na Universidade de Brasília.

1998
Concebe e escreve o roteiro do espetáculo de dança *A Demanda do Graal Dançado*, que estreia a 19 de março, no Teatro Arraial, com coreografia de Maria Paula Rêgo e direção de arte e cenografia de Manuel Dantas Suassuna. Elabora o roteiro musical para o espetáculo de dança *Pernambuco – do Barroco ao Armorial*, cuja estreia ocorre a 22 de maio, no Teatro Arraial, com direção geral de Marisa Queiroga, coreografias de Heloísa Duque e cenários e figurinos de Manuel Dantas Suassuna. A 9 de setembro, é lançado, no Recife, o CD *A Poesia Viva de Ariano Suassuna*, em que declama seus poemas sob fundo musical de Antonio Madureira. O *Romance d'A Pedra do Reino* é publicado na França, pelas edições Métailié, de Paris, em tradução de Idelette Muzart Fonseca dos Santos (*La Pierre du Royaume*). É editado, em Portugal, pela Aríon Publicações, de Lisboa, o seu ensaio *Olavo Bilac e Fernando Pessoa: uma presença brasileira em* Mensagem?, originalmente publicado

na revista *Estudos Universitários*, da UFPE, em 1966. A 31 de dezembro, com o fim do governo de Miguel Arraes, deixa a Secretaria de Cultura de Pernambuco.

1999

De 5 a 8 de janeiro, a Rede Globo de Televisão exibe os quatro capítulos da minissérie *O Auto da Compadecida*, adaptação de sua peça realizada por Guel Arraes, Adriana Falcão e João Falcão, com direção de Guel Arraes. A 2 de fevereiro, estreia coluna semanal, às terças-feiras, no jornal *Folha de S.Paulo*, na seção "Opinião". A 19 de março, estreia, no programa *NE-TV:1ª Edição*, da Rede Globo, o quadro "O Canto de Ariano", apresentado semanalmente, às sextas-feiras. Ainda em março, estreia coluna mensal na revista *Bravo!*, na seção "Ensaio!". A Editora da UFPE publica uma antologia de seus poemas organizada por Carlos Newton Júnior. O *Auto da Compadecida* é publicado em bretão, na cidade de Brest, França, em tradução de Remi Derrien. A Editora da Unicamp lança o livro *Em Demanda da Poética Popular: Ariano Suassuna e o Movimento Armorial*, de Idelette Muzart Fonseca dos Santos.

2000

A 27 de abril, recebe, em Natal, o título de Doutor Honoris Causa da Universidade Federal do Rio Grande do Norte. Em junho, encerra sua colaboração com a revista *Bravo!*. A 4 de julho, encerra a coluna que vinha escrevendo na *Folha de S.Paulo*, às terças, para estrear a 10 de julho, em novo formato e no mesmo jornal, às segundas, uma outra coluna, que chama de "Almanaque Armorial". É inaugurada, a 25 de agosto, na unidade do SESC de Casa Amarela, no Recife, a exposição *Iluminogravuras*, com exemplares dos dois álbuns lançados na década de 1980. A 15 de setembro, estreia, nos cinemas, *O Auto da Compadecida*, dirigido por Guel Arraes, filme montado a partir da minissérie exibida no ano anterior. Toma posse, a 9 de outubro, na Academia Paraibana de Letras (cadeira nº 35). É lançada, pela Editora A União, de João Pessoa, a plaquete *Ariano Suassuna*, escrita pelo jornalista José Nunes para a série histórica "Paraíba: Nomes do Século". A 6 de dezembro, é lançado, no Recife, no Forte das Cinco Pontas, o número 10 da coleção *Cadernos de Literatura Brasileira*, do Instituto Moreira Salles, dedicado à sua obra. A 26 de dezembro, é exibido, na Rede Globo, o especial *O Santo e a Porca*, baseado em sua peça, com roteiro de Adriana Falcão e direção de Maurício Farias.

2001

A 26 de março, encerra a publicação do "Almanaque Armorial" na *Folha de S.Paulo*. A 31 de outubro, recebe, no Rio, título de Doutor Honoris Causa, concedido pela Universidade Estadual do Rio de Janeiro.

2002

É homenageado no carnaval do Rio de Janeiro pela escola de samba Império Serrano, que desfila na Sapucaí com o enredo *Aclamação e Coroação do Imperador da Pedra do Reino Ariano Suassuna*. A 15 de maio, recebe, em Aracaju, título de Doutor Honoris Causa, concedido pela Universidade Federal de Sergipe. A 16 de junho, por ocasião do seu aniversário de 75 anos, o jornal *A União*, da Paraíba, dedica-lhe um caderno especial, editado pelo jornalista William Costa. A 29 de junho, em João Pessoa, recebe título de Doutor Honoris Causa, concedido pela Universidade Federal da Paraíba. A 10 de agosto, recebe, em Salvador, o Prêmio Nacional Jorge Amado de Literatura e Arte. A Editora Palas Athena, de São

Paulo, publica o livro *O Cabreiro Tresmalhado: Ariano Suassuna e a Universalidade da Cultura*, de Maria Aparecida Lopes Nogueira.

2003

Em maio, reescreve a peça *Os Homens de Barro*, cuja primeira versão havia sido concluída em 1949. A 29 de setembro, recebe, em Mossoró, título de Doutor Honoris Causa concedido pela Universidade do Estado do Rio Grande do Norte. A 25 de novembro, na sede da Academia Brasileira de Letras, no Rio, é lançado o documentário em longa-metragem *O Sertãomundo de Suassuna*, do cineasta Douglas Machado.

2005

A Editora Agir lança edição especial do *Auto da Compadecida*, em comemoração aos 50 anos da peça. A edição é ilustrada por Manuel Dantas Suassuna e contém textos críticos de Braulio Tavares, Carlos Newton Júnior e Raimundo Carrero. A 31 de julho, o jornal *O Povo*, de Fortaleza, lança caderno especial sobre a sua obra, editado pela jornalista Eleuda de Carvalho, antecipando as comemorações dos seus 60 anos de vida literária, completados a 7 de outubro. A 25 de agosto, recebe, em Passo Fundo (RS), título de Doutor Honoris Causa, concedido pela Universidade de Passo Fundo. A 25 de novembro, recebe, no Recife, título de Doutor Honoris Causa, concedido pela Universidade Federal Rural de Pernambuco. A Editora 7 Letras, do Rio de Janeiro, lança *Teatro e Comicidades: Estudos sobre Ariano Suassuna e Outros Ensaios*, de vários autores, com organização de Beti Rabetti. O fotógrafo Gustavo Moura lança o livro *Do Reino Encantado*, com fotografias inspiradas no sertão suassuniano.

2006

A 14 de março, ministra aula-espetáculo de abertura do ano acadêmico, na Academia Brasileira de Letras, e participa, logo em seguida, na Galeria Manuel Bandeira, da abertura da exposição *Do Reino Encantado: Iluminogravuras de Ariano Suassuna e fotografias de Gustavo Moura*, sob a curadoria de Alexei Bueno. A 13 de maio, é apresentado o último programa do quadro "O Canto de Ariano". A 25 de maio, recebe, na Câmara Municipal de São Paulo, o título de Cidadão Paulistano. Estreia em São Paulo, a 20 de julho, no Teatro Anchieta, do SESC, o espetáculo *A Pedra do Reino*, adaptação para teatro do *Romance d'A Pedra do Reino* e da *História d'O Rei Degolado*, realizada e dirigida por Antunes Filho. A 21 de agosto, antecipando as comemorações dos seus 80 anos, a Universidade Federal de Pernambuco inaugura o Núcleo Ariano Suassuna de Estudos Brasileiros (NASEB).

2007

A convite do governador Eduardo Campos, assume, a 1º de janeiro, a Secretaria Especial de Cultura de Pernambuco. A 19 de janeiro, comemora, com Zélia, filhos e netos, as suas Bodas de Ouro. A 23 de abril, por ocasião da abertura do 11º Cine PE, no Centro de Convenções de Pernambuco, é exibido o documentário em longa-metragem *O Senhor do Castelo*, do cineasta Marcus Vilar, sobre sua vida e obra. Recebe, em Salvador, na Assembleia Legislativa, a 10 de maio, o título de Cidadão Baiano. Por ocasião do seu 80º aniversário, recebe uma série de homenagens. Em João Pessoa, é homenageado durante o 3º CINEPORT (Festival de Cinema de Países de Língua Portuguesa), de 4 a 13 de maio, com uma exposição de fotografias de Gustavo Moura. No Rio de Janeiro, realiza-se, entre os dias 10 e 17 de junho, sob a coordenação artística da atriz

Inez Viana, o projeto Ariano Suassuna 80, promovido pela Sarau Agência de Cultura Brasileira, com apoio da Rede Globo. O projeto é iniciado com uma aula-espetáculo no Theatro Municipal e segue com uma "Semana Armorial", com extensa programação de palestras, mesas-redondas, exposições, apresentações musicais, exibição de filmes etc. De 12 a 16 de junho, a Rede Globo exibe a minissérie *A Pedra do Reino*, em 5 capítulos, adaptação do seu romance realizada por Luiz Fernando Carvalho, Luís Alberto de Abreu e Braulio Tavares, com direção de Luiz Fernando Carvalho. A 14 de junho, é lançado, no município de Floriano, durante uma "Semana de Arte Armorial" promovida pelo Centro Federal de Educação, Ciência e Tecnologia do Piauí, o documentário em média-metragem *Ariano Suassuna: Cabra de Coração e Arte ou O Cavaleiro da Alegre Figura*, do cineasta Claudio Brito. A 12 de julho, a Academia Brasileira de Letras promove uma mesa-redonda em sua homenagem, no Salão Nobre do Petit Trianon, com Moacyr Scliar, José Almino de Alencar e Carlos Newton Júnior, seguida da abertura da exposição *Ariano Suassuna, uma fotobiografia*, na Galeria Manuel Bandeira. De 18 a 30 de setembro, realiza-se, em São Paulo, o projeto Ariano Suassuna 80 anos: o local e o universal, também iniciado com aula-espetáculo do autor e com uma extensa programação de palestras, exposições, mostra de filmes etc. De 29 a 30 de outubro, realiza-se, na Universidade Paris X – Nanterre, França, o Colóquio Ariano Suassuna 80 anos, com conferências e mesas-redondas sobre a sua obra. Ainda no âmbito das comemorações dos seus 80 anos, são lançados três livros sobre a sua vida e a sua obra: *ABC de Ariano Suassuna*, de Braulio Tavares, pela Editora José Olympio; *Ariano Suassuna: Um Perfil Biográfico*, de Adriana Victor e Juliana Lins, pela Editora Jorge Zahar; *Ode a Ariano Suassuna*, organizado por Maria Aparecida Lopes Nogueira, contendo ensaios e depoimentos de vários autores, pela Editora da UFPE. A 25 de setembro, recebe, na Câmara Municipal de Natal, título de Cidadão Natalense. Em dezembro, a Editora Paulistana, de São Paulo, lança *Discurso e Memória em Ariano Suassuna*, com textos de vários autores e organização de Guaraciaba Micheletti.

2008

É homenageado no carnaval de São Paulo pela escola de samba Mancha Verde. A 20 de agosto, é lançado, no Rio de Janeiro, pela Editora José Olympio, o *Almanaque Armorial*, coletânea de seus ensaios organizada por Carlos Newton Júnior.

2009

A 21 de setembro, é lançado, em João Pessoa, o documentário em média-metragem *Ariano: Impressões*, do cineasta Claudio Brito.

2010

A 10 de junho, recebe, em Fortaleza, título de Doutor Honoris Causa, concedido pela Universidade Federal do Ceará. A 24 de agosto, em Maceió, recebe o título de Doutor Honoris Causa, concedido pela Universidade Federal de Alagoas. A 6 de outubro, no Recife, morre seu filho mais velho, Joaquim, aos 53 anos. A 31 de dezembro, deixa a Secretaria Especial de Cultura de Pernambuco.

2011

A Editora José Olympio publica sua peça *Os Homens de Barro*. O artista plástico Alexandre Nóbrega lança o livro *O Decifrador*, ensaio fotográfico realizado a partir das suas viagens para ministrar aulas-espetáculo em diversas cidades do país. A 13 de agosto, na fazenda Carnaúba, em Taperoá, sob a coordenação artística de seu filho, Manuel Dantas Suassuna, dá início à execução da "Ilumiara Jaúna", conjunto escultórico em baixo-relevo que será descrito no *Romance de Dom Pantero no Palco dos Pecadores*.

2013

A 17 de abril, o cineasta Claudio Brito lança mais um documentário sobre a sua obra, o longa-metragem *Ariano: Suassunas*. Começa a apresentar problemas de saúde. A 21 de agosto, é internado, no Hospital Português, no Recife, devido a um infarto. A 4 de setembro, recebe alta do hospital, para continuar tratamento de recuperação em casa.

2014

É homenageado no carnaval do Recife pelo bloco O Galo da Madrugada, comparecendo ao desfile. A 18 de julho, ministra, em Garanhuns, Pernambuco, no âmbito do Festival de Inverno, aquela que seria a sua última aula-espetáculo. A 21 de julho é internado, no Hospital Português do Recife, vítima de acidente vascular cerebral hemorrágico, morrendo a 23 de julho, de parada cardíaca. É sepultado, no dia 24, no cemitério Morada da Paz, em Paulista, município da Região Metropolitana do Recife. Deixa, inédito, entre outras obras, o *Romance de Dom Pantero no Palco dos Pecadores*. É homenageado na 10ª Festa Literária Internacional de Pernambuco (FLIPORTO), que acontece de 13 a 16 de novembro, em Olinda. A 19 de dezembro, o Tribunal de Contas do Estado da Paraíba inaugura, em João Pessoa, o Centro Cultural Ariano Suassuna, edifício projetado pelo arquiteto Expedito Arruda, contendo auditório, salão de exposições, biblioteca etc.

2015

A revista literária *Hoblicua* dedica número especial em sua homenagem. A 4 de outubro, realiza-se em Taperoá, Paraíba, no âmbito do IV Festival Internacional de Folclore e Artes do Cariri, mesa-redonda em comemoração aos 60 anos do *Auto da Compadecida*, com participação do ator Matheus Nachtergaele, do artista plástico Manuel Dantas Suassuna e do escritor Carlos Newton Júnior.

2016

O condomínio de herdeiros de Ariano Suassuna assina contrato para edição de toda a sua obra com a Editora Nova Fronteira, do Rio de Janeiro.

SUASSUNA ILUMINARA

Direção editorial
Daniele Cajueiro

Editora responsável
Janaína Senna

Produção editorial
Adriana Torres
André Marinho

Fixação de texto e cronologia de Ariano Suassuna
Carlos Newton Júnior

Pesquisa iconográfica
Mariana Suassuna
Ester Suassuna Simões

Revisão
Luíza Côrtes, Roberto Jannarelli, Suelen Lopes
Olga de Mello, Frederico Hartje

Direção de arte
Manuel Dantas Suassuna

Capa, projeto gráfico e diagramação
Ricardo Gouveia de Melo

Este livro foi impresso em 2017
para a Nova Fronteira.

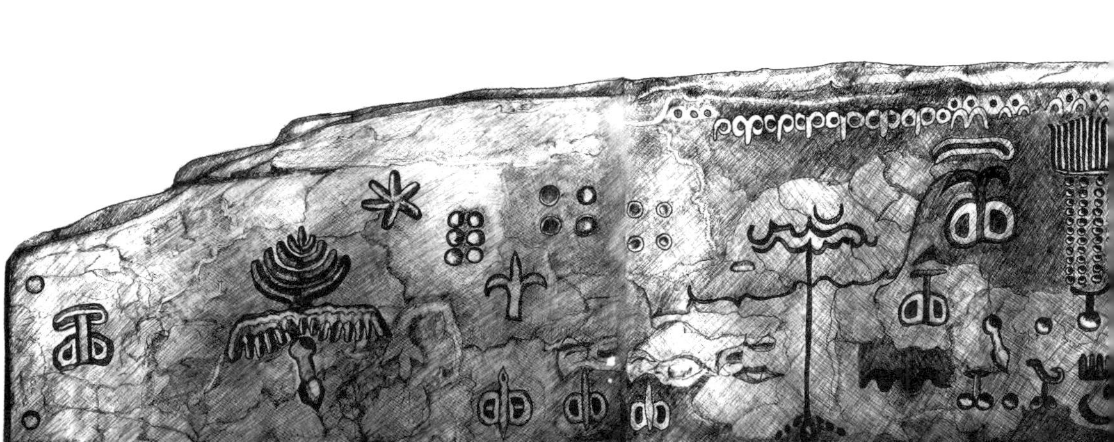

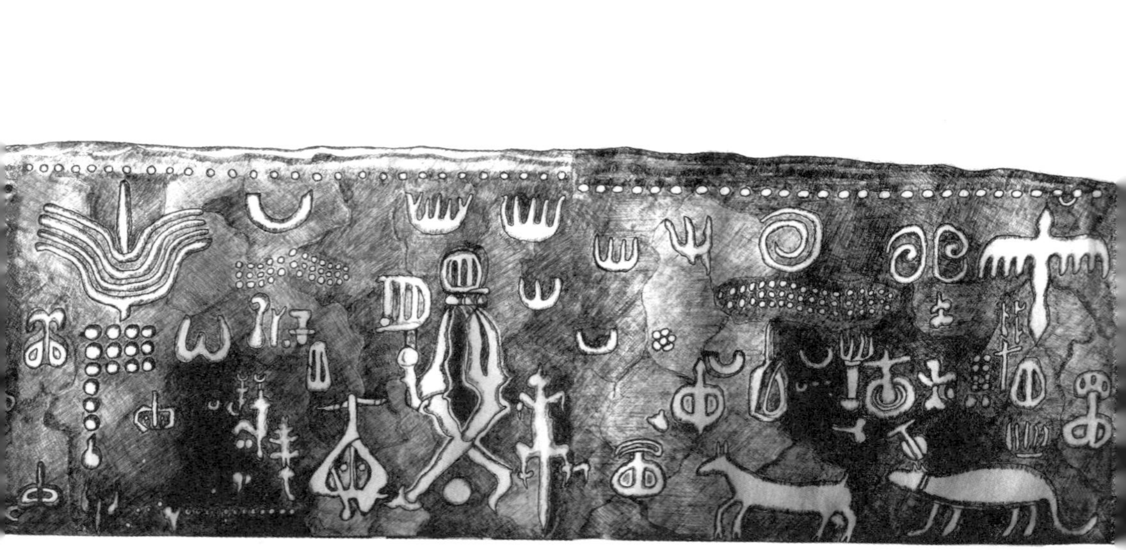